Ehrenstein
Thermische Analyse

Gottfried W. Ehrenstein

Thermische Analyse

Brandprüfung, Wärme- und Temperaturleitfähigkeit, DSC, DMA, TMA

Erlanger Kunststoff-Schadensanalyse

HANSER

Der Herausgeber:

Prof. em. Dr.-Ing. habil Dr. h. c. Gottfried Wilhelm Ehrenstein, Universität Erlangen-Nürnberg

MIX
Papier aus verantwortungsvollen Quellen
FSC www.fsc.org FSC® C016439

Bibliografische Information der Deutschen Nationalbibliothek:

Die Deutsche Nationalbibliothek verzeichnet diese Publikation in der Deutschen Nationalbibliografie; detaillierte bibliografische Daten sind im Internet über <http://dnb.ddb.de> abrufbar.

www.hanser-fachbuch.de
Coverconcept: Marc Müller-Bremer, www.rebranding.de, München
Coverrealisierung: Max Kostopoulos
Coverbild: Florian Tomiak, LKT Universität Erlangen
Logo Erlanger Kunststoff-Schadensanalyse: Tobias Mattner, M. Sc.
Satz: Kösel Media GmbH, Krugzell
Druck und Bindung: Druckerei Hubert & Co GmbH und Co KG BuchPartner, Göttingen
Printed in Germany

ISBN: 978-3-446-46258-8
E-Book-ISBN: 978-3-446-46424-7

FIAT IUSTITIA ET PEREAT MUNDUS

von Martin Luther und zuvor von Papst Hadrian

Meiner Frau Ute Threde-Ehrenstein in Dankbarkeit!

Der Herausgeber

(LKT Erlangen)

Prof. em. Dr.-Ing. habil Dr. h. c. Gottfried Wilhelm Ehrenstein wurde 1937 in Danzig geboren und hat nach einem humanistischen Abitur an der Technischen Hochschule Hannover Allgemeinen Maschinenbau studiert. Nach der Promotion (Prof. Matting) arbeitete er 10 Jahre in der Anwendungstechnischen Abteilung Kunststoffe der BASF AG und war gleichzeitig Lehrbeauftragter und nach der Habilitation 1976 Privatdozent der Fakultät für Maschinenbau der Universität Karlsruhe (TH, Prof. Macherauch). Von 1977 bis 1989 war er Inhaber des Lehrstuhls für Werkstoffkunde/Kunststoffe der Universität-Gesamthochschule Kassel. Nach Rufen an die TU Harburg, die Montanuniversität Leoben und die TU Berlin war er ab 1989 Professor für Kunststofftechnik des von ihm neu eingerichteten Lehrstuhls der Universität Erlangen-Nürnberg.

Von 1987 bis 1992 war er nebenamtlich Leiter des Süddeutschen Kunststoffzentrums in Würzburg. 1992 wurde er Honorarprofessor des Chemischen Instituts der Universität Qingdao, China, und 1996 Ehrendoktor der Technischen Universität Budapest. Prof. Ehrenstein ist vereidigter Sachverständiger der IHK Nürnberg für Kunststoffe und Sonderwerkstoffe auf Kunststoffbasis und des Deutschen Instituts für Bautechnik (DIBt), Berlin.

Danksagung:

Dieses Buch „Thermische Analyse“ war nur möglich dank der vielfältigen Unterstützung und systematischen Analyse durch die Leiterin der Analytik des Lehrstuhls für Kunststofftechnik und ihrer Vertreterin – Frau Dipl.-Ing. (FH) Gabriela Riedel und Pia Trawiel – die nun schon fast 30 Jahre auf diesem Gebiet arbeiten, in der relativ weltweit größten anwendungstechnisch und wissenschaftlich geprägten universitären Laborgruppe der Kunststofftechnik in Erlangen.

Begleitwort zum Buch „Thermische Analyse“

(Quelle: IKT)

Kunststoffabfälle in der Umwelt schaden dem Ansehen der gesamten Werkstoffklasse. Doch nicht der Werkstoff, sondern der Mensch ist für die Umweltverschmutzung verantwortlich. Abfälle in der Umwelt - egal welchen Werkstoffs - entstehen meist aufgrund von Faulheit und fehlender Disziplin. Umweltschutz fängt bei jedem Einzelnen von uns an!

Unsere derzeitigen Lebensgewohnheiten helfen dabei jedoch wenig: denn wir leben in einer Wegwerfgesellschaft. Wenn wir dies beibehalten möchten, sind Einwegprodukte aus anderen Werkstoffen meist schlechter für die Umwelt als die aus Kunststoff. Zahlreiche Ökobilanzen beweisen, dass Produkte aus Kunststoff, seien es die kurzlebigen oder auch die langlebigen, die Umwelt weniger schädigen als die aus anderen Werkstoffen. Grundsätzlich die beste Ökobilanz zeigen Produkte, die lange im Einsatz sind. So gilt es, nicht Kunststoffe zu verteufeln, sondern die Wegwerfgesellschaft.

Aber auch Einwegprodukte können einen wichtigen Nutzen darstellen, wenn es um Hygiene und Schutz vor Verderben von z. B. Lebensmitteln und in der Medizintechnik geht. Wer wünscht sich ausgekochte Spritzen zurück und möchte in der Notfallmedizin mit gespülten Infusionsschläuchen versorgt werden? Wer möchte wieder die Zeiten zurück, in denen Lebensmittel im Kühlschrank nur wenige Tage genießbar waren und Zahlreiches verdorben in der Mülltonne landete?

Zum Schutz von Lebensmitteln und Arzneimitteln werden eine Diffusionsbarriere und ein gewisses Maß an mechanischen Eigenschaften von Werkstoffen benötigt. Diese Kombination wird mit Kunststoffen mit einem sehr geringen Energieaufwand erbracht. Zudem sind es meist weitere physikalische Eigenschaften, welche Kunststoffe so besonders machen. Gottfried Ehrenstein widmet sich in diesem Band verschiedenen Analysemöglichkeiten, die unter dem Einsatz von Temperaturänderungen tiefere Erkenntnisse über Polymere sowie Rückschlüsse auf die zugegebenen Zusatzstoffe ermöglichen.

Die Thermische Analyse ist eventuell die bedeutendste Gruppe unter den Prüf- und Analyseverfahren für Polymere und Kunststoffe. Sie ermöglicht Interpretationen zu Art und Aufbau der Polymere, aber auch Informationen zu charakteristischen Temperaturen sowie mechanischem Verhalten unter Temperatureinfluss. Konkret gibt sie – je nach Analyseverfahren – Informationen über die Glasübergangstemperatur, Schmelze- und Erstarrungstemperatur, die Kristallisation, das Vernetzungsverhalten, die thermische Stabilität, die thermische Ausdehnung sowie zu den Temperatur- und Wärmeleitfähigkeiten der zu untersuchenden Polymere und Kunststoffe. Auch kann sie durch den Verarbeitungsprozess in die Kristallstruktur eingebrachte Besonderheiten teilkristalliner Polymere aufdecken und erlaubt hierdurch Rückschlüsse, die bei der Schadensanalyse - der Königsdisziplin eines jeden Ingenieurs - von unschätzbarem Wert sind. Als besonderer Teil dieses Buches – weil eigentlich keine physikalischen Größen bestimmt werden - soll die Bestimmung des Brandverhaltens von Kunststoffen hervorgehoben werden.

In diesem Buch werden verschiedene Methoden der Thermischen Analyse von den grundlegenden physikalischen Prinzipien über ihre Besonderheiten bis hin zu Anwendungstipps vorgestellt. Mit Hilfe praktischer Beispiele werden unterschiedliche Vorgehensweisen zur Problemlösung gezeigt und zugleich für Fehlinterpretationen sensibilisiert. Kenntnisse über die Thermische Analyse sind wichtig für jeden Material- und Produktentwickler, Mitarbeiter der Qualitätssicherung und Prozessingenieur eines Unternehmens.

Stuttgart, im Januar 2020 *Univ.-Prof. Dr.-Ing. C. Bonten*

Prof. Christian Bonten

Univ.-Prof. Dr.-Ing. Christian Bonten leitet das Institut für Kunststofftechnik (IKT) in Stuttgart, eines der führenden deutschen Forschungsinstitute auf dem Gebiet der Kunststofftechnik. Nach Studium des Maschinenbaus in Duisburg und der Kunststoffverarbeitung an der RWTH in Aachen promovierte Prof. Bonten bei Univ.-Prof. Dr.-Ing. Ernst Schmachtenberg im Fachgebiet Kunststofftechnik. Nach mehreren Jahren technischer Verantwortung und später Geschäftsverantwortung bei der BASF sowie dem Biokunststoffhersteller FKuR wurde er 2010 von der Universität Stuttgart zum Direktor und Leiter des IKT berufen. Das Institut arbeitet auf allen Gebieten der Kunststofftechnik: der Werkstofftechnik, der Verarbeitungstechnik und der Produktentwicklung.

Inhalt

1 Brandprüfungen brandgeschützter Polymere

Von Dr.-Ing. Bahman Sarabi

1.1 Aussagefähigkeit von Brandprüfungen

In der vorliegenden Arbeit wird mit einem Polymer-Blendsystem – einem PC-ABS mit und ohne FR-Einstellung – die Aussagefähigkeit verschiedener Brandprüfungen bewertet. Betrachtet werden Prüfungen mit Probekörper – nach UL 94 und Cone-Calorimeter (CC) – und Prüfungen ohne den Einsatz der Probekörper – mit Microscale-Cone-Calorimeter (MCC) sowie Thermogravimeter-Analyse (TGA).

Die ermittelten Werte bei UL 94 sind in starkem Maße von der Verarbeitung und Werkzeugkonstruktion abhängig. Eine Kennwertermittlung mit einem Cone-Calorimeter hingegen ist aufgrund der Prüfkörperabmessungen zeitaufwendig und für den Dünnwandbereich mit einer Wandstärke unterhalb von einem mm kaum realisierbar.

Microscale-Cone-Calorimeter (MCC) und Thermogravimetrie-Analyse (TGA) liefern identische Aussagen. Ihr Einsatz ist aufgrund der extrem niedrigen Menge von einigen mg (½ bis ¼ von einem Granulatkörnchen) und der stark variierenden Verteilungsmenge der Brandschutz-Additive in einem Granulatkörnchen mit starker Streuung behaftet. Für die Entwicklung brandgeschützter Polymere sind somit beide Verfahren nur begrenzt einsetzbar und die Menge für eine Partie-Freigabe bestehend aus einigen Tausend Kilogramm nicht repräsentativ.

Das neue Brand-Technologie-Center des Lehrstuhls für Kunststoffe (LKT) hat sich zur Aufgabe gemacht, rationelle Verfahren und aussagefähige Simulationsmethoden für die Übertragung der Ergebnisse vom Prüfkörper auf Bauteile zu entwickeln, sowie Kennwerte für die Konstrukteure und Polymer-Entwickler zu erarbeiten, und dem Polymer-Markt zur Verfügung zu stellen.

1.2 Brandentstehung bei polymeren Werkstoffen

Für die Entstehung eines Polymerbrandes ist die gegenseitige Einwirkung von drei Komponenten notwendig:

- Polymer als Brennmaterial,
- Sauerstoff aus der Luft,
- Brandentstehung erfolgt zunächst ohne Luftsauerstoff durch die Zuführung der Wärme.

Die Wärmeenergie aus der Zündquelle leitet erst die Erweichung und anschließend die Zersetzung der Polymere ein. In dieser endothermen Zersetzungsphase „Pyrolyse" entstehen:

- brennbare Gase,
- nichtbrennbare Gase,
- feste verkohlte Rückstände.

Durch die Mischung der brennbaren Gase mit dem Luftsauerstoff entsteht eine zündfähige Mixtur, die zur Bildung einer Flamme, Wärme und Verbrennungsprodukten führt. Die verkohlten Rückstände, Luftsauerstoff und das vorhandene Feuer setzen eine große Menge Energie frei und führen zu einer wärmegebenden exothermen, thermischen Rückkopplung (thermisches Feedback), die ständig erneuert wird und der Flamme neue Nahrung gibt, Bild 1.1.

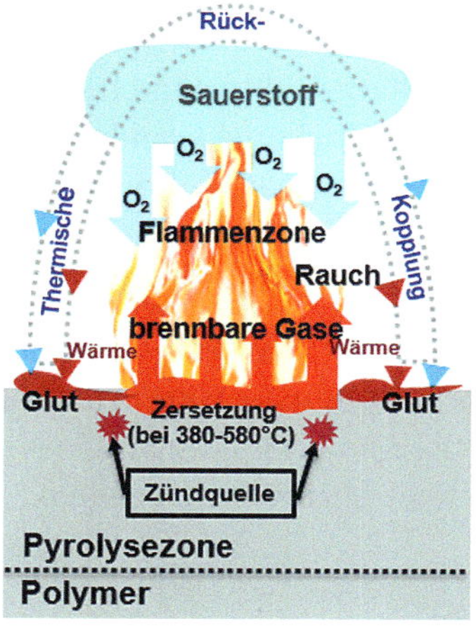

Bild 1.1 Schematische Darstellung des Verbrennungsprozesses von Polymeren

1.3 Einflussgrößen der Brennbarkeit

Das reale Brandverhalten der Polymere wird durch eine Reihe von Einflussgrößen – wie die Entzündlichkeit, Wärmeentwicklung, Rauchgasdichte und die Zusammensetzung der Brandgase – geprägt. Diese Größen werden durch eine Vielzahl anderer Faktoren beeinflusst:

- thermische Vorbehandlung,
- thermische Alterungstemperatur und -dauer,
- Wärmeleitfähigkeit,
- Zündquellenart und -intensität,
- Dauer der Zündquelleneinwirkung,
- Lage des Bauteils (horizontal oder vertikal),
- Ventilation der Räumlichkeiten.

Das Brandverhalten der Polymere ist somit keine reine Stoffeigenschaft.

Hinzu kommt die Polymerzusammensetzung. Während die aliphatischen Polymere (wie z. B. PE, PP, ABS und PA) mit ihrer linearen kettenförmigen Anordnung der Kohlenstoffatome eine niedrige Aktivierungsenergie besitzen und somit sehr leicht und fast rückstandsfrei brennen, weisen aromatische Polymere (wie PC, PAR und PPS) mit ihren ringförmigen Kohlenstoffatomen und hohem Carbonisierungsanteil eine sehr geringe Neigung zum Verbrennen auf. Die carbonisierte bzw. verkohlte Schicht bildet sich bei diesen Polymeren an der Brandoberfläche. Diese isoliert die darunterliegende Polymermasse und stört damit den Wärmetransfer an die Oberfläche und damit den Kontakt zu Sauerstoff.

Die Selbstentzündungstemperatur von PA 6 liegt bei 450 °C, die von PPS bei 540 °C [1]. Die Auswirkung ringförmiger Strukturen auf den Flammschutz spiegelt sich bei rein aromatischen Hauptkettenpolymeren in einer viel höheren Brandklassifizierung wider, die häufig bereits ohne den Zusatz von Flammschutzmitteln erreicht wird. Für das Erreichen einer hohen Brandklassifizierung wie z. B. UL 94 V-0 benötigen Polymere wie PA 6 und PE Flammschutzmittelzusätze zwischen 6 % bis 20 %. Diese Klassifizierung erreicht z. B. PPS bei gleicher Wandstärke bereits ohne Flammschutzmittel.

1.4 Ziel der Entwicklung flammhemmender Polymere

Davon ausgehend, dass eine Vielzahl der Polymere die normativen brandtechnologischen Anforderungen nicht erfüllt, werden für spezielle Einsatzgebiete flammhemmende Polymere entwickelt:

- Elektro/Elektronik: E-Haushaltsgeräte, Elektro-Komponenten, Kabel
- Bauwesen: Baustoffe, Bauteile
- Konsumgüterindustrie: Möbel, Haushaltswaren, Textilien
- Verkehrssektor: Automotive, Kabinenbereich von Schienen- und Luftfahrzeugen

Der Einsatz der flammhemmenden Substanzen kann die Eigenschaften der Polymere negativ beeinflussen. Es ist deshalb die essenzielle Aufgabe in der Polymerforschung, eine akzeptable Balance zwischen dem geforderten Eigenschaftsniveau und dem gewünschten Brandverhalten zu finden. In diesem Zusammenhang sind die wichtigsten Anforderungen:

- Verarbeitbarkeit (Viskosität des Compounds, Temperaturstabilität und geringe Ablagerung an der Werkzeugoberfläche),
- kein Herausdiffundieren der flüssigen FR-Substanzen an der Oberfläche der Bauteile (engl.: „Juicing"),
- Farblosigkeit,
- Erhalt der elektrischen Eigenschaften,
- Alterungsbeständigkeit,
- Geruchlosigkeit,
- geringe Erzeugung aggressiver Gase während der Verbrennung,
- geringe Toxizität oder toxische Verbrennungsprodukte.

Das Hauptproblem bei der Beurteilung des Brandverhaltens polymerer Werkstoffe sind die weit über 400 verschiedenen Normen und Vorschriften für brandschutztechnische Prüfungen, die länder-, bauteil- und firmenspezifisch entwickelt worden sind [3]. Einzelne Verfahren wurden oftmals entwickelt, um ein spezifisches Brandszenario abzubilden, ohne einen Bezug zu anderen Prüfungen herzustellen. Eine systematische Auswertung, ein Vergleich und eine Überprüfung der Aussagefähigkeit dieser Prüfungsmethoden sind nur in einem äußerst begrenzten Maße möglich. Daher wäre es für die Praxis sehr wünschenswert, wenn die Anzahl der Prüfmethoden und der Einfluss von Interessenverbänden auf diese reduziert werden und die Methoden internationale Akzeptanz finden.

Für die Entwicklung der flammgeschützten Polymere haben sich die folgenden Prüfungen etabliert:

1. Brandprüfung mit offener Flamme UL 94 V (Vertikal-Prüfung) [2]
2. Cone-Calorimeter [3]
3. Micro-Cone-Calorimeter [4]
4. Thermogravimetrie TG und Thermogravimetrie-Analyse TGA [5]
5. Glühdrahtprüfung [6] in Verbindung mit Nadelflammprüfung [7]
6. Sauerstoffindex bzw. engl. LOI (Limiting-Oxygen-Index) [8]
7. Brandprüfung mit offener Flamme UL 94 H (Horizontale Prüfung) [9]
8. Brandprüfungen für Automobilsektor [10] - [17]

In dieser Arbeit werden nur die Verfahren 1 bis 4 untersucht. Diese kommen bei der Entwicklung brandgeschützter Polymere zum Einsatz, und zwar durchgehend mit einem Polymersystem PC-ABS mit und ohne FR-Einstellung. Die Verfahren 5 bis 8 werden im Allgemeinen nicht direkt für die brandgeschützten Polymere eingesetzt; sie werden nur auf ausdrücklichen Kundenwunsch hin bereitgestellt und abgeprüft.

Ein relativ neues Verfahren ist das Pyrolysis-Combustion-Flow-Calorimetry, zur Bestimmung der Wärmefreisetzungsrate (engl.: heat release rate) von mg-Proben. Liefert schnelle Ergebnisse, welche für Kunststoffe ohne FR gut mit den CC-Messungen übereinstimmen.)

1.5 Brandprüfungen

1.5.1 UL 94 V

Für die Entwicklung flammgeschützter Polymere in der chemischen Industrie und bei den Compound- Herstellern werden ausschließlich die Vorschriften nach UL 94 der amerikanischen Underwriters Laboratories™ als Benchmark zugrunde gelegt, bzw. die Entwicklung wird auf das Bestehen dieser Prüfung hin gesteuert. Die Brandprüfung nach UL 94-V wurde zunächst individuell bei UL für den amerikanischen Markt für die Zulassung der Kunststoffe im E/E-Sektor verwendet. Mit fortschreitender Globalisierung hat sich diese Prüfung jedoch weltweit für die Einstufung der Flammwidrigkeit zur Zertifizierung der Polymere in sämtlichen Anwendungen durchgesetzt.

Die Vorschriften wurden in die kanadische CSA C22.2 und in die DIN IEC 60695-11 - 10 übernommen. Die Versuchsdurchführung erfolgt an einem Probestab (125 × 12,5 × d mm) mit einer Methangasflamme von 50 Watt und einer Flammlänge von 20 mm. Bei der vertikalen Brandprüfung „V-Prüfung" wird der Probekörper zweimal für je 10 sec. beflammt. Dabei werden nach jeder Beflammung die

Nachbrennzeiten und das Abtropfen brennenden Materials mit Hilfe eines Wattebausches bewertet. Die Vorbehandlung der Proben, die Versuchsdurchführung und die Bewertungskriterien zur Brandklassifizierung polymerer Werkstoffe sind in Bild 1.2 dargestellt.

Die Klassifizierung erfolgt dickenabhängig in den Brennbarkeitsklassen V-0, V-1, V-2:

UL 94V-0:	Selbstverlöschend innerhalb von 10 s; kein brennendes Abtropfen; Nachglühzeit von maximal 30 sec.
UL 94V-1:	Selbstverlöschend innerhalb von 30 s; kein brennendes Abtropfen; Nachglühzeit von maximal 60 sec.
UL 94V-2:	Selbstverlöschend innerhalb von 30 sec; brennendes Abtropfen ist erlaubt.

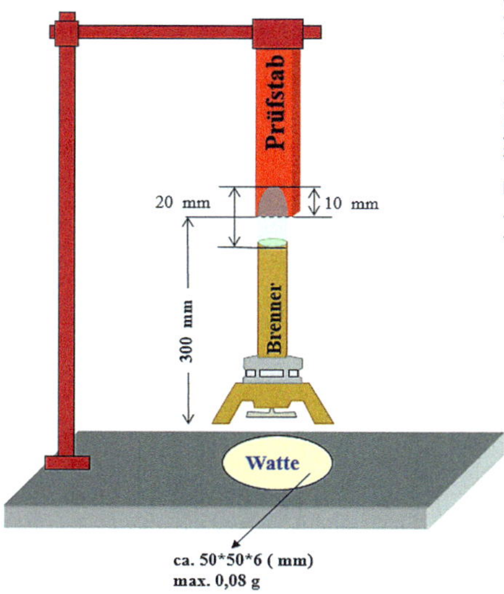

Vorbehandlung
- 5 Probekörper
- 2 Tage / 23°C / 50% rel. Feuchte
- Weitere 5 Probekörper
- 7 Tage / 70°C / Warmluftofen

Beflammung
zweimal 10 s

Die zweite Beflammung beginnt:
- sobald die entzündete Probe verloschen ist
- bei nicht entzündeten Proben sofort danach

Prüfkriterien	Brennbarkeitsklasse UL 94 V-0	V-1	V-2
Nachbrennzeit nach der 1. Beflammung Sec.	≤ 10	≤ 30	≤ 30
Nachbrennen der Proben nach der 2. Beflammung in Sec.	≤ 30	≤ 60	≤ 60
Summe aller Nachbrennzeiten in Sec. (10 Beflammungen)	≤ 50	≤ 250	≤ 250
Brennendes Abtropfen (Zündung der Watte)	nein	nein	ja
Völliges Abbrennen der Proben	nein	nein	nein

Bild 1.2 Versuchsaufbau und Brennbarkeitsklasse UL 94 V-0, V-1, V-2 nach UL-Vorschriften

In Bild 1.3 sind die typischen Erscheinungsbilder sämtlicher Kunststoffe nach der UL 94 V-Klassifizierung für V-0, V-1, V-2 und Nicht-Bestanden (NB) zusammengestellt.

Nach UL 94 V-0 bleibt die Gestalt der Kunststoffproben von sämtlichen Kunststoffen während der Beflammung und nach Entfernen der Flamme erhalten.

Das Aussehen der Kunststoffproben nach der Klassifizierung UL 94 V-1 zeigt eine Teilverbrennung der Kunststoffprobe ohne Abtropfen der Schmelze nach Entfernen der Flamme.

Das charakteristische Bild nach UL 94 V-2 ist durch Selbstverlöschen der Kunststoffprobe nach brennendem Abtropfen und die Entzündung der darunterliegenden Watte gekennzeichnet.

Nicht-Bestanden(NB)-Kunststoffproben sind charakterisiert durch eine vollständige Verbrennung der Proben bis zur Klammer hoch und erhalten keine Bewertung nach UL 94 V-Test.

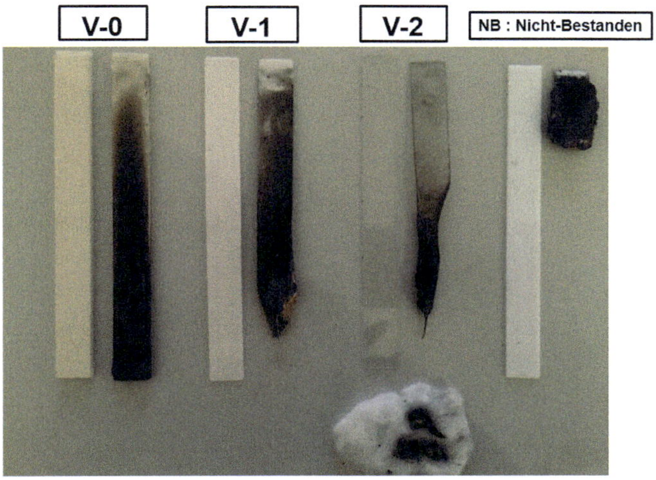

Bild 1.3 Typisches Erscheinungsbild der Probekörper (1,5 mm) nach UL 94 V-Test

Verschärfte Brandklassifizierung nach UL-Vorschriften für Polymere ergeben die Prüfungen nach UL 5V, 5VA und 5VB. Es werden Brandprüfungen mit Methangas mit einer 500-Watt-Flamme und einer Flammlänge von 125 mm für die Prüfung am Probestab (125 × 12,5 × d mm) definiert. Kunststoffe, die mindestens die Klassifizierung V-2 erfüllen, dürfen zusätzlich nach UL 5V-Prüfung für dickere Wandstärken beurteilt werden, Bild 1.4. Die Kriterien für Brandklassifizierung nach dieser Norm sind:

5V:	5VA; 5VB
Fünf Beflammungen von jeweils 5 s Dauer mit anschließender 5 s-Pause. Nach der fünften Beflammung kein Nachbrennen und Nachglühen mehr für maximal 60 s. Kein brennendes Abtropfen inkl. Watteentzündung	Beflammungsprozess erfolgt (wie 5V) unterhalb einer horizontalen Platte. 5VA = keine Lochbildung an Platte zulässig 5VB = sichtbare Lochbildung

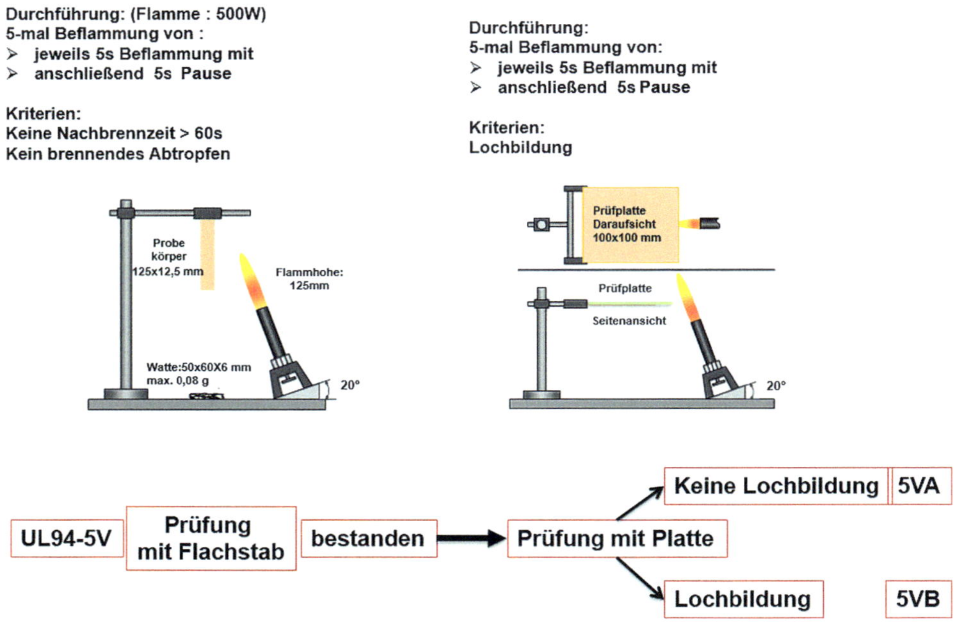

Bild 1.4 Versuchsaufbau und Definition der Brennbarkeitsklassen UL 94 5V, 5VA und 5VB nach UL-Vorschriften

Der unbestrittene Vorteil der Ul 94 V-Prüfungen liegt im Gegensatz zu allen anderen Brandprüfungen in der eindeutigen Definition der Klassifizierungskriterien für Polymere in Abhängigkeit von der Wandstärke. Das Ergebnis der Brandklassifizierung für das Blendsystem PC-ABS mit und ohne FR-Einstellung wurde in Abhängigkeit von der Wandstärke in Tabelle 1.1 zusammengestellt. Diese Klassifizierung ist weltweit ein Maßstab für die Vermarktung der Polymere, die u. a. hinsichtlich ihrer Flammbarkeit auszuwählen sind. Aus diesem Grund dienen diese Vorschriften auch als Grundlage bei der Entwicklung flammgeschützter Polymere.

Tabelle 1.1 Dickenabhängige Brandklassifizierung von PC-ABS mit FR- und ohne FR-Einstellung

PC-ABS-FR		PC-ABS	
Dicke in mm	UL 94 V Brandklasse	Dicke in mm	UL 94 V Brandklasse
1,2	V-1	1,2	nicht bestanden
1,5	V-0	1,5	nicht bestanden
2,0	V-0, 5VB	2,0	nicht bestanden
3,0	V-0, 5VA	3,0	nicht bestanden

Der Versuchsaufbau, die Durchführung und die Auswertung der UL 94 V-Prüfung sind rein empirischer Natur und haben keine wissenschaftlichen Grundlagen. UL besitzt in diesem Bereich ein Alleinstellungsmerkmal für die Zulassung und somit für den Einsatz der Polymere in zahlreichen Anwendungen.

Das Ergebnis einer systematischen Auswertung der Brennbarkeit von 53000 zugelassenen Polymeren zeigt, dass der Schwerpunkt der brandgeschützten Polymerentwicklung bei der Erfüllung der Brandkriterien nach UL 94 V-0 liegt, Bild 1.5.

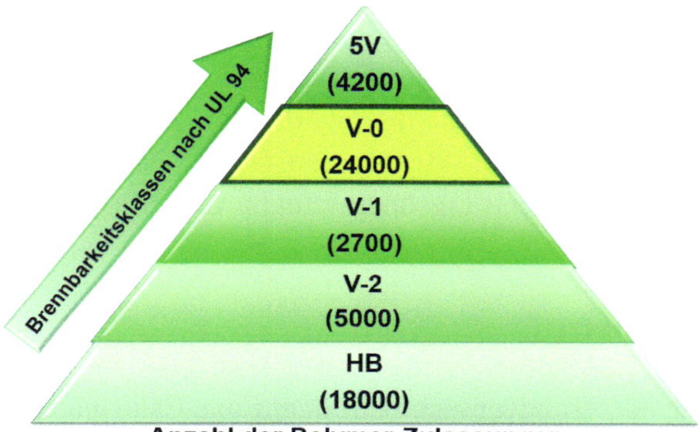

Bild 1.5 Auswertung der Brennbarkeit gemäß UL 94 V von 53000 gelisteten Polymere aus der UL-Datenbank

Das größte Problem der Brandklassifizierung nach UL-Vorschriften ist, dass sich die Brennbarkeits-Klassifizierung auf das Polymermaterial als „Rohmaterial" bezieht, geprüft wird allerdings an einem Bauteil, dem „Prüfkörper".

Die Prüfergebnisse sind daher in starkem Maße abhängig von:

- Verarbeitungsbedingungen (Verschiebung um zwei Brandklassen möglich),
- Werkzeugkonstruktion (Verschiebung um eine Brandklasse möglich),
- Lage des Angusses zur Kavität (angussfern, angussnah),
- Subjektive Beurteilung innerhalb eines Labors und weltweit bzgl. der Labore untereinander,
- Versuchsauswertung ohne statistische Bewertung.

Damit ist die Übertragung der Ergebnisse aus dieser Prüfung auf ein Bauteil kaum möglich, da nicht in jedem Bauteil die gleichen Verarbeitungsbedingungen wie bei der Herstellung der Prüfkörper gegeben sind. Ein sinnvoller Ausweg aus dieser Situation kann durch die Kennzeichnung der Brandklassifizierung in Abhängigkeit von den Verarbeitungsbedingungen erfolgen.

Das Ziel der wissenschaftlichen Betrachtung muss sich daher an Untersuchungen orientieren, die:

- das Brandverhalten wissenschaftlich charakterisieren,
- schnell und rationell durchführbar sind,
- unabhängig von Verarbeitungsbedingungen sind,
- eine Rauchgasanalyse ermöglichen,
- die Herstellung von Probekörpern mittels des CAMPUS-Werkzeugsystems und Spritzgießmaschinen mit 25 – 30 mm Schneckendurchmesser in allen Wandstärken ermöglichen,
- die Übertragung der Prüfergebnisse mit Hilfe neuronaler Netzwerke auf Bauteile gestatten.

Diese Voraussetzungen ermöglichen die Beurteilung des Brandverhaltens unter Berücksichtigung aller anderen Polymereigenschaften innerhalb der internationalen Datenbanken; so können die Brandeigenschaften für beliebige Wandstärken und bauteilabhängige Verarbeitungsbedingungen vorhergesagt werden.

1.5.2 Cone-Calorimetry

Die Durchführung der Brandversuche mit dem Cone-Calorimeter ist in den Normvorschriften [3] ausführlich beschrieben.

Durch die konusförmige Heizspirale (auf die der Name der Prüfapparatur zurückgeht) wird die Oberfläche der Probekörper mit den Abmessungen 100 × 100 × d [mm^3] (bevorzugte Dicke d = 3 mm) mit einer variablen Wärmestrahlung von 0 kW/m^2 bis 100 kW/m^2 gleichmäßig bestrahlt und zur Verbrennung in der Dickenrichtung gezwungen. Die Zündung der Pyrolysegase erfolgt mittels eines externen Funkengebers. Für die Versuchsdurchführung werden üblicherweise drei Bestrahlungsstärken von 35, 50 und 70 kW/mm^2 eingesetzt. Es ist allerdings zu beachten, dass die Versuchsergebnisse mit diesen Einstellungen untereinander keine vergleichbaren Ergebnisse zeigen.

Die erzwungene Verbrennung der Polymere wird bezüglich der Wärme-, Masse- und Stofffreisetzung untersucht. Dabei werden die Rauchgasdichte und die Anteile an Sauerstoff, Kohlendioxid und Kohlenmonoxid in der Abluft sowie die Masse der Probe während der Versuchszeit gemessen, Bild 1.6. Die Wärmefreisetzung ergibt sich nach der Sauerstoffverbrauchsmethode, wonach pro Kilogramm verbrauchtem Sauerstoff 13,1 MJ Wärme freigesetzt werden [Huggett 1980 – Estimation of rate of heat release by means of oxygen consumption measurements].

Während des Versuchsablaufs wird die freigesetzte Wärme im Verhältnis zur Fläche ermittelt und in Abhängigkeit von den entsprechenden Verbrennungszeiten aufgetragen. Die Versuchsergebnisse eines Cone-Calorimeters werden durch die folgenden Prüfparameter gekennzeichnet:

- Entzündungszeit der freigesetzten Stoffe „TI = Temperature Ignition Time“
- Wärmefreisetzungsrate bzw. Wärmeabgabe „HRR = Heat Release Rate“

- Höchstwert der Wärmefreisetzung „PHRR = Peak @ Heat Release Rate“
- Gesamtwärmefreisetzung „THR = Total Heat Release“
- Gesamtmenge von CO und CO_2
- Rauchgasdichte

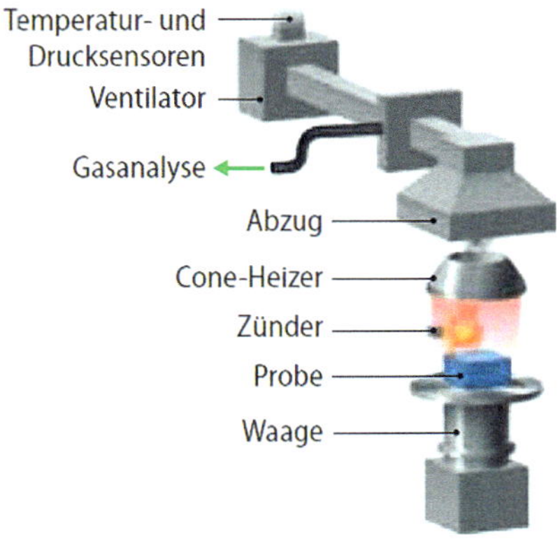

Bild 1.6
Versuchsaufbau des Cone-Calorimeters

Diese charakteristischen Kennwerte sind anhand eines Blendsystems PC-ABS mit und ohne FR- Einstellung in Bild 1.7 dargestellt. Es ist klar zu erkennen, dass die Entzündungszeit durch die FR-Einstellung um 50 % länger und die maximale Wärmefreisetzung um 50 % niedriger ist. Deshalb erhält die FR-Einstellung die UL 94 V-0 Klassifizierung, im Gegensatz zu dem reinen PC-ABS-Blend (ein Zusammenhang ist hier nicht zwingend gegeben).

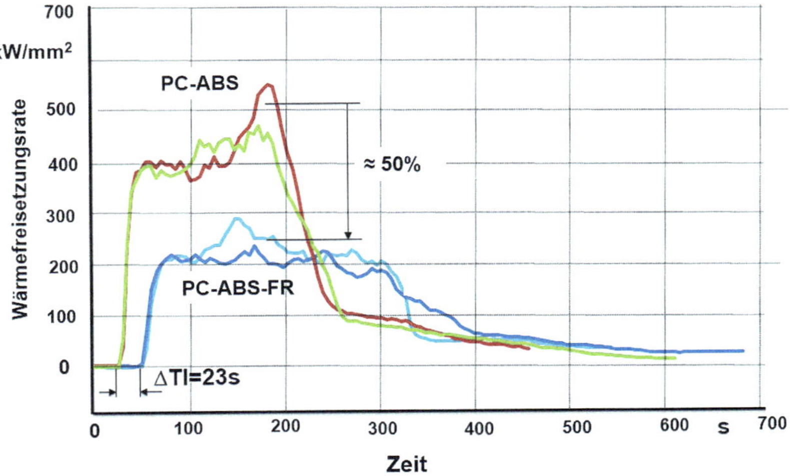

Bild 1.7 Vergleich und charakteristische Kurvenverläufe von PC-ABS mit und ohne FR-Einstellung, ermittelt in einem Cone-Calorimeter bei einem Wärmestrom von 50 W/mm²

Im Vergleich zur Prüfung nach UL 94 V ist für diese umfassende Charakterisierung des Brandverhaltens eines Polymers jedoch ein erheblich höherer Zeit-, Kosten- und Versuchsaufwand erforderlich. Der ist vor allem bedingt durch die Prüfkörperherstellung mit Dickenvariation von $100 \times 100 \times d$ mm^3 und die Versuchsdauer inkl. Versuchsvorbereitung. Diese dürfte ein wesentlicher Grund für die geringe Verbreitung der Cone-Calorimeter-Prüfung bei der Entwicklung brandgeschützter Polymere sein. Eine Automatisierung des Verfahrens zur Kostensenkung bei gleichzeitiger Erhöhung des Durchsatzes wird auch durch die verwendete Probengröße von 100×100 mm^2 erschwert. Hinzu kommt, dass die Herstellung der Platten von 100×100 mm^2 aus technischen Gründen mit Standardspritzgießmaschinen extrem aufwendig und im Dünnwandbereich nicht möglich ist.

Rabe und Schartel (2017) haben das Rapid-Mass-Calorimeter entwickelt. Versuchsaufbau ist ähnlich zum Cone-Calorimeter, hier werden jedoch Proben mit einer Kantenlänge von 20 mm geprüft.

1.5.3 Vergleich UL 94 und Cone-Calorimeter

Die nachfolgende Tabelle zeigt einen Vergleich und somit die Vor-und Nachteile der beiden Verfahren, die das Brandverhalten anhand der Probekörper beschreiben.

Dadurch, dass die Untersuchung des Brandverhaltens nach UL 94 an Standard-Probekörpern ohne Einbeziehung der Verarbeitungsfenster erfolgt, besteht ein enormes Risiko bei der Übertragung der Ergebnisse auf die Brandsicherheit der Bauteile. Das Cone-Calorimeter verwendet ein erzwungenes Verbrennungsszenario, in dem Strahlungswärme vor der Zündung und während des Brennens auf die horizontal liegende Probe projiziert wird. Dadurch ist das Abtropfverhalten des Polymers von der Flamme, welches bei der UL 94-Prüfung als Maßstab zur Einstufung der Brandklassifizierung genutzt wird, bei Cone-Calorimetrie nicht vorhanden.

Die Versuchsstrategie beim Cone-Calorimeter bezieht sich auf eine kontinuierliche Hitzebeanspruchung der Probekörper. Diese kontinuierliche Hitzebeanspruchung ist während des UL 94-Tests nicht gegeben. Aus diesem Grund wird bei der Cone-Calorimeter-Messung das Brandverhalten bei einer konstanten Beflammung beurteilt, während bei der UL-Prüfung der Probekörper die Möglichkeit hat, sich durch Kontraktion zwischen zwei Beflammungen von der Flamme zu entfernen. Für eine bessere Klassifizierung werden gezielt geringe Mengen eines zweiten Polymers, wie z. B. PTFE, zugegeben. Eine ausführliche Beschreibung der Wirkungsmechanismen von FR-Substanzen in PC-ABS-FR ist in [4] beschrieben.

Tabelle 1.2 Vergleich der Brennbarkeitsklassifizierung nach UL 94 V mit Cone-Calorimeter

Kriterien	UL 94V	Cone-Calorimeter
Beflammung	mit Unterbrechung	kontinuierlich
Verbrennung der Prüfkörper	vertikal	in Dickenrichtung
Abtropfen der Schmelze von der Probe	wird erfasst	wird verhindert
Versuchsdauer inkl. Probenvorbereitung	5 - 10 min	30 - 45 min
Statistik	keine	vorhanden
Probekörperherstellung mit Campustechnik	möglich	nicht möglich
Prüfkörper mit Dünnwandtechnik	möglich	extrem schwierig
Prüfung geschäumter Materialien	bedingt möglich	möglich
Prüfkörperherstellung durch das additive Verfahren	bedingt	möglich
Aussagefähigkeit	gering, da eine starke Abhängigkeit des Brandverhaltens von der Verarbeitung vorhanden ist	hoch, falls die Verarbeitungsabhängigkeit und der Einfluss der Wandstärke nachgewiesen werden

1.5.4 Microscale-Combustion-Calorimeter „MCC"

Der Vorteil des MCC ist seine Unabhängigkeit von den Verarbeitungseinflüssen. Eine geringe Menge eines Polymers (2 - 3 mg) wird mittels einer die Versuchskammer umschließenden Heizspirale unter der Einwirkung von Luft oder eines inerten Gases (z. B. Stickstoff) erhitzt, Bild 1.8. Nach dem Aufheizungsvorgang wird der Stickstoff- bzw. Luftzufluss unterbrochen und die freigesetzten, brennbaren Gase werden mittels eines Fremdzünders bei gleichzeitiger Sauerstoffzufuhr zur Verbrennung gebracht [3]. Während des Versuchsablaufs wird die freigesetzte Wärme im Verhältnis zur Stoffmenge ermittelt und in Abhängigkeit von den entsprechenden Temperaturen aufgetragen, Bild 1.9.

Die charakteristischen Kennwerte einer MCC-Messung sind:

- maximale Wärmefreisetzung „Peak of Heat Release Rate; HRR (in W/g)",
- Temperatur bei maximaler Wärmefreisetzung „T_{max} HRR (in °C)",
- Gesamte Wärmefreisetzung „Heat Of Combustion; HOC (in kJ/g)",
- Heat Release Rate (HR[R) oder Peak Heat Release Rate (PHRR)].

Diese charakteristischen Kennwerte sind anhand des untersuchten PC-ABS-Blends mit und ohne FR- Einstellung in Bild 1.11 dargestellt. Es ist deutlich zu erkennen, dass die FR-Einstellung eine Verschiebung der Temperatur der maximalen Massenänderung um ca. 100 °C (445 auf 540 °C) bewirkt. Die Wärmefreisetzung reduziert sich mit dieser FR-Einstellung um 120 W/g. Die ungleichmäßige Verteilung der Additive in jedem Granulatkörnchen ist naturgemäß Ursache für die große Streuung der Ergebnisse. Ein weiterer Grund für die große Streuung ist der unterschiedliche Zeitpunkt der Zündung während des Prüfablaufs. Es erfolgen einige Fehlzündungen (Kaltzündungen) unmittelbar vor der Entstehung der Brandgase, die ohne Verbrennung bereits die Kammer verlassen haben (Bild 1.11).

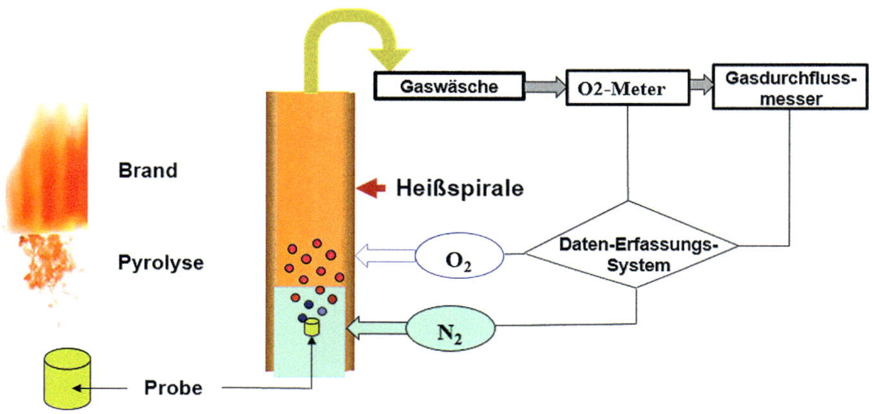

Bild 1.8 Schematische Darstellung einer MCC-Versuchsanlage

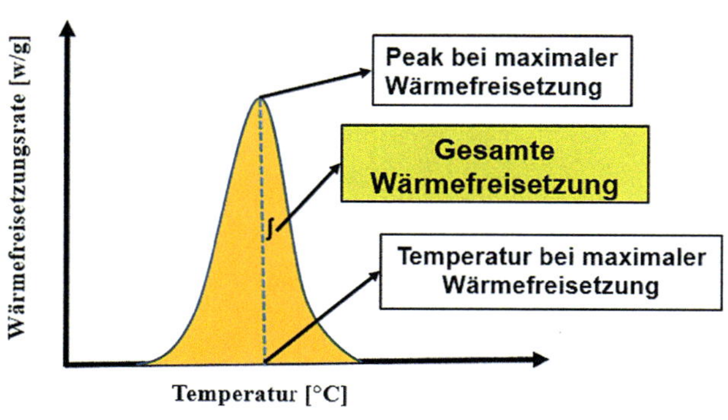

Bild 1.9 Schematischer Versuchsablauf einer MCC-Messung

Die sehr geringen Mengen der eingesetzten Polymere und die damit verbundenen Streuungen der FR-Mittel in einem Granulat sind für ein Lot keine repräsentative Größe. Diese und die Fehlzündungen sind der Grund, weshalb diese verarbeitungsunabhängige Brandprüfung keinen Zugang für die Partiefreigabe und Qualitätskontrolle in der Produktion gefunden hat.

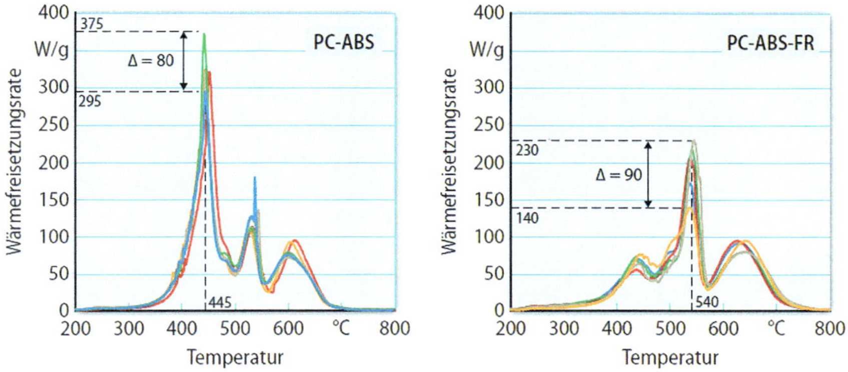

Bild 1.10 Streuung der MCC-Versuche aufgrund der ungleich verteilten FR-Mengen in den einzelnen Granulatkörnchen

■ 1.6 Thermogravimetrie

Der Versuchsaufbau, Versuchsdurchführung und der Prozess der Thermogravimetrie „TG" und Thermogravimetrie-Analyse „TGA" sind in ISO 11385 und DIN 51006 genormt. Danach wird die Massenänderung eines Polymers von ca. 5-10 mg in Abhängigkeit von der Temperatur und/oder Zeit mit einer Aufheizrate von 0-50 K/min (üblich 20 K/min) bis zu 1000 °C ermittelt. Durch die Einstellung der gleichen Versuchsdauer – ähnlich wie beim MCC (Miroscale Combustion Calorimeter) – kann durch die Verwendung von Luft als Spülgas das Verfahren der TGA ebenfalls zur Untersuchung bzw. zur Beurteilung des Zersetzungsverhaltens und der Thermostabilität brandzuschützender Polymere sowie Blendsysteme herangezogen werden. Die Ergebnisse der durchgeführten Untersuchungen mit gleichem PC-ABS und PC-ABS-FR wurden zum besseren Vergleich und Verständnis durch die Darstellung mit Hilfe des differentiellen Messsignals dm/dt, d. h. die DTG (derivative Thermogravimetrie; Ableitung der Masse-Temperatur-Kurve in %) in Abhängigkeit von der Temperatur dargestellt (Bild 1.11).

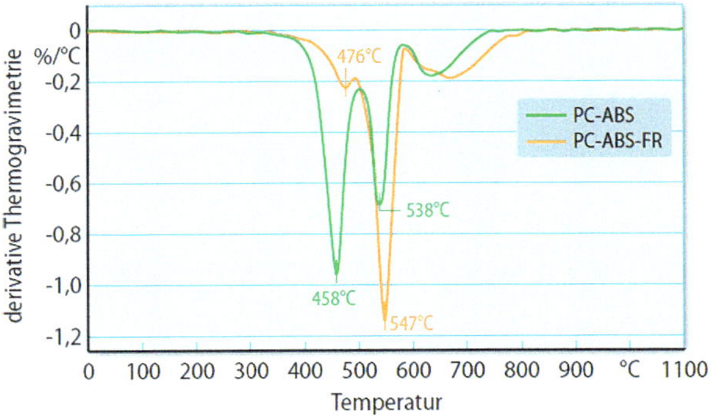

Bild 1.11
Vergleich der DTG-Kurvenverläufe von PC-ABS mit und ohne FR-Einstellung

Dabei kann festgestellt werden, dass PC-ABS durch zwei getrennte Peaks gekennzeichnet ist – für ABS bei T = 458 °C und für PC bei T = 538 °C. Durch die FR-Einstellung erfolgt eine Verschiebung der maximalen Peak-Temperatur bezogen auf maximale Massenänderung um 90 °C. Eine Rauchgas-Analyse kann durch eine nachgeschaltete FT-IR (Fourier Transform Infrarot-Spektrometer) erfolgen.

1.7 Schlussfolgerung

Mit diesen Ausführungen konnte die Bewertung des Brandverhaltens der Polymere nicht zufriedenstellend behandelt werden, was auch nicht das Ziel war. Vielmehr sollten die praktizierten Verfahren mit ihren Grenzen aufgezeigt werden. Die diskutierten Methoden besitzen entweder keine fundierte wissenschaftliche Aussage – wie die UL 94-Vorschriften – oder es fehlen eindeutige und vereinbarte Bewertungskriterien zum Beurteilen und Vergleichen der Wirksamkeit der getroffenen Maßnahmen für mit Brandschutz ausgerüstete Polymere in der Praxis.

Es muss die Aufgabe der Forschung sein, das vorhandene Wissen rationell und aussagefähig für die Konstrukteure und Polymerentwickler bereitzustellen sowie die Kenntnisse, die an speziellen Prüfkörpern gewonnenen wurden, auf die Bewertung realer Bauteile übertragbar zu machen. Deshalb werden in Kürze im Brand-Technologie-Center des Lehrstuhls für Kunststofftechnik „LKT" auf Basis der Cone-Calorimeter-Technologie die folgenden Ziele angestrebt:

- Rationelles Verfahren zur Erhöhung des Prüfdurchsatzes.
- Untersuchung zur Dickenabhängigkeit (vor allem für den Bereich der Dünnwandtechnik) mit neuer Plattenkonstruktion im Spritzgießverfahren und 3D-MID-Technologie für den internationalen Vergleich aller Eigenschaften.
- Aussagen über die Art und Menge der entstehenden Gase bei der Verbrennung der Polymere.

Methodenentwicklung auf Basis „neuronaler Netzwerke" zur Übertragung der an Prüfkörpern ermittelten Prüfergebnisse auf reale Bauteile. Aufbereitung des erworbenen Wissens für die direkte Nutzung im alltäglichen Konstruktionsbetrieb brandgeschützter Polymere.

1.8 Normen

[1] ASTM D1929 – 16
Standard Test Method for Determining Ignition Temperature of Plastics

[2] UL 94 V
UL 94 V- Tests for Flammability of Plastic Materials for Parts in Devices and Appliances, Underwriters Laboratories Inc., 2009

[3] ISO 5660-1: 2015-03
Prüfungen zur Beurteilung der Brandgefahr Teil 2-13: Prüfungen mit dem Glühdraht zur Entzündbarkeit von Werkstoffen (GWIT)

[4] ASTM 7309
Determining Flammability Characteristics of Plastics and Other Solid Materials Using Microscale Combustion

[5] DIN EN ISO 11358
Thermogravimetrie (TG) von Polymeren/Kunststoffen

[6] DIN EN 60695-2-13
Prüfverfahren mit dem Glühdraht – Prüfung zur Entzündbarkeit (GWIT) von Werkstoffen Deutsche Fassung EN 60695-2-13:2010

[7] IEC 60695-2-2
Fire hazard testing – Part 2: Test methods – Section 2: Needle-flame test, International Electrotechnical Commission, 1991

[8] ASTM D2863 – 13
Standard Test Method for Measuring the Minimum Oxygen Concentration to Support Candle-Like Combustion of Plastics (Oxygen Index)

[9] UL 94
STANDARD FOR SAFETY Tests for Flammability of Plastic Materials for Parts in Devices and Appliances Part 7: Horizontal burning test for HB

[10] US-FMVSS 302
CMVSS 302
Flammability of Interior Materials

[11] SAE J369
Flammability of Polymeric Interior Materials – Horizontal Test Method

[12] DIN 75200
Bestimmung des Brennverhaltens von Werkstoffen der Kraftfahrzeug-Innenausstattung

[13] ISO 3795 ISO 3795:1989-10
Titel (Deutsch)

Straßenfahrzeuge sowie Traktoren und Maschinen für die Land- und Forstwirtschaft – Bestimmung des Brennverhaltens von Werkstoffen der Innenausstattung

[14] DBL 5307
Schwerentflammbarkeit, Innenausstattungsteile – Forderungen und Prüfvorschriften

[15] VW TL 1010 / TL 1011
Entflammbarkeit von Kunststoffen

[16] VOLVO STD 104-0001
Flammability (burning behavior) of interior and exterior materials

[17] Ford WSS-M99P32-A
Akustische und thermische Baugruppen für den Kofferraum und Motorraum

Verwendete Literatur

- Klinkowski, C.; Burk, B.; Bärmann, F.; Döring, Prof. Dr. M.; Moderne Flammschutzmittel für Kunststoffe; Chemie Verlag 2015
- Troitzsch, J.; Plastics Flammability Handbook; Carl Hanser Verlag; 2004
- E-KSF, Liste Brandschutztechnischer Prüfungen E-KSF/DN, 19.11.02
- Pawlowski, K. H.; Wirkungsmechanismen von Bisphenol-A-bis(diphenylphosphat) als Flammschutzmittel in Polycarbonat/Acrylnitril-Butadien-Styrol-Copolymerisat; BAM-Dissertationsreihe Band33, Berlin 2008

2 Wärme- und Temperaturleitfähigkeit

Mit Dr.-Ing. Christoph Heinle

2.1 Messverfahren Wärme- und Temperaturleitfähigkeit

Messgeräte für die Wärmeleitfähigkeit bestehen grundsätzlich aus vier verschiedenen Bauelementen: Wärmequelle, Wärmesenke, Thermometer und Probe. Neben den traditionellen Verfahren zur Bestimmung der Wärmeleitfähigkeit (Plattenverfahren) haben sich im Kunststoffbereich transiente Verfahren etabliert.

Bei stationär arbeitenden Geräten sind die verschiedenen Bauelemente, in zum Teil unterschiedlicher Anzahl, jeweils gesondert angeordnet. Die Mehrzahl transienter Gerätetypen hingegen nutzt die Probe gleichzeitig als Wärmesenke und kombiniert Wärmequelle und Temperatursensor in einem Element. So benötigt diese Geräteklasse nur zwei statt vier Bauelementtypen. Ferner entfallen die bei stationären Geräten zwingend erforderlichen Schutzheizungen zur Herstellung adiabatischer Randbedingungen. Transiente Geräte beenden den Messvorgang, bevor äußere Randbedingungen verletzt werden.

Transiente Verfahren lassen sich hinsichtlich ihrer jeweiligen Wärmequelle klassifizieren:

- entsprechend der Form der zugeführten Energie (optisch, elektrisch),
- nach ihrem Ort (eingebettet, aufgesetzt, berührungslos),
- ihrer Geometrie (linien-, streifen-, flächenförmig),
- dem zeitlichen Verlauf der Anregung (pulse/flash, periodic, stepwise).

Die besonderen Vorteile der transienten Verfahren sind:

- wesentlich schnellere Messzeiten als bei stationären Verfahren,
- kleinere Proben und damit großer Anwendungsbereich,
- geringer technischer Aufwand.

2.1.1 Einleitung

Die Temperatur ist für die Funktionalität und Gebrauchstauglichkeit eine wichtige Kenngröße. Ungefüllte Kunststoffe sind hervorragende Isolatoren gegenüber Wärme und elektrischem Strom. Mit Wärmeleitfähigkeiten von ca. 0,2 bis 0,45 W/m °C und elektrischen Durchgangswiderständen von ca. 10^{10} bis 10^{15} Ω·cm.

Die Beschreibung der Wärmeübertragung in technischen Vorgängen und Prozessen erfolgt in der Thermodynamik über die Definition der Wärme als Energieform, die nur aufgrund eines Temperaturunterschiedes über Systemgrenzen hinweg transportiert wird.

Wärmeübertragung ist über drei unterschiedliche Mechanismen möglich. Man unterscheidet:

- die konvektive Wärmeübertragung (frei und erzwungen),
- die Wärmeübertragung durch Strahlung und
- die Wärmeleitung.

Ein häufiger Vorgang ist der Wärmedurchgang durch Wände. Bei diesem sind alle drei Mechanismen beteiligt.

2.1.1.1 Wärmeübertragung

2.1.1.1.1 Wärmeübergang und Wärmeübergangskoeffizient

Der Wärmeübergang (Wärmeübertragung durch Konvektion) beschreibt den Wärmetransport von einem fluiden Medium (Gas oder Flüssigkeit) auf eine Wand bzw. von einer Wand auf ein fluides Medium. Beim Wärmeübergang unterscheidet man prinzipiell zwischen freier und erzwungener Konvektion. Von freier oder natürlicher Konvektion spricht man bei Strömungen, die sich auf Grund von temperaturbedingten Dichteunterschieden einstellen. Erzwungene Konvektion wird beispielsweise durch Pumpen bzw. Ventilatoren erzeugt. Der betragsmäßige Wärmestrom an der Wand kann wie folgt beschrieben werden:

$$\dot{Q} = \alpha \times A \times \left| T_{Fluid} - T_{Wand} \right| \tag{2.1}$$

Dabei ist $\dot{Q}$ der Wärmestrom, α der Wärmeübertragungskoeffizient, A die Übertragungsfläche, T_{Fluid} die Fluidtemperatur in hinreichend großem Abstand von der Wand und T_{Wand} die Wandtemperatur.

Die beschreibende Größe für den Wärmeübergang ist der Wärmeübergangskoeffizient α. Er wird in der Einheit W/(m² K) angegeben. Der Wert von α ist neben der Wärmeleitfähigkeit des fluiden Wärmeträgermediums in hohem Grad von den Strömungsbedingungen an der Wand und somit von der Oberflächenstruktur abhängig. Für erzwungene Konvektion ergeben sich deutlich höhere α-Werte als für freie Konvektion. Die Wärmeübertragungskoeffizienten werden oft experimentell bestimmt und liegen zwischen 2 $W/(m^2\,K)$ und 1200 $W/(m^2\,K)$. Treten zusätzlich Verdampfungs- und Kondensationsvorgänge an den Oberflächen auf, so kann der Wärmeübergangskoeffizient Werte von bis zu $10^5\,W/(m^2\,K)$ annehmen, Tabelle 2.1.

Tabelle 2.1 Größenordnung des konvektiven Wärmeübergangskoeffizienten α

Vorgang	α [W/(m² K)]
Luft, freie Konvektion	2..15
Luft, erzwungene Konvektion	30..200
Wasser, freie Konvektion	200..1000
Wasser, erzwungene Konvektion	2000..12000
Verdampfung	2000..60000
Kondensation	5000..100000

2.1.1.1.2 Strahlungswärmeübertragung

Der Strahlungswärmetransport beruht auf elektromagnetischen Wellen. Er ist nicht an Materie gekoppelt und findet auch im Vakuum statt. Der durch einen allgemeinen grauen Körper abgegebene Wärmestrom kann wie folgt beschrieben werden:

$$\dot{Q} = A \cdot \varepsilon \cdot \sigma \cdot T^4 \tag{2.2}$$

Es ist der Emissionskoeffizient, = 5,6703 10^{-8} $W/(m^2\,K^4)$ die Strahlungskonstante und T die Oberflächentemperatur der abstrahlenden Oberfläche A.

Für die Wärmeübertragung durch Strahlung zwischen zwei Festkörpern ($T_1 > T_2$) ergibt sich:

$$\dot{Q}_{12} = A_1 \cdot C_{12} \cdot \sigma \, (T_1^4 - T_2^4) \tag{2.3}$$

C_{12} heißt die Einstrahlzahl oder der Strahlungsaustauschkoeffizient und ergibt sich aus der relativen räumlichen Lage der beiden Oberflächen zueinander und den Emissionskoeffizienten.

2.1.1.1.3 Wärmeleitung und spez. Wärmeleitfähigkeit

Die Wärmeleitung beschreibt den Wärmetransport innerhalb von Festkörpern. In Flüssigkeiten und Gasen findet auch Wärmeleitung statt; sie ist jedoch in der Regel mit konvektiven Vorgängen überlagert und spielt gegenüber diesen außerhalb einer dünnen Grenzschicht an der Wand eine untergeordnete Rolle. Die stationäre Wärmeleitung innerhalb isotroper Körper wird allgemein mit dem **Fourier'schen Ansatz** beschrieben:

$$\dot{Q}_{12} = -\lambda \cdot A \cdot \partial T \tag{2.4}$$

Das Minuszeichen besagt, dass der Wärmestrom von der hohen zur niedrigen Temperatur erfolgt.

Für den eindimensionalen Fall vereinfacht sich der Zusammenhang zu:

$$\dot{Q}_{12} = -\lambda \cdot A \cdot \frac{\partial T}{\partial X} \tag{2.5}$$

Dabei ist $\dot{Q}$ der Wärmestrom, λ die spezifische Wärmeleitfähigkeit, A die Übertragungsfläche, T die Temperatur und x die Wegkoordinate in der betrachteten Richtung.

Die spezifische Wärmeleitfähigkeit ist das Vermögen eines Feststoffes, einer Flüssigkeit oder eines Gases, thermische Energie in Form von Wärme zu leiten. Sie ist eine Materialkenngröße, die im Allgemeinen mit dem griechischen Buchstaben bezeichnet wird. Die Einheit der Wärmeleitfähigkeit wird in W/mK angegeben.

Die Wärmeleitfähigkeit $\lambda[T] = \rho[T] \cdot c_p\,[T] \cdot a\,[T]$ ist von drei Größen abhängig, die selbst unterschiedlich von der Temperatur abhängen. Somit ist die Wärmeleitfähigkeit λ vielfältig von der Temperatur abhängig.

Die **Temperaturleitfähigkeit**, auch Temperaturleitzahl und Wärmediffusität genannt, ist eine Materialeigenschaft, die zur Beschreibung der zeitlichen Veränderung der räumlichen Verteilung der Temperatur durch Wärmeleitung als Folge eines Temperaturgefälles dient.

Die Temperaturleitfähigkeit ist $a = \lambda/\rho \cdot c_p$ [m²/s]

Für adiabatische Bedingungen gilt die **Parker**-Formel:

$$a = 0{,}1388 \cdot s^2 \,/\, t_{1/2} \tag{2.6}$$

a = Temperaturleitfähigkeit in mm²/s
s = Probendicke in mm
$t_{1/2}$ = Zeit bei 50 % des Temperaturanstiegs gemessen an der Rückseite der Probe

Die Temperaturleitfähigkeit ist eine temperaturabhängige Stoffeigenschaft, da alle zugrundeliegenden Größen temperaturabhängig sind. Sie nimmt mit zunehmender Temperatur ab.

2.1.1.2 Messverfahren

Aus Sicht der Kunststofftechnik ergeben sich Vor- und Nachteile bei den verschiedenen Messprinzipien.

Bei den Messverfahren unterscheidet man bei der Messung der Wärmeleitfähigkeit zwischen stationären Verfahren, bei denen der Wärmestrom durch die Probe zeitlich konstant ist, und den instationären Verfahren, bei denen die Wärmeleitfähigkeit aus einem sich zeitlich ändernden Wärmestrom berechnet wird.

Die **stationäre Messung** der Wärmeleitfähigkeit von Kunststoffen erfolgt u. a. mittels Plattenverfahren, die sich besonders für dickere Isolationsmaterialien eignen. Die Probe wird mit einem konstanten Wärmestrom beaufschlagt. Die Messung erfolgt nach Einstellung eines thermischen Gleichgewichts. Das übliche Plattengeräte-Verfahren nach ISO 8302 ist ein Referenzverfahren, da keine Kalibrierung gegen einen Werkstoff mit bekannter Wärmeleitfähigkeit erforderlich ist.

Bei dünnen Kunststoffplatten besteht die Gefahr, dass wegen der thermischen Kontaktwiderstände zwischen den Platten des Messgerätes und des Kunststoffs Wärmeleitfähigkeiten gemessen werden, die unter den realen Werten liegen. Weitere Probleme können dadurch auftreten, dass große Probengeometrien, z. B. Materialdicken 2 × 4 mm, gebraucht werden, die deutlich höher sind als übliche Materialdicken im Spritzguss. Zudem werden die Messzeiten relativ lang.

Während die Kennwerte aus dem NanoFlash-Verfahren die Orientierungseffekte differenziert auflösen, werden mit dem Hot-Disk-Verfahren unabhängig von der Ausrichtung der Prüfkörper vergleichbare Wärmeleitfähigkeitswerte gemessen.

Die **instationären oder transienten Verfahren** beruhen auf der Einbringung einer an die Wärmeleitfähigkeit angepassten Wärmemenge. Diese erfolgt bei den instationären Verfahren normalerweise durch elektrisch beheizte Elemente, einen Draht (engl.: hot wire), einen Streifen (engl.: hot strip) oder eine kreisförmige Folie (engl.: hot disk). Die in der Probe resultierende Temperatur wird parallel zur Wärmeeinbringung gemessen und über der Zeit aufgetragen. Abhängig von der Wärmeleitfähigkeit ergibt sich ein typischer Kurvenverlauf, aus welchem sich die Wärmeleitfähigkeit berechnen lässt.

2.1.1.2.1 Temperatur- und Druckmessung – Spritzguss

2.1.1.2.1.1 Temperaturmessung

Die Messung der Temperaturen eines Spritzprozesses erstreckt sich auf die Zylinderwandtemperatur, die Düsen- und Werkzeugwandtemperatur, sowie die Massetemperatur in den verschiedenen Stationen. Temperaturen der Zylinder- und der Werkzeugwand können mit Widerstandsthermometern und Thermoelementen gemessen werden. Bei einem Widerstandsthermometer macht man sich den temperaturabhängigen Widerstand von Platin-, Kupfer- oder Nickeldrähten zunutze. Es kann bis 400 °C gemessen werden mit einer Messgenauigkeit von 2,5 °C. Thermoelemente haben dagegen eine punktförmige Messstelle. Bei größerer Wärmekapazität messen die aus FeKo, Fe-CuNi oder NiCr-Ni bestehenden Thermoelemente bis ca. 400 °C auf 3 °C (0,0075 × °C) genau. Thermoelemente messen innerhalb eines Wärmeprofils nur einen Wert. Je nach Einbautiefe/Restwanddicke kann der Fühler Messfehler bis 10 °C aufweisen. Damit sind Aussagen über die Massetemperatur an der Messstelle entsprechend unsicher.

Im Spritzguss wird die Massetemperatur nur selten direkt gemessen. Praktikabel erscheint die Messung von mehreren Schussvolumen, die nach dem Ausspritzen in einem Behälter gesammelt werden. Mit einem Thermofühler können Temperaturen mit Abweichungen bis zu 5 °C gemessen werden.

In Schmelzekanäle hereinragende Fühler müssen sehr stabil sein, deswegen werden sie auch vereinzelt wandbündig eingebaut. Sie messen dann aber nur einen irgendwie gemittelten Wert aus Schmelzekanalwandtemperatur und Massetemperatur. Im Wesentlichen ist so eine Kontrolle der Konsistenz möglich. Ein Problem bei der Messung der Massetemperatur mit in den Strömungskanal hereinragenden Fühlern liegt darin, dass die Temperatur nicht gleichmäßig ist, sondern z. B. in gescherten Strömungsbereichen durchaus einige °C höher und in wandnahen Bereichen niedriger sein kann. Diese Problematik gilt auch für Temperaturmessungen in Spritzguss-Werkzeugen. Da die Werkzeuge auf schnelle Wärmeableitung ausgelegt sind, ergibt sich bei meist wandbündigen Thermofühlern eine sich zeitabhängig ändernde Mischtemperatur aus Masse- und Wandtemperatur.

Eine einigermaßen zuverlässige Temperaturmessung der Schmelze im Werkzeug erfolgt über hereinragende Thermoelemente, die dann allerdings eine Störstelle im Formteil bedeuten, nur an einer Stelle des Formteils messen und vermutlich nur eine begrenzte Lebensdauer haben.

Eine andere Methode ist das Messen der temperaturabhängigen Eigenstrahlung der Schmelze, IR-Verfahren. Herstellerseitig kalibrierte Sensoren messen außerordentlich schnell in Zeiträumen von 10 ms, wobei allerdings nicht immer klar ist, welchen Bereich diese Messungen umfassen.

2.1.1.2.1.2 Druckmessung

Während die Massetemperatur beim Füllen der Kavität nur bedingt vielleicht einigermaßen stetigen Temperaturschwankungen unterliegt, ergeben sich für den Druck große Unterschiede. Beim Füllen der Kavität ist zunächst der Fließwiderstand im Düse-Anguss-System und dann in der Kavität selbst zu überwinden. Erst beim vollständigen Füllen wird der maximale Druck erreicht und dann einige Zeit in etwa aufrechterhalten. Mit zunehmender thermischer und struktureller Schwindung sinkt der Druck, bis der Anguss fest und die Formstabilität erreicht ist.

Sinnvoll können Druckmessungen des Hydraulikdrucks, des Massedrucks im Schneckenvorraum und der Kavität durchgeführt werden. Dazu stehen Drucksensoren und kombinierte Temperatur-/Drucksensoren zur Verfügung. Beim Füllen der Kavität geben der Hydraulikdruck und der Druck im Schneckenvorraum qualitativ vergleichbare Ergebnisse. In der Nachdruckphase sind allerdings die auftretenden Stofftransporte zwischen Düse und Werkzeug mit der Druckmessung im Schneckenvorraum besser zu erfassen. Ein Druckaufnehmer kann den Druck erst messen, wenn er mit der eindringenden Schmelze in Kontakt kommt. Dieses ist angussnah am ehesten. Hier ist der Druck am höchsten und kann so lange gemessen werden, bis die Masse erstarrt und von der Drucksensoroberfläche abschwindet. Angussnah ist die Formteilbildung am besten zu kontrollieren. Angussfern lässt sich das Ende des Füllvorgangs besser erkennen und Überspritzungen vermeiden. Zu berücksichtigen ist, dass innerhalb eines Bauteils ein deutlicher Druckabfall stattfinden kann. Druckmesssensoren hinterlassen Markierungen. Gelegentlich können sie mit den Auswerfern verbunden werden.

Zur Beschreibung des Verhaltens der Schmelze in flüssiger und fester Phase wird normalerweise das *pvT*-Diagramm herangezogen, bei dem das Verhalten des Kunststoffs isobar, also mit etwa gleichbleibendem Druck dargestellt wird. Da es aber durchaus Prozesse gibt, bei denen die Schmelze zunächst eine gleichbleibende Temperatur aufweist, müssten die *pvT*-Diagramme unter jeweils isothermen Bedingungen aufgestellt werden, oder wenn die Gestalt des Formteils gleichbleibt, isochor. Hier ist noch ein weites Feld, das noch wenig erforscht und beachtet ist.

Zu beachten ist, dass das Festwerden der Schmelze dann erfolgt, wenn die Glasübergangstemperatur erreicht ist. Die Glasübergangstemperatur ist deutlich druckabhängig mit ca. 20 bis 30 °C pro 1000 bar, gleichzeitig aber auch temperaturabhängig. Da die Massetemperatur zum Zeitpunkt des Aufbaus des höchsten Drucks an verschiedenen Stellen durchaus unterschiedlich sein kann, der Druck aber sehr viel größere Unterschiede aufweist, kann es durchaus sein, dass partiell die Glasübergangstemperatur unterschritten und die Schmelze fest wird oder an anderen Stellen die Viskosität der Schmelze stark erhöht.

2.1.1.2.2 Wärme- und Temperaturleitfähigkeitsmessung

2.1.1.2.2.1 Hot-Disk-Verfahren

Bei Anwendung des Hot-Disk-Verfahrens wird ein elektrisch isolierter Prüfkopf in Form einer Doppelspirale zwischen die ebenen Oberflächen zweier Probekörper angeordnet. Das Hot-Disk-Verfahren, auch als Transient-Plane-Source bezeichnet, dient zur schnellen und simultanen Bestimmung thermophysikalischer Eigenschaften. Die Methode arbeitet instationär dynamisch und ist dadurch sehr schnell. Durch die individuelle Auswahl der Sensoren und Anpassung der Messparameter wie Heizstrom und Messzeit können nahezu alle Messaufgaben zur Bestimmung der Wärmeleitfähigkeit, der Temperaturleitfähigkeit und der spezifischen Wärmekapazität ermittelt werden. Je nach Temperier-Equipment wird ein Temperaturbereich von ca. -250 bis 1000 °C abgedeckt.

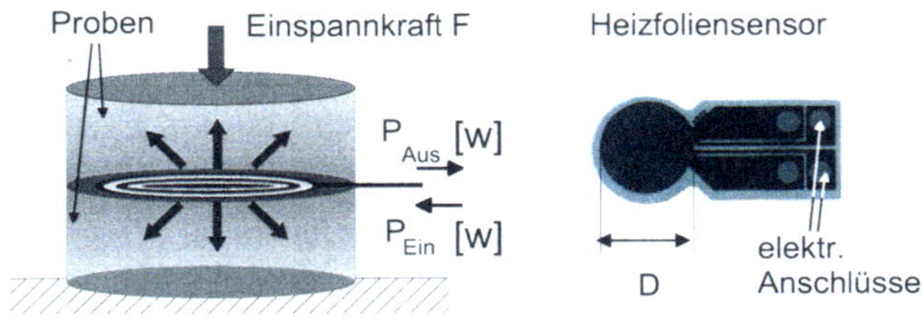

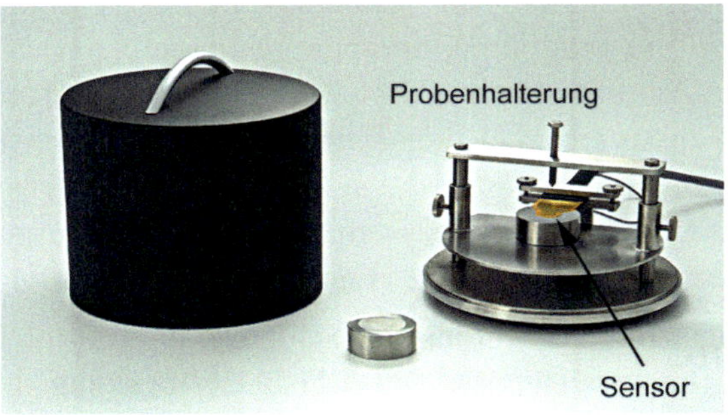

Bild 2.1 Aufbau eines Hot-Disk-Geräts (C3)
oben links: Probe eingespannt in Probenhalter
rechts: Detailaufnahme des Heizfoliensensors
unten: Messaufbau und Sensoren des Hot-Disk-Messgerätes der Firma C3 Prozess- und Analysentechnik GmbH

Das Hot-Disk-Gerät auf Bild 2.1 arbeitet mit einem flächigen beheizten Sensor, der als Wärmequelle und als Temperaturfühler zugleich dient. Er wird bei Standardmessungen zwischen zwei, vom Material her identische, Probenstücke gelegt. Als günstige Geometrien bei einem Heizfoliensensordurchmesser von 3,2 mm haben sich Platten mit einer Größe von 50 x 50 x 4 mm erwiesen. Die durch den Heizfoliensensor eingebrachte

Verteilt sich in alle drei Raumrichtungen. Die Auswertung des über die Widerstandsänderung im Draht des Heizfoliensensors gemessenen Temperaturanstiegs erfolgt automatisch in einer Auswerteroutine, Bild 2.2.

Aus dem Verlauf der Temperaturänderung über die Zeit während eines Heizimpulses werden die Temperaturleitfähigkeit und die Wärmeleitfähigkeit der Probe ermittelt. Der Thermische Kontaktwiderstand (Grenzfläche Sensor - Probe) bleibt bei der Auswertung unberücksichtigt, so dass bei Feststoffen plane Oberflächen vorliegen müssen. Durch individuelle Auswahl der Sensoren und Anpassung der Messparameter wie z. B. Heizstrom und Messzeit kann ein Messbereich von 0,005 - 500 W/mK realisiert werden. Die Durchmesser der Sensoren liegen zwischen 1 und 60 mm. Mit dem gezeigten Messgerät können lediglich Messungen bei Raumtemperatur durchgeführt werden.

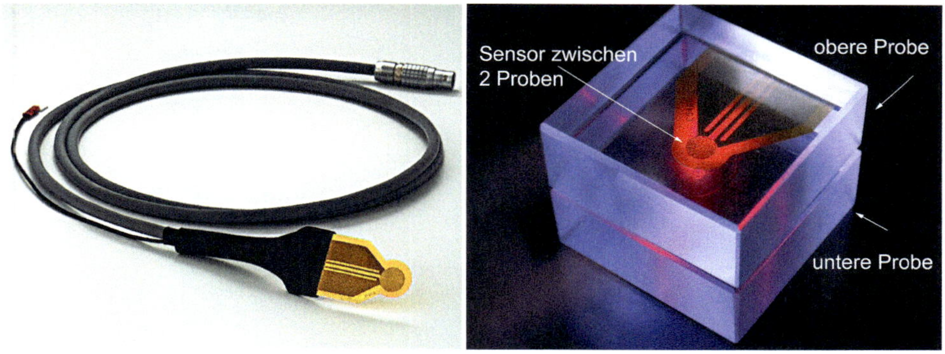

Bild 2.2 Messsensoren der Hot-Disk-Apparatur

Die Wärmeleitfähigkeit kann so an spritzgegossenen, plattenförmigen Proben mit unterschiedlicher Dicke als Bauteilkennwert bestimmt werden und mit strukturellen Bauteileigenschaften wie Kristallinität, Molekül- und Füllstoff-Orientierung oder dem Einfluss von Verstärkungsfasern korreliert werden.

Die Ermittlung der Wärmeleitfähigkeit nach dem Heizdrahtverfahren ist auch in der *pvT*-Messapparatur möglich. Der thermoplastische Kunststoff wird dazu als Granulat im abgedichteten Messzylinder aufgeschmolzen. Anschließend wird zentral in die Schmelze ein nadelförmiger Wärmeleitfähigkeitssensor eingeführt, in welchem ein Heizdraht als Wärmequelle und ein Thermoelement als Temperatursensor integriert sind, Bild 2.3.

Die Wärmeleitfähigkeit wird über den zeitlichen Verlauf der Temperatur im Sensor bei definiertem Wärmeeintrag bestimmt. Während der Messung verteilt sich die eingebrachte Wärme in alle drei Raumrichtungen, so dass auch im SWO-Verfahren eine integrale Wärmeleitfähigkeit λ_{int} gemessen wird. Mit diesem Verfahren lassen sich praxisnahe temperatur- und druckabhängige Materialkennwerte vom schmelzförmigen bis in den festen Zustand bestimmen, die z. B. für Simulationsrechnungen beim Spritzgießen wichtige Eingangsparameter darstellen. Die Software ermöglicht einen Messverlauf bei frei wählbaren Druckstufen (1 bis 1500 bar) und Temperaturen von 350 °C bis 40 °C, so dass bei charakteristischen Umwandlungstemperaturen wie z. B. den Glasübergangstemperaturen oder dem Erstarrungsbereich die Veränderungen in den physikalischen Eigenschaften erfasst werden können.

Im Übergangsbereich zum Feststoff müssen insbesondere bei ungefüllten Werkstoffen gegebenenfalls Kontaktprobleme aufgrund der Schwindung sowie Einflüsse auf die Morphologie durch Temperatureinbringung bei den jeweiligen Einzelmessungen berücksichtigt werden.

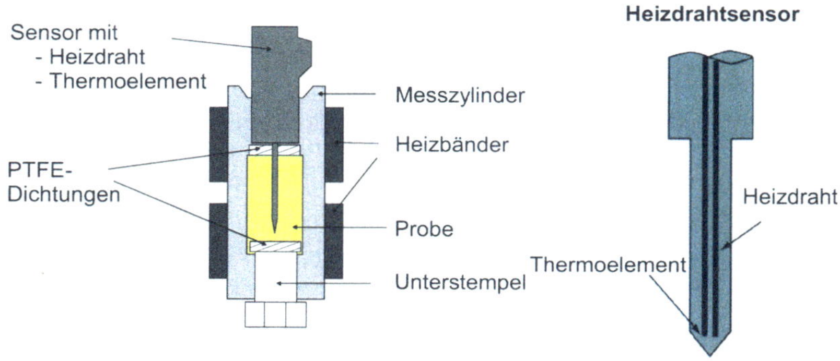

Bild 2.3 Schematischer Aufbau zur Messung der Wärmeleitfähigkeit nach dem Heizdrahtverfahren im SWO-Gerät
links: SWO-Messaufbau in der *pvT*-Aparatur
rechts: Detailskizze des Heizdrahtsensors

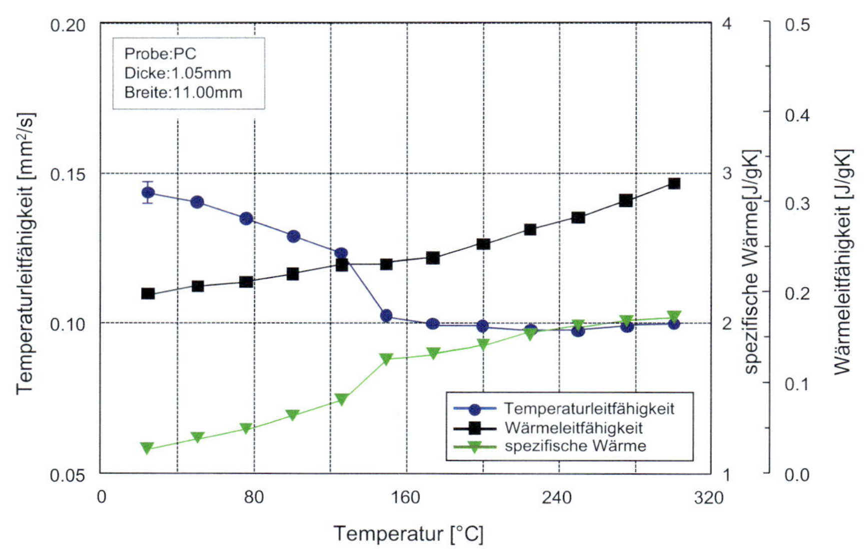

Bild 2.4 Temperaturleitfähigkeit, spez. Wärme und Wärmeleitfähigkeit von PC

Beim Versuch wird die Vorderseite z. B. einer scheibenförmigen Probe mit einem kurzen Lichtimpuls (< 0,5 ms) bestrahlt. Der dadurch erzeugte Temperaturhub diffundiert durch die Probe. Der Temperaturanstieg auf der Rückseite und dessen zeitlicher Verlauf wird mittels eines Infrarotdetektors auf der Probenrückseite gemessen. Aus der Höhe des Messsignals kann die spezifische Wärme c_p des Materials bestimmt werden, aus dem zeitlichen Verlauf des Signals ergibt sich die Temperaturleitfähigkeit α. Multipliziert man diese beiden Größen mit der Dichte ρ, ergibt sich die Wärmeleitfähigkeit $\lambda\lambda$.

Im *pvT*-Gerät kann mit einem Heizdraht die Wärmeleitfähigkeit im schmelzeförmigen und festen Zustand druckabhängig in allen drei Raumrichtungen und daher integral gemessen werden.

Beim transienten Verfahren werden die typischerweise runden oder eckigen Proben mit 0,1 bis 6 mm Dicke und Durchmessern zwischen 8 und 25 mm mit einem Xenon- oder Laserblitz beaufschlagt. Xenon-Lampen sind deutlich billiger, haben aber den Nachteil der geringeren Pulsenergie und divergierender Pulse. Das bedeutet, dass die Blitzlampe wie auch der Detektor sehr nahe an der Probe platziert sein müssen. Was wiederum den Temperatur-Arbeitsbereich reduziert. Bild 2.4 zeigt die Temperaturleitfähigkeit, spezifische Wärme und Wärmeleitfähigkeit von PC.

$$\lambda(T) = r(T) \times C_p(T) \times a(T) \tag{2.7}$$

Vorteile des transienten Verfahrens sind die kurzen Messzeiten (< 0,5 ms), der große Messbereich von 0,01 ÷ 400 W/mK, die kontaktlose Aufbringung des Temperaturhubs sowie die kontaktlose Messung des Temperaturverlaufs auf der Rückseite.

Der Wärmetransport kann mit der Schallwellenausbreitung in der Art verglichen werden, dass elastische Wellen durch das Material laufen. Bei Kunststoffen breiten sich die Wärme-Wellen am besten entlang der Hauptvalenzbindungen aus. Vernetzungsstellen und noch mehr Verschlaufungen wirken als Störstellen. Dementsprechend können sich die Wellen in den kristallinen, geordneten Strukturen besser ausbreiten als in den unregelmäßig amorphen Bereichen. Diese Vorstellung trifft nur näherungsweise zu, wie Bild 2.5 zeigt. PA mit einem deutlich niedrigeren Kristallisationsgrad um 40 % gegenüber POM um 70 % sowie PP um die 60 % zeigt dennoch eine höhere Wärmeleitung. Bestätigt wird diese Aussage allerdings dadurch, dass oberhalb der Schmelztemperatur die Wärmeleitfähigkeit auf das Niveau der amorphen Thermoplaste abfällt.

Da die Feuchtigkeit eine Erhöhung der spezifischen Wärme bewirkt, dürfte dieses der Grund für die erhöhten Werte von PA 6 sein.

Der geringfügige Anstieg der Wärmeleitfähigkeit der amorphen Thermoplaste ist angeblich auf die mit steigender Temperatur zunehmende spezifische Wärme zurückzuführen.

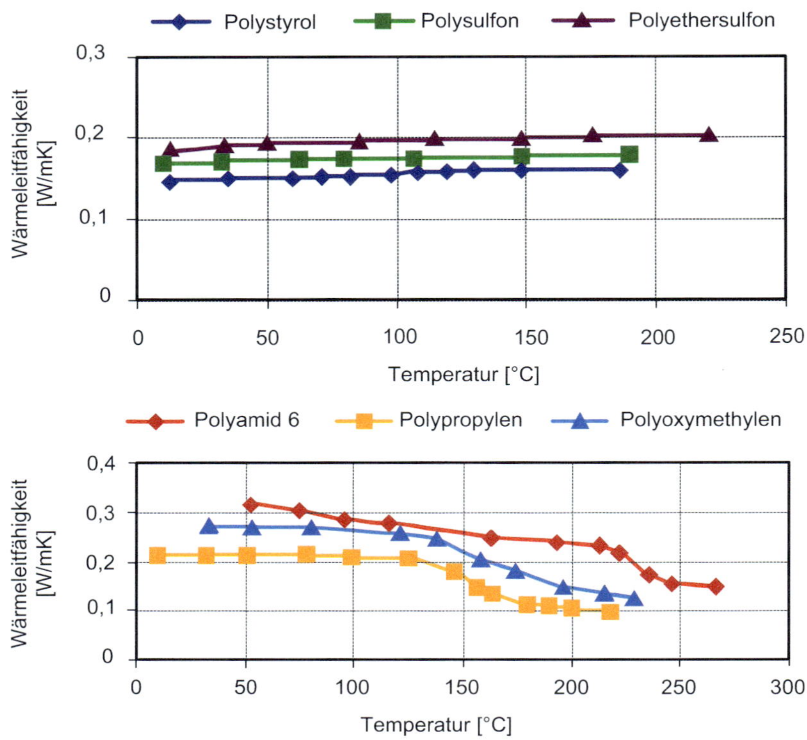

Bild 2.5 Wärmeleitfähigkeit verschiedener Thermoplaste
oben: amorphe Thermoplaste; *unten*: teilkristalline Thermoplaste

Ebenso wie im *pvT*-Gerät wird mit der Hot-Disk-Methode die Wärmeleitfähigkeit integral gemessen, das heißt ein Wert für die Wärmeleitfähigkeit. An Platten aus einem PA 6-Cu-Compound mit 30 % Kupferpartikeln wurde für Kupferkugeln eine Wärmeleitfähigkeit von 1 W/mK, für Plättchen von 4 W/mK und für Fasern von 8 W/mK gemessen, was sich nur mit einer anisotropen Wärmeleitung erklären lässt.

Unter der besonderen Berücksichtigung eines schichtweisen Aufbaus bei normalen Wanddicken ergeben sich unterschiedliche Richtungen für die Wärmeleitfähigkeit. Unter der Annahme des in Bild 2.6 dargestellten Schichtaufbaus lässt sich ableiten, dass in x-Richtung alle drei Schichten zu einem optimalen Transport beitragen, wohingegen in y-Richtung nur die obere und untere Schicht günstig sind. In z-Richtung ist lediglich die mittlere Schicht optimal ausgerichtet.

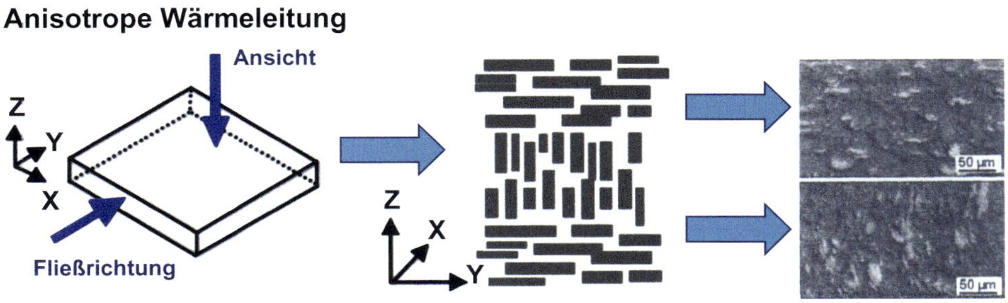

Bild 2.6 Anisotrope Wärmeleitung in PA 6 – 30 Vol.-% plättchenförmiger Graphit

Messmethode	Wärmeleitfähigkeit [W/mK]		
Hot-Disk	*integral* 3,5		
Laser-Flash	*X-Richtung* 11,5	*Y-Richtung* 5,6	*Z-Richtung* 1,9

Dabei sind die Ausgangseigenschaften der Systempartner von entscheidender Bedeutung. Einen Vergleich verschiedener relevanter Eigenschaften zwischen den verschiedenen Werkstoffklassen zeigt Tabelle 2.2 anhand einiger exemplarischer Materialvertreter.

Tabelle 2.2 Thermische Werkstoffkennwerte verschiedener Füllstoffmaterialien [Heinle]

Werkstoff	Wärmeleit-fähigkeit [W/mK]	Dichte [t/m³]	E-Modul [GPa]	Wärmeaus-dehnungs-koeffizient (RT bis ca. 100 °C) [10^{-6}/K]	Wärme-kapazität [J/kgK]
AL_2O_3 (>99,8 %)	17 bis 30	3,92	370	8,2	880
AIN	180 – 220	3 – 3,3	320	4,5 bis 4,6	700 – 760
BN (hexagonal)	= 400 ⊥ = 2	2,25	90	= 7.51 ⊥ = 0,71	825
Kupfer	395	8,96	130	17	380
Aluminium	210 bis 220	2,70	69	23,5	900
Kohlenstoff-faser	17	1,6 – 2	400 bis 600	= - 0,1 bis -1,5 ⊥ = 15	710
Aramidfaser	0,04 – 0,05	1,45	= 130 ⊥ = 5,4	= -4 ⊥ = 52	
Glasfasern (E-Glas)	0,8 – 1,4	2,6	73	5	800

Tabelle 2.2 Thermische Werkstoffkennwerte verschiedener Füllstoffmaterialien [Heinle] *(Fortsetzung)*

Werkstoff	Wärmeleitfähigkeit [W/mK]	Dichte [t/m³]	E-Modul [GPa]	Wärmeausdehnungskoeffizient (RT bis ca. 100 °C) [10^{-6}/K]	Wärmekapazität [J/kgK]
Stahlfasern (Edelstahl)	15 - 25	7,8	210	ca. 15	500
Graphit (expandiert)	= 250 bis 500 ⊥ = 3 bis 4	0,02 bis 2	10 bis 20	3 bis 5	710
Polyamid PA6	0,23	1,13	3,2	80	1700
Epoxidharz	0,52	1,1 bis 1,25	2,8 bis 3,6	60 - 70	1400

2.1.1.2.2.2 Laser-Flash-Methode

Mit der Laser-Flash-Methode ist es möglich, die Temperaturleitfähigkeit, die spezifische Wärmekapazität sowie die Wärmeleitfähigkeit von verschiedenen Materialien (z. B. Metallen, Graphit, Beschichtungen, Verbundwerkstoffen, Keramiken) zu bestimmen.

Auf die Unterseite einer scheibenförmigen Probe wird ein gleichmäßiger und kurzer Lichtimpuls aufgebracht. Der dadurch erzeugte Temperaturimpuls dringt durch die Probe und führt zu einem Temperaturanstieg an der Probenoberseite. Dieser wird dort durch einen Infrarotdetektor berührungslos gemessen.

Die Probenkammer ist thermostatisiert und ermöglicht die Bestimmung der Temperaturleitfähigkeit in einem Temperaturbereich von 23 °C bis 250 °C im Festkörperbereich. Der Messbereich der Temperaturleitfähigkeit wird vom Hersteller mit 0,01 mm^2/s - 1000 mm^2/s angegeben.

Die Flash-Methode ist ein vertikales System mit der Blitzlichtquelle im unteren, der Probe im mittleren und dem Detektor im oberen Gehäuseteil. Als Blitzlichtquelle wird eine Xenon-Lampe verwendet, Bild 2.7.

Zur Berechnung der Wärmeleitfähigkeit aus den gemessenen Werten der Temperaturleitfähigkeit wurden die notwendigen Kennwerte der Dichte und der Wärmekapazität mit Hilfe anderer Messmethoden wie Gaspyknometer und TMDSC ermittelt.

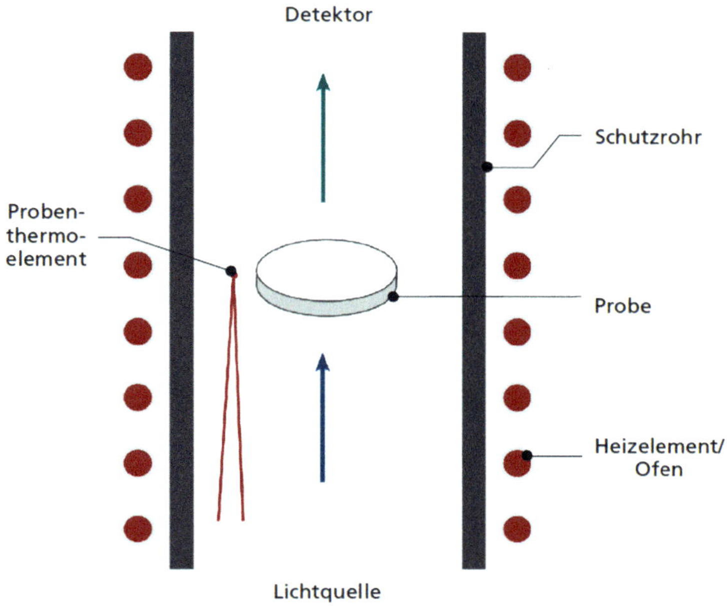

Bild 2.7 Schematische Darstellung der Laser-Flash-Methode, hier mit einer Blitzlichtquelle

2.1.1.2.2.3 Probenvorbereitung

Zur Bestimmung der richtungsabhängigen Temperaturleitfähigkeit von gefüllten spritzgegossenen Kunststoffplatten wurden die Proben so präpariert, dass die flächige Energieeintragung der Flashlampe jeweils in drei unterschiedlichen Richtungen einwirken konnte. Dazu wurden die 2 mm dicken Proben mehrfach aneinandergeklebt, planparallel abgefräst und zu einer Probengröße von 12,7 × 12,7 mm gesägt, Bild 2.8.

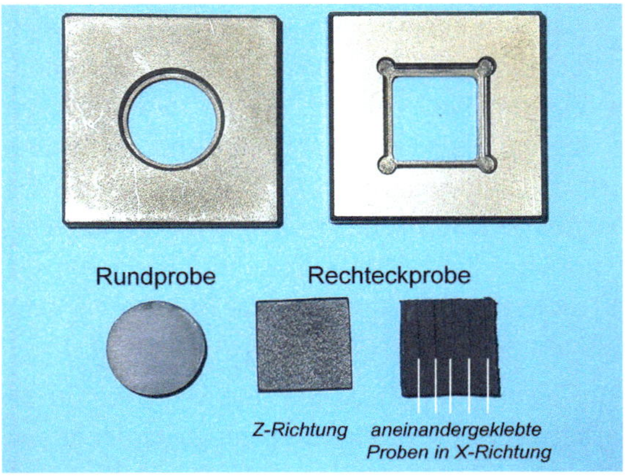

Bild 2.8
Herstellung der Proben in und quer zur Spritzrichtung für die Nano-Flash-Apparatur mit einem Probehalter von 12,7 × 12,7 mm

Beim Verkleben ist darauf zu achten, dass die Kleberschicht so dünn wie möglich aufgetragen wird und die Temperaturleitfähigkeit des Klebers signifikant niedriger als die der Probe ist, um die Messwerte nicht zu beeinflussen. Um den Einfluss des Klebers zu überprüfen, werden Testmessungen an ungefüllten isotropen Proben empfohlen.

2.1.1.3 Messergebnisse

Einen qualitativen Überblick, wie sich die Wärmeleitfähigkeit gefüllter Kunststoffe in Abhängigkeit von den Füllstoffmaterialien ergibt, zeigt Bild 2.9.

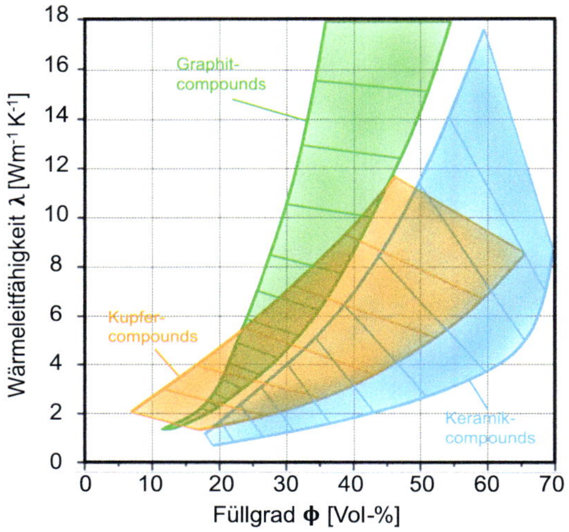

Bild 2.9 Einfluss des Füllstoffmaterials und des Füllgrades auf die erreichbaren Wärmeleitfähigkeiten in einem Compound

Einige Keramiken haben niedrigere Eigenleitfähigkeiten als Metalle wie etwa Kupfer. Hinzu kommt aber auch noch, dass Keramiken in der Regel nicht in großen Partikelgrößen erhältlich sind, bzw. nicht einarbeitbar sind. Stichwort: Abrasion. Je größer der Partikel, desto größer die abrasive Wirkung. Bei weichen Metallen wie Kupfer ist das nicht so wichtig. Des Weiteren ist Graphit einfacher in großen Partikelgrößen herstellbar. Stichwort: expandierbarer Graphit -> Durch eine Art Aufschäumungsprozess wird die spezifische Oberfläche stark vergrößert. Mit Partikelgrößen von bis zu 500 bis 600 μm sind die hohen Wärmeleitfähigkeiten für die Graphit-Compounds erklärbar. Viele Keramiken sind eher im Bereich weniger bis einiger zig μm, also ca. 3 bis ca. 30 μm.

Nicht zuletzt aufgrund der Forderung nach einer einfachen und vor allem großserientauglichen Verarbeitung in Verfahren wie dem Thermoplastspritzgießen haben sich Entwicklungsaktivitäten der letzten Jahre mit der Herstellung, Verarbeitung und Charakterisierung wärmeleitender Kunststoffe mit thermoplastischer Matrix beschäftigt.

Die erreichten Wärmeleitfähigkeiten liegen etwa bei 1 – 20 $Wm^{-1}K^{-1}$ Als Füllstoffe kommen ebenfalls die bereits genannten Materialklassen Metalle, Graphite und Keramiken in Frage. Eine Übersicht der erreichbaren Wärmeleitfähigkeiten mit verschiedenen Füllstoff-Matrix-Zusammensetzungen stellt Bild 2.10 dar.

Die Materialeigenschaften von gefüllten Kunststoffen sind maßgeblich durch die Compoundzusammensetzung, d. h. Matrixmaterial und Füllstoffart, bestimmt. Höhere Wärmeleitfähigkeiten der Füllstoffe führen bei gleichen Füllgraden zu gleichfalls höheren Wärmeleitfähigkeiten im Compound.

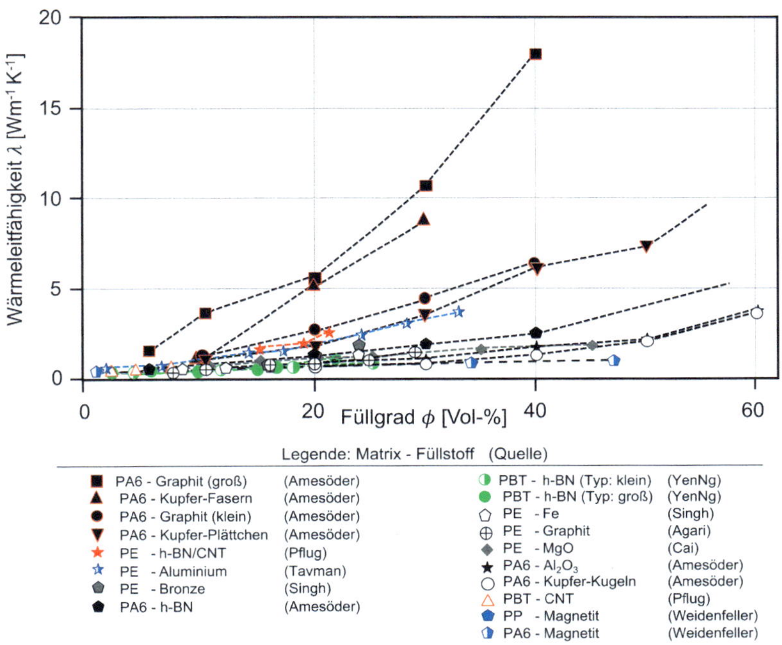

Bild 2.10 Wärmeleitfähigkeiten [W/mK] gefüllter Kunststoffe verschiedener Matrix-Füllstoff-Zusammensetzungen, Thermoplaste

Die Füllstoffleitfähigkeit hat dabei einen zentralen Einflussfaktor auf die resultierenden Eigenschaften im Compound. Mit einer Füllung von 50 Vol.-% hexagonalem Bornitrid (h-BN) in einer Epoxidmatrix können Werte bis zu ca. 7,5 $Wm^{-1}K^{-1}$ erreicht werden, Bild 2.11. Bei Aluminiumoxid mit identischer plättchenförmiger Geometrie und ebenfalls einer mittleren Größe von ca. 27 µm konnte nur eine Wärmeleitfähigkeit von ca. 3,4 $Wm^{-1}K^{-1}$ gemessen werden. Diese Halbierung der Wärmeleitfähigkeit ist auf die deutlich geringere Wärmeleitfähigkeit des Aluminiumoxids im Vergleich zum Bornitrid zurückzuführen.

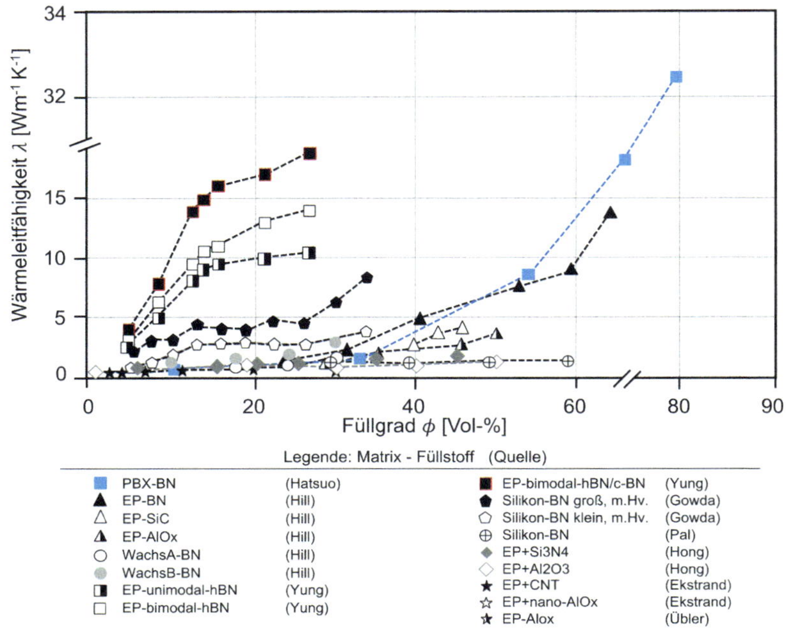

Bild 2.11 Wärmeleitfähigkeiten [W/mK] gefüllter Kunststoffe verschiedener Matrix-Füllstoff-Zusammensetzungen, Duroplaste

Als ebenfalls wichtig hat sich die Größe der Füllstoffpartikel erwiesen. Obwohl SiC mit ca. 300 Wm^{-1}K^{-1} annähernd die Leitfähigkeit von BN erreicht, konnten mit halber Partikelgröße nur deutlich geringere Werte von ca. 3,9 Wm^{-1}K^{-1} erreicht werden.

Die Verwendung von nanoskaligen Füllstoffen zur Wärmeleitfähigkeitserhöhung in Compositsystemen konnte bislang die Erwartungen jedoch nicht erfüllen und führte nicht zu den vorherberechneten Eigenschaften. Selbst die hohen Eigenleitfähigkeiten von etwa Carbon Nanotubes (CNT) von über 3000 Wm^{-1}K^{-1} können die Volumenwirkung der Matrix bei den für den teuren Füllstoff angestrebten niedrigen Füllgraden von unter 10 Vol.-% nicht eliminieren Einen ebenfalls sehr wichtigen Einflussfaktor stellt die Füllstoffgröße dar. Je größer die Füllstoffpartikel sind, desto größer die erzielbaren Wärmeeleitfähigkeiten. Eine weitere Steigerung ist zu beobachten wenn bi-modale Größenverteilungen verwendet werden. Bei Verwendung von anisometrischen Füllstoffen hat sich die reine Füllstoffgröße jedoch nicht als ausschließlicher Einflussfaktor gezeigt, sondern das Aspektverhältnis AR, das Verhältnis zwischen mittlerem Durchmesser und Partikeldicke, ist ebenfalls relevant. Ein höheres Aspektverhältnis führt zu gesteigerten Wärmeleitfähigkeitswerten. Das Aspektverhältnis wirkt sich mit steigendem Füllgrad stärker aus.

Die Verarbeitung geometrisch orientierter, anisometrischer, Füllstoffe im Spritzgießprozess führt zu einer charakteristischen Orientierung der Füllstoffe, die durch das sich in der Spritzgießkavität ausbildende Geschwindigkeitsprofil bestimmt wird.

Es ist eine Schichtstruktur entsprechend der in Bild 2.12 dargestellten Form zu beobachten. Die einfachste Modellvorstellung geht von einer 3-Schicht-Struktur (a, b, a) aus, d. h. in den Randbereichen der Kavität orientieren sich die Füllstoffe in Fließrichtung (x-Richtung), wohingegen die Füllstoffe in der Kavitätsmitte in Fließebene (x-z-Ebene) keiner Zwangsorientierung unterliegen (randomisierte Orientierungsverteilung) bzw. eine Orientierung in Querrichtung (y-Richtung) aufgrund von Quer- und Dehnströmungseffekten erhalten.

In Bild 2.12 sind die Ergebnisse aus den Wärmeleitfähigkeitsmessungen von 4 mm dicken Platten, bei variierendem Füllgrad, dargestellt. Wie erwartet steigt mit zunehmendem Füllgrad die Wärmeleitfähigkeit. Die Werte zeigen eine ausgeprägte systematische Abhängigkeit von der Messrichtung. In y-Richtung sind die deutlich höchsten Werte erkennbar. Im Gegensatz dazu sind in z-Richtung die niedrigsten, im Vergleich zu Werten in y-Richtung ca. um einen Faktor 2 bis 3 reduzierten Wärmeleitfähigkeiten zu sehen.

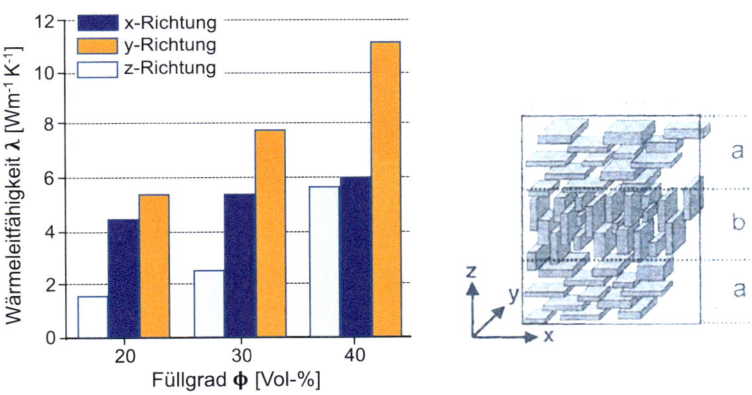

Bild 2.12 *links:* Schicht- und richtungsabhängige Wärmeleitfähigkeit von PA 6-Kupfer-Compounds an 4 mm dicken Platten
rechts: Schichtmodell der Orientierung plättchenförmiger Füllstoffe

Zur Analyse der Einflussfaktoren auf die Wärmeleitfähigkeit wurde eine Vielzahl systematischer Untersuchungen durchgeführt. Dabei konnte eine starke Beeinflussung der richtungsabhängigen Wärmeleitfähigkeit von prozess- und geometriebezogenen Randbedingungen nachgewiesen werden. In diesen Untersuchungen konnte weiterhin ein systematischer Zusammenhang zwischen der strömungsbedingten Füllstofforientierung, der entsprechenden charakteristischen Schichtausbildung und der Wärmeleitfähigkeitsausprägung im spritzgegossenen Bauteil ermittelt werden. Bild 2.13 zeigt die gemessenen Wärmeleitfähigkeiten in z-Richtung bei unterschiedlichen Wandstärken der Probekörper.

Die Orientierung anisometrischer Füllstoffe ergibt sich in Abhängigkeit von den lokal vorherrschenden Strömungsbedingungen während der Kavitätsfüllung. Messungen der lokalen Wärmeleitfähigkeit haben gezeigt, dass sich entlang des Fließweges eine starke Veränderung ergeben kann, Bild 2.14.

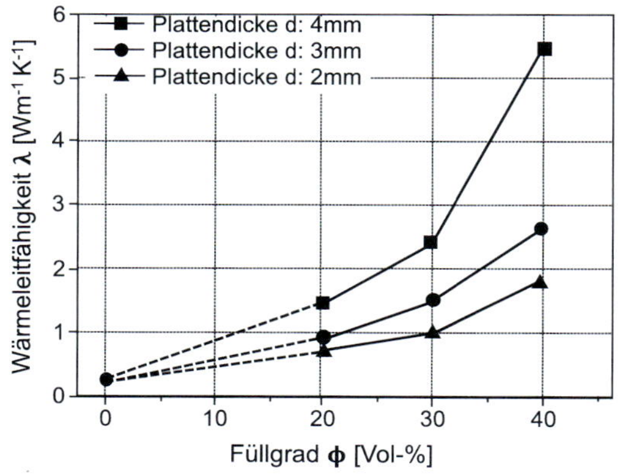

Bild 2.13 Wärmeleitfähigkeit in z-Richtung an Probekörpern unterschiedlicher Wandstärke aus PA 6-Kupfer-Compound

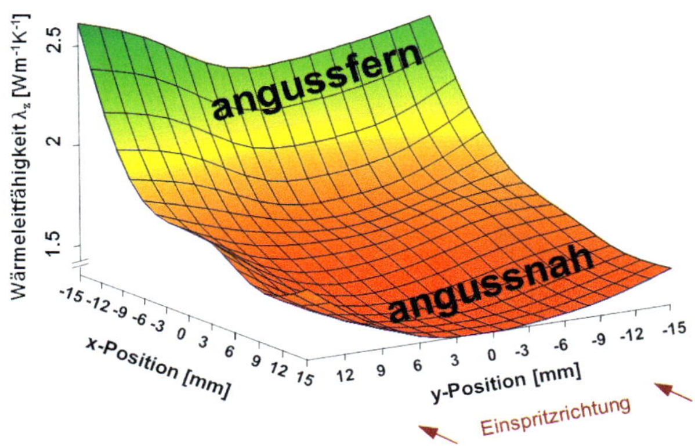

Bild 2.14 Sattelförmige Wärmeleitfähigkeit

Ausgehend vom Anguss erhöht sich die Wärmeleitfähigkeit hin zur angussfernen Position. Für einen drei Millimeter dicken Probekörper aus PA6 + 30 Vol.-% Kupfer-Compounds zeigen sich etwa Wärmeleitfähigkeitsdifferenzen von bis zu ca. 60 %. Je nach Messposition können die lokalen Unterschiede dabei stark schwanken. In den Randbereichen sind hier systematisch höhere Werte messbar als in der Mitte des Probekörpers.

Die in Bild 2.14 dargestellte sattelförmige Wärmeleitfähigkeitsverteilung in spritzgegossenen Proben, kann direkt mit der in Bild 2.15 dargestellten Füllstofforientierungsverteilung korreliert werden.

Ausgehend vom Anguss hin zur Plattenmitte verringert sich die mittlere Orientierungsschicht (b-Schicht) zunächst. Da gerade diese b-Schicht zu einer hohen Wärmeleitfähigkeit in z-Richtung beiträgt, verringert sich ebenfalls die Wärmeleitfähigkeit in Durchgangsrichtung. Zum Plattenende hin wird die Mittelschicht wieder dicker und somit erhöht sich ebenfalls die Wärmeleitfähigkeit in z-Richtung.

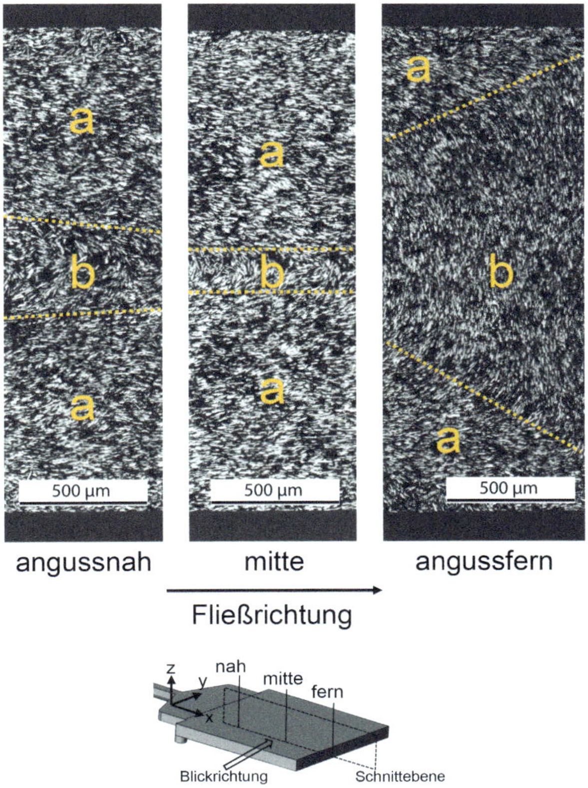

Bild 2.15 Veränderung der Füllstofforientierung und der Dicken der Schichtdicken entlang des Fließweges spritzgegossener Formteile;
Material: PA6 + 30 Vol.-% Kupfer, Probekörper 50 x 50 x 3 [mm^3]
oben: Mikroskopieaufnahmen der Anschliffe
unten: Skizze der Analysebereiche

Fließt eine Kunststoffschmelze durch eine Kavität, so wirken aufgrund der Geschwindigkeitsgradienten von der Kavitätsmitte hin zum Rand Rotationskräfte auf die Füllstoffe. Die Strömungsgeschwindigkeiten in der Kavitätsmitte sind annähernd konstant, weswegen sich hier eine Füllstofforientierung lediglich aufgrund von Quer- und Dehnströmungen ergibt und die Füllstoffe daher überwiegend senkrecht zur Fließrichtung ausgerichtet werden. Als wichtigste Einflüsse auf die Füllstofforientierung können die Bauteilwandstärke, die Viskositätseigenschaften des Kunststoffes und Prozesskenngrößen wie Einspritzgeschwindigkeit oder Termperaturbedingungen genannt werden.

2.1.1.3.1 Kühlkörpergehäuse

Durch die Einarbeitung von anisometrischen Füllstoffen in eine Kunststoffmatrix ergibt sich bei spritzgegossenen Bauteilen eine starke anisotrope prozessabhängige Wärmeleitfähigkeit.

Wie differenziert die Wärmeleitung durch die Strömungsverhältnisse beeinflusst werden kann, zeigt eine Ecke eines Kühlkörpergehäuses, Bild 2.16. Je nach Fließbedingungen sind unterschiedliche Füllstofforientierungen zu beobachten. Dies spiegelt sich wiederum direkt in den Wärmeleitungen der hochgefüllten Kunststoffe wider. Deren Wärmeleitfähigkeit ist somit eine stark prozessabhängige Eigenschaft.

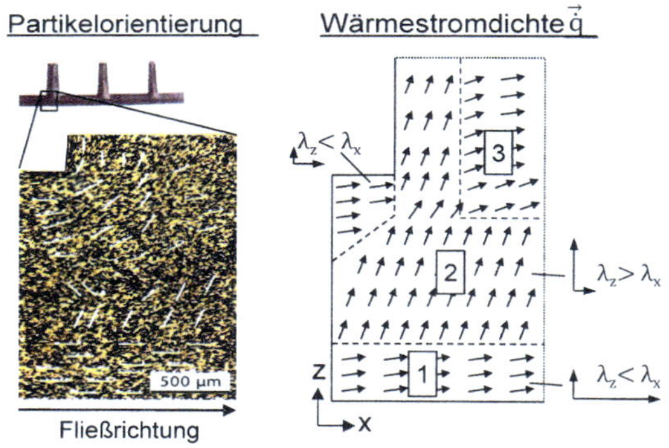

Bild 2.16 Ausbildung anisotroper Wärmeleitfähigkeit in spritzgegossenen Kühlkörpern
links: mikroskopische Auflichtaufnahme der Füllstofforientierung
rechts: qualitative Darstellung der sich im Bauteil einstellenden Wärmestromdichte aufgrund anisotroper Wärmeleitfähigkeiten

Daraus folgt für den Spritzgießer, dass er sich kümmert um die:

- Festlegung von Angussart und Anspritzrichtung mittels eines Simulationsprogrammes,
- Temperierung ≈› geringe Werkzeugwandtemperaturen erhöhen Randschichtdicke,
- Prozessanpassungen, die ggf. die thermische Funktion verändern.

2.1.1.4 Ausblick

Die effektive Zu- und Ableitung von Wärme in Einzelkomponenten und Funktionsmoduln ist deshalb eine wichtige konzeptionelle Aufgabe. Die thermodynamischen Kenngrößen sind daher für Anwendungen von grundsätzlicher Bedeutung für das Erreichen einer optimalen Betriebstemperatur. Die Maßnahmen zur aktiven und passiven Temperierung bzw. Wärmeabfuhr sind entsprechend vielfältig.

2.2 Normen

DIN EN ISO 22007-1 (03/2018)
Kunststoffe - Bestimmung der Wärmeleitfähigkeit und der Temperaturleitfähigkeit - Teil 1: Allgemeine Grundlagen (ISO 22007-1:2017)

DIN 1341 (10/1986)
Wärmeübertragung; Begriffe, Kenngrößen

DIN CEN ISO/TR 22007-5, DIN SPEC 53367 (11/2014)
Kunststoffe - Bestimmung der Wärmeleitfähigkeit und der Temperaturleitfähigkeit - Teil 5: Ergebnisse des Ringversuchs an Polymethylmethacrylatproben (ISO/TR 22007-5:2011)

DIN EN ISO 22007-6 (05/2015)
Kunststoffe - Bestimmung der Wärmeleitfähigkeit und der Temperaturleitfähigkeit - Teil 6: Vergleichsmethoden für geringe Wärmeleitfähigkeit unter Anwendung einer Temperaturanpassungsmethode (ISO 22007-6:2014)

DIN EN 12667 (05/2001)
Wärmetechnisches Verhalten von Baustoffen und Bauprodukten - Bestimmung des Wärmedurchlasswiderstandes nach dem Verfahren mit dem Plattengerät und dem Wärmestrommessplatten-Gerät - Produkte mit hohem und mittlerem Wärmedurchlasswiderstand

ISO 8301 AMD 1 (08/2010)
Wärmeschutz - Bestimmung des stationären Wärmedurchlasswiderstandes und verwandter Eigenschaften - Verfahren mit dem Wärmestrommessplatten-Gerät; Änderung 1

ISO 8302 (08/1991)
Wärmeschutz; Bestimmung des stationären Wärmedurchlasswiderstandes und verwandter Eigenschaften; Verfahren mit dem Plattengerät

Verwendete Literatur

- C3 Prozess- und Analysentechnik; Bestimmung thermophysikalischer Eigenschaften; Hot-Disk-Methode; LABOonline, 2014
- Crolla, G.; Krollmann, N.; Wärmeleitfähigkeit von Kunststoffen; Fachtagung Wärmeleitende Kunststoffe; LKT, Uni Erlangen, 2007
- Blumm, J.; Lindemann, A.; Bestimmung der Temperatur- und Wärmeleitfähigkeit von Polymerwerkstoffen; Fachtagung Wärmeleitende Kunststoffe; LKT, Uni Erlangen, 2007
- Amesöder, S.; Ehrenstein, G. W.; Gerichteter Wärmetransport – eine besondere Bedeutung im Thermal Management; Fachtagung Wärmeleitende Kunststoffe; LKT, Uni Erlangen, 2007
- Amesöder, S.; Wärmeleitende Kunststoffe für das Spritzgießen; Dissertation, Universität Erlangen; www.kunststoffe.de/dissertationen
- Trawiel, P.; persönliche Mitteilungen, 2018
- Heinle, C.; Ehrenstein, G. W.; Drummer, D.; Wärmeleitfähig modifizierte Kunststoffe; Zeitschrift Kunststoffe, 2009; www.kunststoffe.de
- Ranft, F.; Wärmeleitende Kunststoffe für Wärmeübertrager in geschlossenen Adsorptionskälteanlagen; Mitarbeitervortrag LKT-Erlangen; 2012
- Heinle, Chr.; Simulationsgestützte Entwicklung von Bauteilen aus wärmeleitenden Kunststoffen; Dissertation, Universität Erlangen; Kunststofftechnik; www.kunststoffe.de/dissertationen ; 2012

3 Dynamische Differenzkalorimetrie (DDK, DSC, MDSC)

■ 3.1 Grundlagen

Mit Hilfe der Kalorimetrie wird die Wärmemenge bestimmt, die bei einer physikalischen oder chemischen Umwandlung eines Stoffes aufgebracht werden muss oder entsteht. Dementsprechend ändert sich die innere Energie des Stoffes, die bei konstantem Druck als Enthalpie H bezeichnet wird. Für praktische Anwendungen ist vor allem die Enthalpieänderung ΔH zwischen zwei Zuständen relevant.

$$\Delta H = \int c_p \cdot dT \tag{3.1}$$

Vorgänge, die zu einer Erhöhung der Enthalpie führen (Schmelzen, Verdampfen, Glasübergang), werden als endotherm, Vorgänge, welche die Enthalpie erniedrigen (Kristallisation, Härtungsverlauf, Zersetzen), als exotherm bezeichnet.

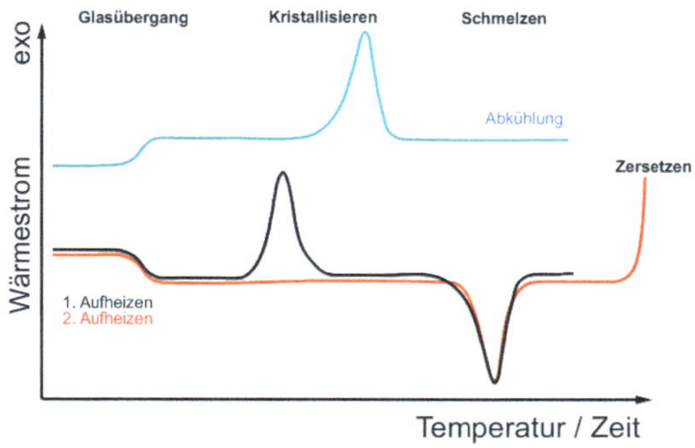

Bild 3.1 DSC-Messzelle und mögliche Effekte

Detektiert werden endotherme und exotherme Effekte, die einer Enthalpieerhöhung oder -erniedrigung zuzuschreiben sind. Nach DIN 53 765 und DIN 51005 wird ein endothermer Effekt, verbunden mit einer Enthalpieerhöhung, in positiver y-Richtung dargestellt, ein exothermer Effekt in negativer y-Richtung. In DIN EN ISO 11357-1 und ASTM E793 wird eine umgedrehte Darstellung vorgeschlagen.

Eine wichtige Größe, die sich mit der DSC relativ leicht ermitteln lässt, ist die **spezifische Wärmekapazität c_p**, deren Betrag angibt, wie viel Energie aufgebracht werden muss, um 1 g eines Stoffes um 1 °C zu erwärmen.

3.2 Einsatzgebiete

Messbare endotherme Effekte sind Glasübergänge, Schmelzvorgänge und Verdampfen; exotherme Effekte sind Zersetzung, Rekristallisation, chemische Reaktionen (z. B. Vernetzungsreaktionen). Somit ergeben sich folgende Einsatzmöglichkeiten in der Praxis:

- Werkstoffidentifizierung
- Verunreinigungen
- Kristallinitätsbestimmung
- Thermische Vorgeschichte
- Aushärtezustand von Duroplasten
- c_P-Bestimmung
- Wirksamkeit von Stabilisatoren (OIT)
- Trennung überlagerter Effekte (Temperaturmodulierte DSC)

Anhand charakteristischer Schmelz- oder Glasübergangstemperaturen ist es möglich, einen **Werkstoff** zu identifizieren. Den Metallen ähnlich haben teilkristalline Thermoplaste einen charakteristischen Schmelzbereich. Da dieser im Vergleich zu den Metallen relativ breit ist, wird eine Peaktemperatur definiert; anhand dieser ist es einfach, beispielsweise PA 6 (T_{Pm} = 220 °C) von PA 66 (T_{Pm} = 260 °C) zu unterscheiden. Amorphe Thermoplaste können anhand ihrer Glasübergangstemperatur unterschieden werden. Auf diesem Wege werden auch **Verunreinigungen**, wie sie häufig in rezykliertem Material auftreten, erkannt; beispielsweise ein mit Polyethylen verunreinigtes Polystyrol.

Zur Werkstoffbeschreibung oder zur Überprüfung des Verarbeitungsvorgangs (Fließwege, Werkzeugtemperatur, Nachdruckwirkung) stellt der **Kristallisationsgrad** eine wichtige Größe dar. Er kennzeichnet die Menge der kristallinen Anteile eines teilkristallinen Thermoplasten. Hierbei wird die zum Aufschmelzen der kristallinen Bereiche notwendige Energie (Fläche unter dem Schmelzpeak) in Relation zu dem Wert für ein theoretisch 100 %-kristallines Material gesetzt. Dies ermöglicht, selbst an kleinsten Stellen innerhalb eines Formteils Unterschiede in der Kristallinität festzustellen, und auf mögliche Verarbeitungsfehler oder -einflüsse zu schließen.

Das erste Aufheizen einer DSC-Untersuchung erlaubt Rückschlüsse auf die **thermische Vorgeschichte** eines Formteils, was sie zu einem wichtigen Instrument im Bereich der Schadensanalyse macht. Beispielsweise können anhand der Temperaturlage von endothermen Temperpeaks Aussagen über Einsatz- oder Lagertemperaturen gemacht werden.

Mit Hilfe der **OIT (Oxidative Induktionszeit/-temperatur)**, einem speziellen Verfahren der DSC, ist es möglich, die **Wirksamkeit von thermischen Stabilisatoren** zu beurteilen. Weiterhin erlaubt die OIT Rückschlüsse auf die **Thermische Beständigkeit** eines Materials.

Temperaturmodulierte Messungen erlauben die Trennung überlagerter Effekte in „reversible" und „irreversible" Anteile.

3.3 Messprinzip

Die Dynamische Differenzkalorimetrie (DDK, DSC) beinhaltet nach DIN EN ISO 11357-1 und DIN 51005 zwei Prüfverfahren, bei denen kalorische Effekte einer Probe im Vergleich zu einer Referenzsubstanz gemessen werden:

- Dynamische Wärmestrom-Differenzkalorimetrie (DWDK)
- Dynamische Leistungs-Differenzkalorimetrie (DLDK)

Bei der **DWDK** besteht die Messzelle aus einem Ofen, in dem Probe und Referenz zusammen nach einem vorgegebenen Temperaturprogramm aufgeheizt bzw. abgekühlt werden. Die Temperatur beider Messstellen, die sich auf einer wärmeleitenden Metallscheibe befinden, wird kontinuierlich gemessen, Bild 3.2. Solange Probe und Referenz dem Temperaturprogramm gleichermaßen folgen können, sind die Wärmeströme vom Ofen in die Probe und in die Referenz konstant; die Temperaturdifferenz zwischen beiden Messstellen ist somit konstant.

Wäre beispielsweise Eis das Probenmaterial, bleibt dessen Temperatur während des eigentlichen Schmelzvorgangs, trotz eines dynamischen Heizprogramms, bei 0 °C konstant, demzufolge hängt die Probentemperatur gegenüber der Referenztemperatur nach, bis genügend Wärme zum vollständigen Aufschmelzen zugeführt wurde. Demgegenüber erwärmt sich die Referenzprobe dem vorgegebenen Heizprogramm entsprechend gleichmäßig weiter. Aus der Differenz der beiden Temperaturen (ΔT) resultiert die Wärmestromänderung ΔQ.

Die Vorteile der **Wärmestrom-Differenzkalorimeter** liegen vor allem in der meist relativ robusten Bauart, in der einfachen Handhabung und der problemlosen Messung auch von ausgasenden Proben. Die gemessenen Kurven zeichnen sich durch eine stabile Basislinie aus und ermöglichen recht deutliche Messungen von Glasübergängen.

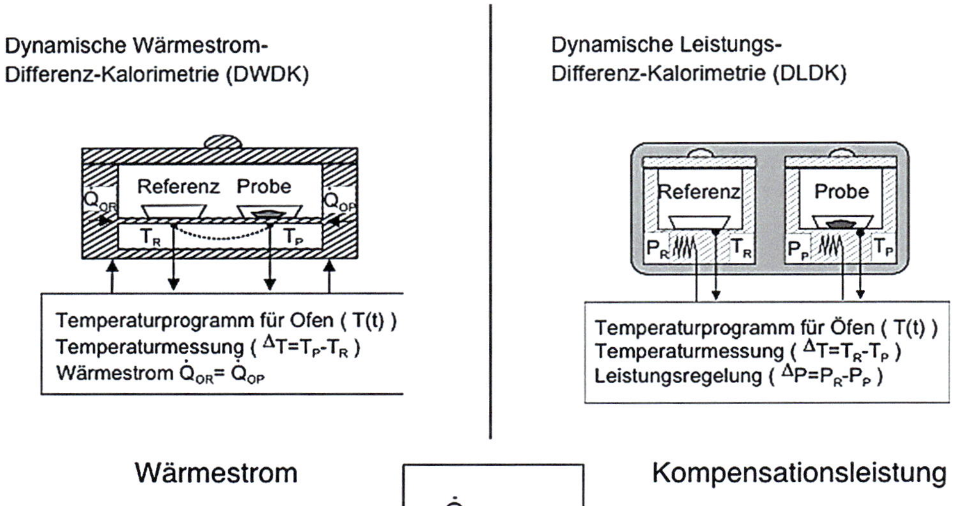

$$\frac{\dot{Q}}{m} = v \cdot c_p$$

Bild 3.2 DSC-Messprinzipien

Bei der **DLDK** besteht die Messzelle aus zwei getrennten kleinen Öfen, die unabhängig voneinander nach einem definierten Grundleistungsheizprogramm geregelt werden. Kommt es nun beim Aufheizen durch eine exotherme oder endotherme Reaktion der Probe zu einer Temperaturdifferenz ΔT zwischen Referenz- und Probenofen, wird diese durch verstärktes Heizen des Probenofens idealerweise zu Null ausgeglichen. Die gegenüber der Referenzheizleistung P_{R} ermittelte Heizleistungsdifferenz ΔP entspricht der Wärmestromänderung ΔQ.

Leistungs-Differenzkalorimeter ermöglichen aufgrund geringer Zeitkonstanten der kleinen Öfen die Messung sehr schneller Reaktionsabläufe. Wegen der schnell reagierenden elektrischen Kompensation treten real nur sehr geringe Temperaturdifferenzen zwischen Probe und Referenz auf.

Im allgemeinen Sprachgebrauch werden beide Verfahren der Dynamischen Differenzkalorimetrie als **DSC** - **D**ifferential **S**canning **C**alorimetry bezeichnet. Nach DIN EN ISO 11357-1 werden beide Verfahren unter dem Begriff Dynamische Differenz-Thermoanalyse zusammengefasst und mit DSC abgekürzt. Beide Methoden liefern für die praktische Anwendung nahezu gleiche Informationen, deshalb wird im weiteren Text der Begriff DSC verwendet.

DWDK und DLDK liefern vergleichbare Informationen. Zusammenfassende, übliche Bezeichnungsweise - DSC

Zusätzlich zu den zwei klassischen Messprinzipien der DSC wurde die **Tzero™-Sensortechnologie** entwickelt. Während bei den klassischen Messverfahren Temperaturen zwischen Referenz und Probe gemessen werden und dadurch die Leistungsregelung aktiviert wird (DLDK), können jetzt die Vorgänge sowohl in der Probe wie auch in der Referenz getrennt gegenüber einem neutralen Sensor erfasst werden.

Der Aufbau des Ofens mit den Plattformen für die Tiegel soll die gegenseitige Beeinflussung von Probe und Referenz minimieren. Die durch starke Reaktionen der Proben oder Veränderungen der Messzelle auftretenden Wärmestromdifferenzen können mit dem Tzero™-Sensor direkt gemessen und korrigiert werden.

Dies bringt im Wesentlichen Vorteile für die Linearität der Basislinie und damit für die Auflösung von Messeffekten. Lineare Basislinien ohne Drift oder „Bauch" gewährleisten eine sichere und reproduzierbare Auswertung. Damit entfällt die Notwendigkeit, wie sie bei manchen Messungen besteht, die Basislinie von der Messkurve abziehen zu müssen.

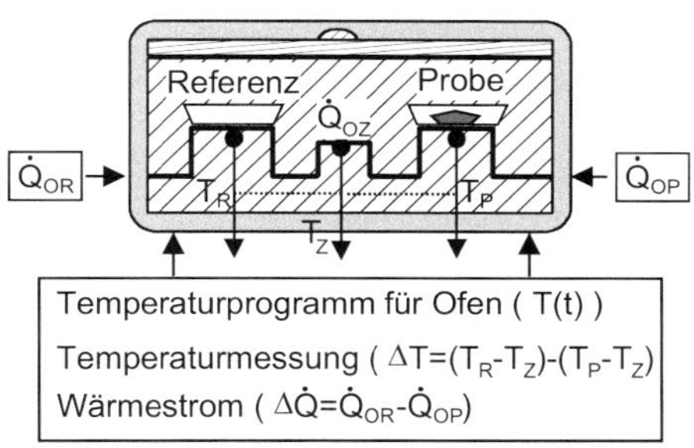

Bild 3.3 Schematischer Aufbau – Tzero™-Sensortechnologie
T_R = *Temperatur der Referenz*
T_P = *Temperatur der Probe*
T_Z = *Temperatur des Tzero™-Sensors*
$\dot{Q}_{OR}$ = *Wärmestrom vom Ofen zum Referenztiegel*
$\dot{Q}_{OP}$ = *Wärmestrom vom Ofen zum Probentiegel*
$\dot{Q}_{OZ}$ = *Wärmestrom vom Ofen zur Tzero™-Sensor-Messstelle*

Zur technischen Charakterisierung unterschiedlicher DSC-Geräte ist es hilfreich, einige Leistungskennzahlen zu vergleichen.

Als **Empfindlichkeit** wird das kleinste messbare Signal herangezogen. Um einen Effekt als signifikant zu erkennen, ist die Kenntnis des sog. Rauschens notwendig. Die Empfindlichkeit wird üblicherweise als Effektivrauschen in µW angegeben.

Die **Zeitkonstante** kennzeichnet das zeitliche Auflösevermögen eines Gerätes. Sie hängt von der thermischen Leitfähigkeit des Systems, insbesondere der Messscheibe, ab, und wird in Sekunden angegeben.

Ein Maß für die **Wiederholbarkeit** von Enthalpiebestimmungen stellt die **kalorische Wiederholbarkeit** dar. Die kalorische Genauigkeit kennzeichnet die Übereinstimmung von Enthalpiewerten mit Standardwerten. Bei modernen DSC-Geräten stimmen beide Werte überein und werden in +/-% angegeben.

3.4 Ablauf einer Messung

Die vormalige DIN 53 765 und jetzige DIN EN ISO 11357-1 liefern wertvolle Empfehlungen zur Durchführung einer DSC-Messung. Folgendes Schema zeigt den grundsätzlichen Messablauf. Dabei sind die Parameter dem zu erwartenden Effekt anzupassen.

- Probenpräparation
- Einwaage
- Verschließen des Tiegels
- Spülgas
- Parametereingabe
  - Starttemperatur
  - Heiz-/Kühlrate
  - Endtemperatur

An dieser Stelle sei erwähnt, dass eine Vielzahl unterschiedlicher Tiegelformen und -materialien erhältlich ist. Häufigen Einsatz finden Einwegtiegel aus Aluminium. Für Temperaturen über 600 °C oder mögliche Reaktionen zwischen Probe und Tiegelmaterial werden Tiegel aus Platin, Gold oder Quarzglas empfohlen. Der Tiegeldeckel wird vor dem Verschließen mit einem kleinen Loch versehen, das einen Druckaufbau im Tiegel verhindert. Bei Materialien (z. B. Phenolharzen), die während des Aufheizens zu einem erhöhten Druck im Tiegel führen, müssen spezielle Hochdruckkapseln mit einem geeigneten Werkzeug verschlossen werden.

Als **Referenzprobe** dient meist ein leerer Tiegel. Bei hochgefüllten Materialien kann es sinnvoll sein, den Referenztiegel mit dem jeweiligen Füllstoff oder Aluminiumoxid zu präparieren.

DSC-Messungen werden, mit Ausnahme der OIT, unter inerter **Gasatmosphäre** (Stickstoff, Argon oder Helium) durchgeführt. Der Gasdruck sollte nach Norm 20 ml/min betragen. Eigene Erfahrungen haben ergeben, dass der Einfluss des Gasdruckes gering ist (außer bei c_p-Messungen); hier empfiehlt es sich, die Angaben der Gerätehersteller einzuhalten. Wichtiger scheint der Hinweis auf die Notwendigkeit, vor jedem Gaswechsel auch eine neue Kalibrierung mit dem gewählten Gas durchzuführen.

Vor Messbeginn gilt es nun, ein geeignetes **Temperaturprogramm** zu wählen. Die Starttemperatur muss so tief gewählt werden, dass sich vor dem erwarteten Effekt eine konstante Basislinie einstellen kann. Auch am Ende der Messung ist eine stabile Basislinie zur sicheren Auswertung notwendig; um eine Zersetzung zu vermeiden, darf die Probe nicht weiter als 20 bis 30 °C über den Schmelzbereich hinaus erwärmt werden. Größte Wichtigkeit bei der Auswahl des Messprogramms kommt der Heiz- bzw. Kühlrate zu. Um den Temperaturgradienten in der Probe so gering wie möglich zu halten, darf nicht zu schnell aufgeheizt werden; für Schmelzprozesse empfiehlt sich eine Heizrate von 10 °C/min. Glasübergänge sind bei einer Heizrate von 20 °C/min gut detektierbar.

3.5 Praktische Vorgehensweise

Probenmaterial: Die zu untersuchende Probe soll repräsentativ für das zu untersuchende Objekt sein und durch die Präparation nicht beeinflusst werden. Die Masse sollte mit einer Genauigkeit von 0,01 mg bestimmt werden, wobei für Polymer zur Bestimmung vom Glasübergang oder/und Schmelztemperatur 5 bis 10 mg ein Richtwert sind. Die Proben sollten geschnitten und nicht gebrochen werden. Im Tiegel sind sie möglichst flach und bodendeckend zu platzieren. Eigenspannungen und Orientierungen in den Proben können gelöst werden und die Auflage stören.

Probenvorbereitung: Die Festlegung der Entnahmestelle und fachgerechte Präparation der sehr kleinen Probe ist von großer Bedeutung. Aufgrund der kleinen Probenmengen ist eine sehr selektive Entnahme (z. B. Oberfläche, Kern, Querschnitt, angussnah, angussfern, nahe Schadensbild, in Ecken, an kritischen Kanten usw.) von entscheidender Bedeutung für die spätere Interpretation der Ergebnisse, Bild 3.4, Bild 3.5 und Bild 3.6.

Bei Formteilen und Granulaten muss die Probe möglichst schonend mit einem Skalpell entnommen werden. Die Stelle der Probenentnahme wird immer problemspezifisch gewählt und dokumentiert.

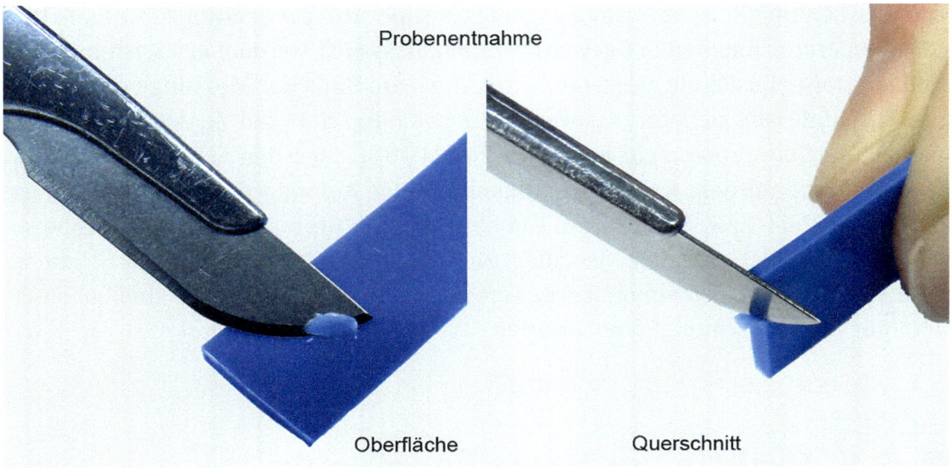

Bild 3.4 Gezielte Wahl der Entnahmestelle der Probe

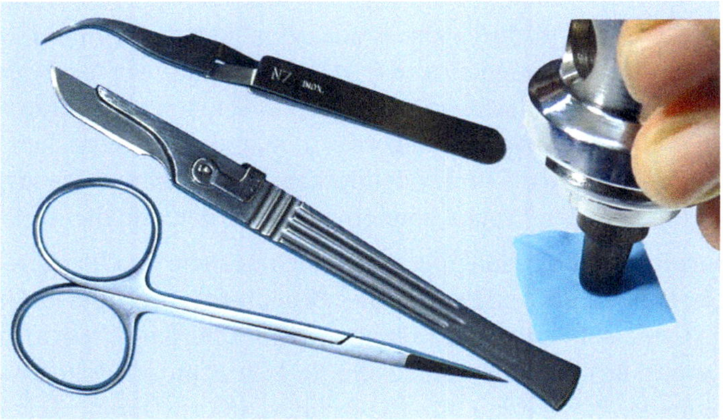

Bild 3.5 Probenentnahme durch Schneiden oder Stanzen ohne Quetschen oder Erwärmen der Probe, auf scharfes Werkzeug ist zu achten, möglichst ausschließlich Berührung der Probe mit einem sauberen Skalpell

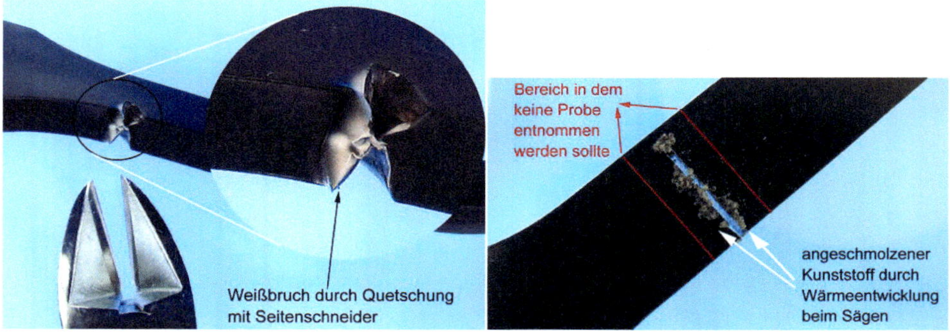

Bild 3.6 Schädigung von Kunststoffproben bei der Probenentnahme

Einwaagemenge: Die Einwaagemenge hängt vom zu messenden thermischen Effekt ab. Um Schmelz- und Kristallisationsvorgänge zu untersuchen, beträgt die Einwaagemenge 5 bis 10 mg; bei hochempfindlichen Geräten reichen 1 bis 5 mg aus. Für die Messung von Glasübergängen empfiehlt sich eine Einwaagemenge von 10 bis 20 mg. Zur Messung der spez. Wärmekapazität werden höhere Massen (20 bis 40 mg) eingewogen. Die max. Abweichung der Einwaage darf +/- 0,01 mg nach DIN EN ISO 11357-1 nicht überschreiten, Bild 3.7.

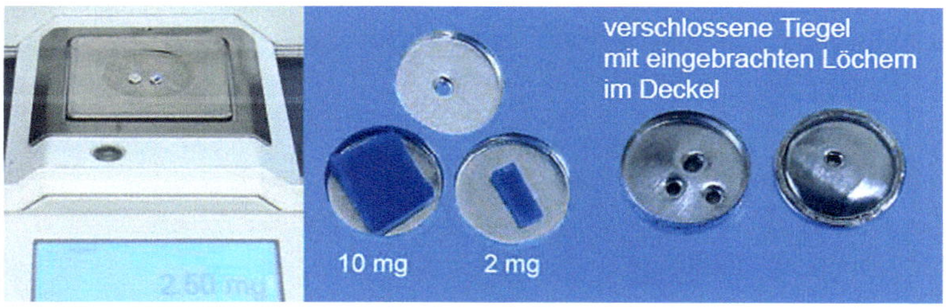

Bild 3.7 Standard-Aluminiumtiegel mit typischen Einwaagen zur Durchführung einer DSC-Messung
rechts: verschlossene Aluminiumtiegel mit in den Deckel eingebrachten Löchern

Schmelz-/Kristallisationsvorgänge - 1 bis 10 mg; Glasübergang - 10 bis 20 mg Einwaage

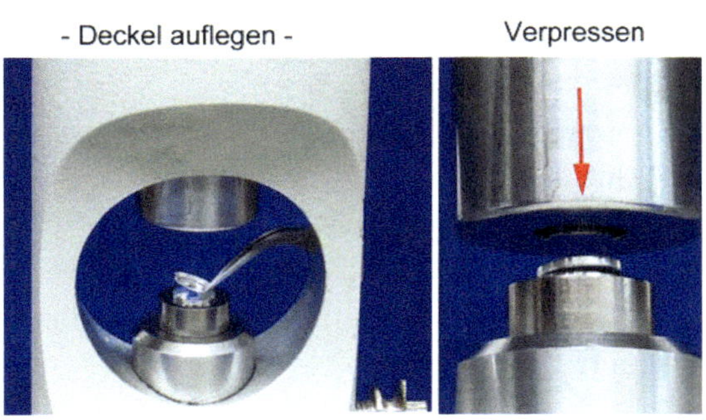

Bild 3.8
Einwiegen und Verpressen der Probe in Standard-Aluminiumtiegel

Tiegel: Es gibt verschiedene Tiegelmaterialien und -formen; vorzugsweise wird mit Einweg-Aluminiumtiegeln gearbeitet. Tiegel und Deckel sollen nach DIN EN ISO 11357-1 auf +/- 0,01 mg ausgewogen werden, Bild 3.8 , Bild 3.9 und Bild 3.10. Von Tiegeln wird eine gute Wärmeleitfähigkeit erwartet, eine Formstabilität wegen thermisch korrekten Kontakts zwischen Sensor und Tiegel und auch beim Aufpressen von Deckeln, ein inertes Kontaktverhalten zur Probe und niedrige Masse. Tiegel können dicht oder mit laserperforierten Deckeln verschlossen werden.

Bild 3.9 DSC-Tiegel: Standard-Aluminium-Tiegel, Hochdruckstahlkapsel (z. B. für Messungen mit Phenolharz) und Kupfertiegel (für OIT-Messung an Polyolefinen)

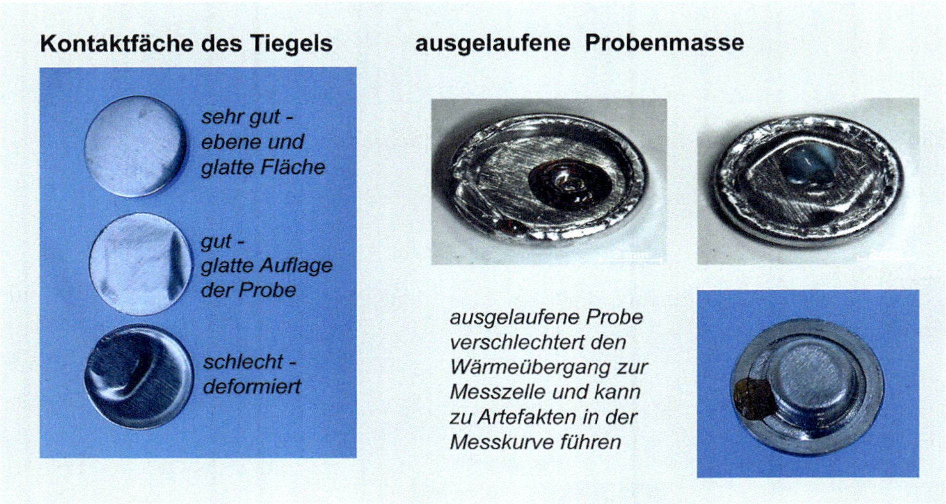

Bild 3.10 Beispiele für DSC-Tiegel mit schlechter Wärmeübertragung von Probe zu Messzelle durch Deformation oder herausgelaufene Probenmasse

Spülgas: Um Reaktionen mit der Umgebung zu vermeiden, wird die Zelle während einer Messung mit Inertgas (Stickstoff, Helium oder Argon) gespült. Oxidationsvorgänge werden durch Sauerstoff gefördert.

Messprogramm: Das Messprogramm muss material- und probenspezifisch mit geeigneten Parametern für Start-/Endtemperatur und Heizrate gewählt werden.

Starttemperatur: Die Starttemperatur sollte mind. 50 °C unterhalb des ersten erwarteten Effektes liegen; sie muss so lange gehalten werden, bis eine Anpassung der Probe an diese Temperatur gesichert ist. Bei RT ist eine Anpassungszeit von 5 min ausreichend, bei -100 °C ist eine Zeitspanne von ca. 20 min vorzusehen; dabei sollte die Angabe der aktuellen Temperatur und des Wärmestromsignals am Gerät beobachtet werden.

Heizrate: Die geeignete Heizrate hängt vom zu messenden Effekt ab. Bei Schmelz- und Kristallisationsuntersuchungen hat sich eine Heizrate von 10 °C/min (oder höher, bei Unterdrückung der Umkristallisation), bei der Bestimmung von Glasübergängen von 20 °C/min bewährt. Bei isothermen Messungen wird die Probe entweder schnell auf eine bestimmte Temperatur aufgeheizt oder abgekühlt und isotherm gemessen. Dabei sollte die Heizrate bis zur isothermen Haltetemperatur möglichst hoch gewählt werden, jedoch nicht über 50 °C/min, um ein mögliches „Überschwingen" zu vermeiden. Bei der Beobachtung einer isothermen Kristallisation muss die Probe sehr schnell abgekühlt werden, um das Kristallisieren während der Abkühlphase auszuschließen. Zum anderen kann die Messzelle ohne Probe auf die gewünschte Temperatur aufgeheizt werden, z. B. um die Aushärtung eines Harzsystems zu verfolgen; dabei wird die Probe erst nach Erreichen dieser Temperatur eingebracht. Durch das Einbringen der kalten Probe in die warme Messzelle kommt es zu einem starken „Einschwingeffekt", der die Auswertung erschwert.

Heizrate bei Schmelz-/Kristallisationsvorgängen - 10 °C/min; bei Glasübergängen -20 °C/min.

Endtemperatur: Um eine sichere Auswertung zu ermöglichen, sollte die Endtemperatur bei der Bestimmung von Glasübergängen ca. 50 °C über dem Effekt liegen. Beim Aufschmelzen teilkristalliner Thermoplaste muss mind. über die Endtemperatur T_{fm} (Bild 3.13) des Schmelzprozesses hinaus aufgeheizt werden, um die Einflüsse der thermischen und mechanischen Vorgeschichte auszuschalten. Empfehlenswert ist eine Endtemperatur von maximal 30 °C über T_{fm}, um evtl. beginnender Zersetzung vorzubeugen. Die Endtemperatur sollte etwa 2 Minuten zur Einstellung des Temperaturgleichgewichts gehalten werden, wenn danach weitere Programmschritte folgen.

Kühlrate: Die Kühlrate sollte im Normalfall der Heizrate entsprechen, besonders, wenn auf die Starttemperatur abgekühlt und anschließend wieder aufgeheizt wird. Die Kühlrate ist für die „neu" geschaffene Vorgeschichte verantwortlich.

1. Aufheizen: Das erste Aufheizen ermöglicht Aussagen über den Istzustand der Probe, z. B. bedingt durch die thermische und mechanische Vorgeschichte (Verarbeitungseinflüsse, Kristallisations- und Aushärtegrad, Einsatztemperaturen). Durch die folgende geregelte Abkühlung wird eine „neue", jedoch bekannte Probenvorgeschichte geschaffen.

2. Aufheizen: Informationen des zweite Aufheizens werden zur Bestimmung materialspezifischer Kennwerte herangezogen.

3. Aufheizen: Bei Reaktionsharzen zur Absicherung der Ergebnisse des zweite Aufheizens besonders bei trägen und hochvernetzten Harzsystemen.

1. Aufheizen - Proben-Istzustand

thermische und mechanische Vorgeschichte + materialspezifische Eigenschaften

2. Aufheizen - nur materialspezifische Eigenschaften

(nach geregelter Abkühlung)

Auswertung und Interpretation: Nach erfolgreicher Durchführung der DSC-Messung, unter Berücksichtigung günstiger Messparameter, können die Effekte sinnvoll ausgewertet und interpretiert werden.

Die Interpretation erfordert in erster Linie genaue Kenntnisse über Material, Verarbeitungsbedingungen und Probenpräparation.

3.6 Kalibrierung

Um gemessene Temperaturwerte und Enthalpiedifferenzen „wahren" Werten zuordnen zu können, muss vor Messbeginn eine Kalibrierung durchgeführt werden. Die Kalibrierung sollte in regelmäßigen Abständen, je nach Art und Weise der Messungen, jedoch mindestens einmal im Monat durchgeführt werden. Als Kalibriermedien stehen verschiedene Materialien, je nach Temperaturlage des Messproblems, zur Verfügung. Für Standardkalibrierung in der Kunststofftechnik hat sich Indium gut bewährt. Folgende Werte sind der Norm entnommen.

Tabelle 3.1 Schmelztemperaturen und Schmelzenthalpien von Kalibriersubstanzen

Kalibrierprobe	Schmelztemperatur	Schmelzenthalpie
n-Heptan	-90,5 °C	139,7 J/g
Diphenylether	28 °C	101,05 J/g
Indium	156,6 °C	28,56 J/g
Zink	419,5 °C	108,61 J/g
Zinn	231,9 °C	60,22 J/g

Mit Hilfe solcher Literaturwerte lassen sich Kalibrierfaktoren für Schmelztemperatur und -enthalpie bestimmen. Diese müssen für jede Heizrate neu ermittelt werden. Die Kalibrierung der spezifischen Wärmekapazität muss vor jeder c_P-Messung durchgeführt werden. Hierbei kommt meistens Saphir zum Einsatz.

3.6.1 Temperaturkalibrierung

Die zur Temperaturkalibrierung verwendeten Materialien richten sich nach dem für die Probe erforderlichen Messbereich. Für viele Polymere eignet sich Indium zur Kalibrierung des mittleren Temperaturbereiches, Bild 3.11. Für tiefe Temperaturen können n-Heptan oder Wasser, für hohe Temperaturen Blei oder Zink eingesetzt werden, s. Tabelle 3.1.

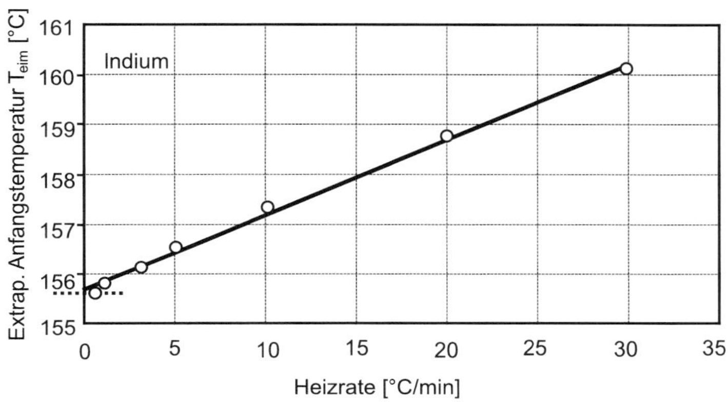

Bild 3.11 Experimentell ermittelte und extrapolierte Anfangstemperatur T_{eim} von Indium in Abhängigkeit von der Heizrate *Einwaage 6,418 mg, Spülgas Stickstoff*

Zum Vergleich mit Literaturwerten werden Ergebnisse dynamischer Messungen mit unterschiedlichen Heizraten auf die Heizraten Null extrapoliert, was in den meisten Geräten softwaremäßig standardisiert ist, Bild 3.11. Für geringe Temperaturgradienten, z. B. bei hochreinen Metallen, wird zur Kalibrierung die gemessene extrapolierte Anfangstemperatur T_{eim} herangezogen, bei größeren Temperaturgradienten oder breiteren Peaks das Peakmaximum T_{pm} [Sarge und Turi, E. A.].

Es sollten mindestens zwei Kalibriersubstanzen in einem für die Probe günstigen Temperaturbereich gemessen werden. Kalibriermaterialien sollten nicht mehr als 10 °C über ihre Umwandlungstemperatur hinaus erhitzt werden, um Reaktionen zwischen Probe und den üblichen Tiegelmaterialien zu vermeiden. Die Temperaturkalibrierung wird immer in der Aufheizphase vorgenommen.

3.6.2 Wärmekalibrierung (Enthalpiekalibrierung)

Die Wärmekalibrierung erfolgt mittels Substanzen bekannter Umwandlungswärme, z. B. Indium, Zinn oder Zink. Die gemessene Umwandlungswärme ist der Peakfläche proportional, die durch die DSC-Kurve und eine konstruierte Basislinie begrenzt wird, Bild 3.13, Bild 3.14. Der Proportionalitätsfaktor zwischen gemessener Fläche und Schmelzenthalpie der verwendeten Kalibriersubstanz wird ebenfalls als Funktion der Temperatur bestimmt. Die Ausgleichskurve liefert einen temperaturabhängigen Kalibrierfaktor. Es sollten mindestens zwei Substanzen mit unterschiedlichen Umwandlungswärmen jeweils dreifach gemessen und der Mittelwert herangezogen werden [Sarge].

3.6.3 Wärmestromkalibrierung mittels bekannter Wärmekapazität

Unter idealen Bedingungen ist die Differenz der wahren Wärmeströme in die Probe und in die Referenz durch die Differenz der Wärmekapazitäten gegeben. Die wahre Wärmestromdifferenz wird aus zwei Messkurven ermittelt. Die erste Messung resultiert aus einer Messung mit leeren Tiegeln, die zweite aus einer Messung mit Probe (z. B. Saphir) und Referenz. Aus der Differenz der beiden Messkurven ergibt sich nach Multiplikation mit dem Kalibrierfaktor (z. B. mit c_p von Saphir) die wahre Wärmestromdifferenz bzw. aus der gemessenen Wärmestromdifferenz die Wärmekapazitätsdifferenz [Sarge].

> Für die Wärmestrom- bzw. Wärmekapazitätskalibrierung sind mindestens zwei aufeinanderfolgende Messungen notwendig.

Saphirscheiben sind für Messungen der spezifischen Wärmekapazität in einem breiten Temperaturbereich geeignet. Soll die spezifische Wärmekapazität für einen großen Temperaturbereich bestimmt werden, muss dieser aufgrund der Temperaturabhängigkeit der c_p-Werte von Saphir sowohl bei der Messung als auch bei der Kalibrierung in kleine Abschnitte unterteilt werden, DIN 51007.

3.7 Auswertungen

DSC-Untersuchungen ermöglichen grundsätzlich die Messung endo- und exothermer Effekte, die auf einer Enthalpieerhöhung bzw. -erniedrigung des Stoffes basieren. DIN EN ISO 11357-1 empfiehlt die Darstellung eines endothermen Effekts in negative y-Richtung, die frühere DIN 53 765 hingegen in positive y-Richtung. Um dieser zwiespältigen Vorzeichenregelung zu entgehen, werden im Weiteren statt der Vorzeichen die Ausdrücke endotherm und exotherm angewandt. Auch die Entwurfsversion für eine überarbeitete DIN EN ISO 11357-1 weist darauf hin, dass die endo- oder/und exotherme Richtung auf der DSC-Kurve gekennzeichnet werden sollte.

Exotherme Reaktionen

Kristallisieren; Adsorption; Chemisorption;, oxidative Zersetzung; Verbrennung; Redox-Reaktion; Festphasenreaktion; Polymerisation; Härtung/Vernetzung und katalytische Reaktionen.

Endotherme Reaktionen

Schmelzen; Verdampfen; Sublimation; Absorption; Desorption; Magnetische Umwandlung [Curie-Punkt]; Schmelze-Kristall-Übergang; Desolvation; Dehydration; Thermische Zersetzung; Redox-Reaktion; Festphasenreaktion.

3.7.1 Glasübergang

Da beim Glasübergang (Übergang energieelastischer in entropieelastischen Zustand) eine neue Form der thermischen Beweglichkeit der Makromoleküle (Segmentbewegung) auftritt (Erwärmung) oder verschwindet (Abkühlung), ändert sich die spezifische Wärmekapazität c_p über einen größeren Temperaturbereich stufenweise (T_g-Bereich oder Glasübergangsbereich). Parallel dazu ändern sich Volumen und Enthalpie des Materials merklich Bild 3.12. Dabei handelt es sich nicht um eine echte Phasenumwandlung, sondern um einen Beweglichkeitsübergang, eine Erweichung der physikalischen Bindungskräfte in Kunststoffen ohne Verlagerung der Schwerpunkte der Makromoleküle.

Den Temperaturbereich, in dem der Übergang stattfindet, nennt man bei der Abkühlung auch Einfrierbereich. Zur Charakterisierung des Glasübergangs wird die Glasübergangstemperatur T_g angegeben, bei der die Hälfte der Änderung der spezifischen Wärmekapazität erreicht ist, Bild 3.12. Während die Glasübergangstemperatur ein singulärer Wert ist, erstreckt sich der Glasübergang über einen Temperaturbereich, in dem die Eigenschaftsänderungen selbst bei wenigen Grad Änderung erheblich sein können.

Steigende Heizrate vergrößert die Glasübergangsstufe, T_{mg} verschiebt sich zu etwas höheren Temperaturen.

Besonders bei der Auswertung der endothermen Glasübergangsstufe gibt es eine Vielzahl unterschiedlicher Methoden, die nur im Idealfall zum gleichen Ergebnis führen. In der folgenden Darstellung ist die am weitesten verbreitete Methode der „halben Höhe“ zur Bestimmung der **Glasübergangstemperatur** dargestellt, Bild 3.13.

Die Glasübergangstemperatur T_g wird aus der halben Höhe der Verbindungslinie zwischen extrapolierter Anfangs- und Endtemperatur bestimmt und auch als Mittenpunktstemperatur T_{mg} bezeichnet. Sie entspricht der halben Stufenhöhe (1/2 Δc_P). Da die Wärmestromkurven meistens nicht vollständig gerade verlaufen, ist das Anlegen der Tangenten mit einer gewissen Unsicherheit verbunden.

Temperaturangaben sollten bei der DSC nicht genauer als auf ein °C angegeben werden.

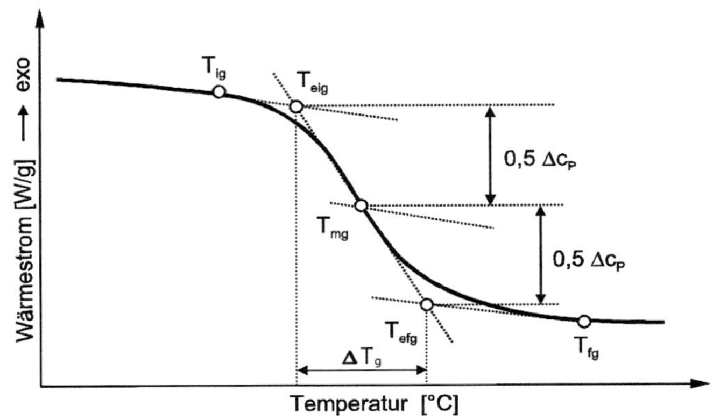

Bild 3.12 Schematische Darstellung eines Glasübergangs mit Auswertung nach DIN EN ISO 11357-1 [DSC]
T_{ig}= *Anfangstemperatur*
T_{eig} = *extrapolierte Anfangstemperatur*
T_{mg} = *Mittenpunktstemperatur, Glasübergangstemperatur*
T_{efg} = *extrapolierte Endtemperatur*
T_{fg} = *Endtemperatur*
Δ_{cp} = *Änderung der spez. Wärmekapazität*
Δ_{Tg} = *Bereich des Glasübergangs*

Die Auswertung nach Bild 3.12 gilt nur für lineare Auftragungen. Log-Auftragungen führen zu fiktiven deutlich höheren Glasübergangstemperaturen.

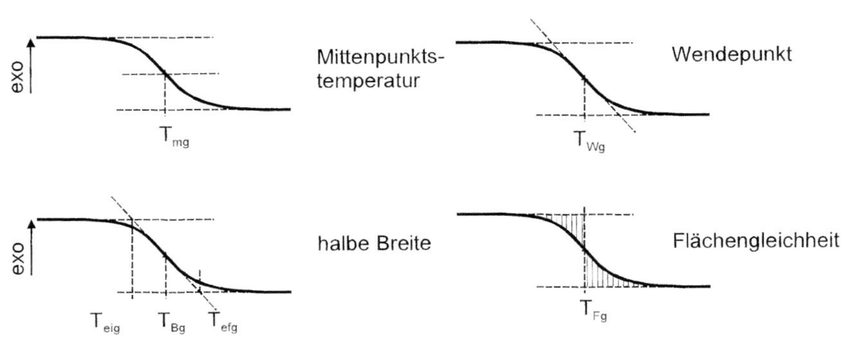

Bild 3.13 Unterschiedliche Methoden zur Auswertung der Glasübergangsstufe

Neben der genormten T_g-Auswertung als Mittenpunktstemperatur (entspricht der halben Stufenhöhe) erlaubt die Gerätesoftware häufig noch andere Möglichkeiten zur Auswertung der Glasübergangsstufe.

Bei ideal ausgebildeten Glasübergängen, die vor und nach der Stufe eine gleichmäßige Basislinie besitzen, führen alle vier Auswertemethoden zum gleichen Ergebnis. Häufig wird jedoch das Anlegen der Tangenten durch unsaubere Basislinien erschwert.

Das Verfahren der Mittenpunktstemperatur (entspricht der halben Stufenhöhe) ist eine zuverlässige Auswertemethode, die sowohl in aktuellen Normen als auch in der Literatur [4, Literatur Rieger J. und Turi E. A.] empfohlen wird. Eigene Erfahrungen haben dies bestätigt; es wurden jeweils 10 Einzelmessungen an PC (Einwaage 10 bis 14 mg) und EP-Harz (Einwaage 14 bis 17 mg) durchgeführt.

Der Glasübergang hängt von der chemischen Struktur sowie vom Verzweigungs- und Vernetzungsgrad des Kunststoffs ab. Oberhalb einer kritischen Molmasse ist T_g bei Thermoplasten von der Molmasse unabhängig, nicht jedoch vom Vernetzungsgrad bei Duroplasten und Elastomeren. Gestalt und Temperaturlage des Glasübergangs hängen von der Morphologie des Kunststoffs ab, die Morphologie wiederum stark von den vorangegangenen Verarbeitungsbedingungen, z. B. der Abkühlung und Erstarrung, der thermischen Vorgeschichte des Kunststoffs.

Besonders bei amorphen Thermoplasten kommt es im Glasübergangsbereich zu großen, meist erheblichen Eigenschaftsänderungen. Bei teilkristallinen Thermoplasten sind diese aufgrund der vorhandenen, noch nicht geschmolzenen kristallinen Phase weniger stark ausgeprägt und hängen vom Kristallisationsgrad, d. h. vom Anteil der kristallinen Phase ab.

Die Temperaturlage des Glasübergangsbereiches hängt von der verarbeitungsbeeinflussten Morphologie (z. B. Orientierungen, Kristallisation, Vernetzung, Eigenspannungen) und den Temperiergeschwindigkeiten ab.

3.7.2 Schmelztemperatur

Da der Schmelzbereich von Kunststoffen im Gegensatz zu Metallen relativ breit ist, wird hier das **Peakmaximum** als charakteristische Temperatur herangezogen, Bild 3.14. Bei Metallen verwendet man die extrapolierte Anfangstemperatur. Die Berechnung der Schmelzenthalpie erfolgt durch Integration der Fläche, die durch die Messkurve und eine konstruierte Basislinie bestimmt ist. Nach DIN EN ISO 11357-1 wird eine lineare Basislinie zwischen T_{im} und T_{fm} gelegt. In Fällen, bei denen sich die spezifische Wärme während der Reaktion ändert, kann die Konstruktion einer sog. sigmoidalen Basislinie angebracht sein; diese berücksichtigt den Effekt der c_p-Änderung. Für vergleichende Messungen müssen Art und Lage der Basislinie gleichgehalten werden.

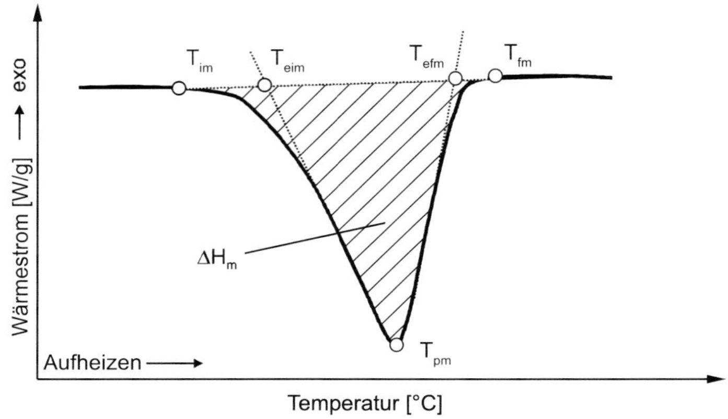

Bild 3.14 Schematische Darstellung einer Schmelzkurve eines teilkristallinen Thermoplasten mit Auswertung nach DIN EN ISO 11357- 1
T_{im} = *Anfangstemperatur*
T_{eim} = *extrapolierte Anfangstemperatur*
T_{pm} = *Peaktemperatur*
T_{efm} = *extrapolierte Endtemperatur*
T_{fm} = *Endtemperatur*
Δ_{Hm} = *Enthalpieänderung*

Für Kristallisationskurven gilt gleiches Vorgehen und analog die gleiche Bezeichnungsweise mit dem Index „c".

3.7.3 Kristallisationstemperatur

Die Kristallisations- bzw. Abkühlkurve (exotherm) einer DSC-Messung kennzeichnet den Enthalpieverlauf aus dem flüssigen, amorphen Zustand von hohen Temperaturen aus kommend, übergehend in den festen, kristallinen Phasenzustand, Bild 3.15.

Die Kristallisationstemperatur sinkt im hohen Maße bei steigender Abkühlgeschwindigkeit, die Schmelztemperatur dagegen hängt nur wenig von der Aufheizgeschwindigkeit ab (siehe Kapitel 4 „Flash-DSC").

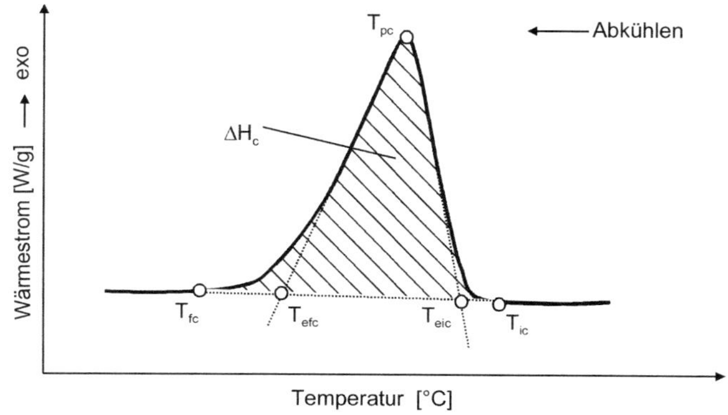

T_{ic}	*Anfangstemperatur:*	messbarer Beginn der Kristallisation; Temperatur der ersten nachweisbaren Abweichung von der Basislinie; obere Integrationsgrenze zur Enthalpiebestimmung
T_{eic}	*extrapolierte Anfangstemperatur:*	Schnittpunkt des extrapolierten linearen Teils der ansteigenden Peakflanke mit der von Temperaturen oberhalb des Peaks extrapolierten Basislinie
T_{pc}	*Peaktemperatur:*	Temperatur des Peakmaximums
T_{efc}	*extrapolierte Endtemperatur:*	Schnittpunkt des extrapolierten linearen Teils der fallenden Peakflanke mit der von Temperaturen unterhalb des Peaks extrapolierten Basislinie
T_{fc}	*Endtemperatur:*	messbarer Endpunkt der Kristallisation; Temperatur der letzten nachweisbaren Abweichung von der Basislinie; untere Integrationsgrenze zur Enthalpiebestimmung
ΔH_c	*Enthalpieänderung:*	Menge der freigesetzten Wärme (ΔH negativ); Die Enthalpieänderung wird gemäß [1] nur mit ΔH bezeichnet. Für eine konsequente Bezeichnungsweise wurde der Index „c“ für die Enthalpieänderung bei der Kristallisation eingeführt.

Bild 3.15 Schematische Darstellung einer Kristallisationskurve nach ISO/DIN 11357-3 und in Anlehnung an DIN EN ISO 11357-1
Index „c“ für engl. “crystallization“, Anfangstemperaturen „i“ für „initial“, Endtemperaturen „f“ für „final“.

3.7.4 Bestimmung des Kristallisationsgrades

Der kristalline Anteil im Verhältnis zu einem Vergleichswert für vollständige Kristallisation ist der Kristallisationsgrad K. Aus der gemessenen Schmelzenthalpie ΔH_m^0 und dem Literaturwert für 100 % kristallines Material ΔH_m^0 kann der Kristallisationsgrad K der Probe berechnet werden, Bild 3.15.

Der Kristallisationsgrad beträgt dann:

$$K = \frac{\Delta H_m}{\Delta H_m^{\ 0}} \cdot 100[\%] \tag{3.2}$$

Allein die Uneindeutigkeit der Schmelzenthalpie ΔH_m in der Fachliteratur zeigt eine Problematik der Bestimmung eines Kristallisationsgrades. Verschiedene Ordnungs- oder Übergangszustände werden unterschiedlich oder gar nicht erfasst. Ebenso können sich Gleichgewichtszustände, kristalline Modifikationen und Orientierungen während der Messung ändern. Letzteres gilt besonders für die klassische DSC mit ihrer langsamen Messtemperaturänderung.

Tabelle 3.2 Charakteristische Temperatur- und Enthalpiewerte für kristalline Anteile in teilkristallinen Thermoplasten
T_{pm} aus Schmelzkurve (2. Aufheizen), Heizrate 10 °C/min, nach vorangegangener Abkühlung, Kühlrate 10 °C/min

Werkstoff	ΔH_m^0 [J/g] [Wunderlich]	ΔH_m^0 [J/g] [van Krevelen]	ΔH_m^0 [J/g] [LKT]	T_m^0 [°C] [Wunderlich]	T_m^0 [°C] [LKT]	T_m^0 [°C] [LKT]
PELD	293	293	-	141	-	105 - 120
PEHD	293	293	-	141	-	130 - 140
PP-H	207	207	205	188	191	160 - 165
POM-H	326	326	270	184	210 - 230	175 - 190
POM-C	-	-	220	-	180 - 190	140 - 170
PA 6	230	230	-	260	-	220
PA 66	255	300	-	301	-	260
PA 11	244	226	-	220	-	187
PA 610	284	208	-	233	-	222
PA 46	-	-	-	-	-	280 - 290
PET	140	145	-	280	-	240 - 260
PBT	140	-	-	248	-	220 - 230
PTFE	82	82	-	-	-	327

[LKT – Lehrstuhl für Kunststofftechnik, Universität Erlangen]

Mit Hilfe der DSC kann die **Schmelzenthalpie ΔH_m^0** eines 100% kristallinen Materials ermittelt werden. In diesem Fall werden die Ergebnisse der Messungen zur Gleichgewichtsschmelztemperatur T_m^0 herangezogen, Bild 3.15.

Um diese Temperatur mit Hilfe der DSC zu ermitteln, bedient man sich der Temperaturdifferenz, die bei realen Kristalliten zwischen dem Schmelzen und Kristallisieren auftritt. Die Probe wird aufgeschmolzen und aus der Schmelze heraus auf eine bestimmte Temperatur T_c (isotherme Kristallisationstemperatur) abgekühlt.

Nach vollständiger Kristallisation wird die Probe erneut aufgeheizt und die Schmelztemperatur T_m des resultierenden Schmelzpeaks ausgewertet. Als Schmelztemperatur T_m kann T_{pm} oder besser T_{fm} herangezogen werden. Die Messungen erfolgen bei unterschiedlichen isothermen Kristallisationstemperaturen.

Die jeweilige Schmelztemperatur T_m wird über der Kristallisationstemperatur T_c aufgetragen. Es ergibt sich ein weitgehend linearer Zusammenhang (gestrichelte Kurve). Die gemessenen Werte werden linear extrapoliert und mit der Ursprungsgeraden (T_m = T_c) geschnitten. Der Schnittpunkt mit der extrapolierten Geraden charakterisiert $T_m{}^0$. Bild 3.15 stellt die Ermittlung der Gleichgewichtstemperatur exemplarisch dar. Die lineare Auftragung berücksichtigt die Streuung der Messwerte nicht.

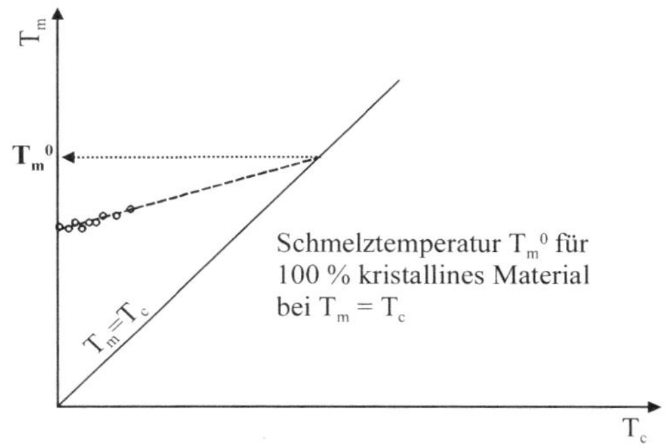

Bild 3.16 Ermittlung der Gleichgewichtsschmelztemperatur $T_m{}^0$, schematisch
T_m = Schmelztemperatur (entspricht T_{pm} oder T_{fm}),
T_c = Temperatur der isothermen Kristallisation

Anmerkung: Bei der Ermittlung von $T_m{}^0$ muss eine Kristallisation während der Abkühlphase durch möglichst schnelles Abkühlen auf die isotherme Kristallisationstemperatur T_c vermieden werden. Während des darauffolgenden Aufheizens in der DSC-Apparatur dürfen keine Relaxations- oder Rekristallisationsvorgänge ablaufen, da die folgenden Messwerte sonst verfälscht werden. Wegen der geringen Aufheiz- und Abkühlgeschwindigkeit ist mit strukturellen Änderungen bei der normalen DSC-Prüfung, z. B. bei 10 °C, 7 min, besonders während des Aufheizprozesses zu rechnen.

Aufgetragen werden die nach der isothermen Kristallisation ermittelten Schmelzenthalpien ΔH_m über der Kristallisationstemperatur T_c, Bild 3.17. Die Messwerte werden linear extrapoliert und die Schmelzenthalpie $\Delta H_m{}^0$ bestimmt, die sich bei der zuvor ermittelten Gleichgewichtstemperatur $T_m{}^0$ ergibt; diese entspricht derjenigen eines theoretisch zu 100 % kristallinen Materials. Dass die Messwerte eine deutliche Streuung aufweisen, ist hier nicht berücksichtigt.

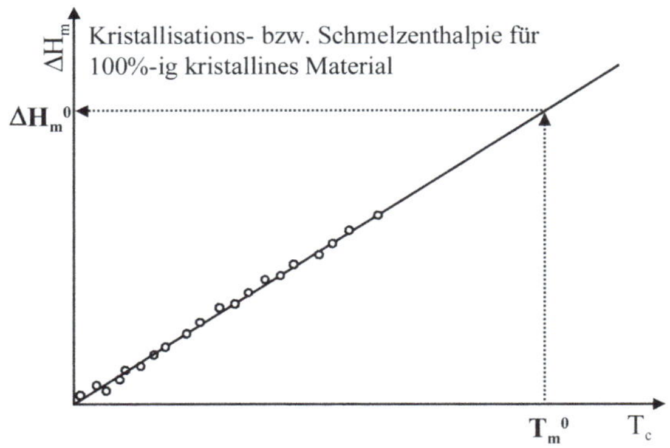

Bild 3.17 Bestimmung der Kristallisations- bzw. Schmelzenthalpie ΔH_m^0 der Gleichgewichtstemperatur T_m^0, schematisch
T_c = Temperatur der isothermen Kristallisation,
ΔH_m^0 = Schmelzenthalpie bei Gleichgewichtstemperatur,
ΔH_c^0 = Kristallisationsenthalpie bei Gleichgewichtstemperatur

Die Schmelzenthalpie ΔH_m^0 liegt bei der Gleichgewichtstemperatur T_m^0.

In ASTM D 3418-99 werden für die Peaktemperatur T_{pc} bei Wiederholungsmessungen (zwei aufeinanderfolgenden Messungen) 1,5 °C angegeben, die Reproduzierbarkeit (zwischen verschiedenen Laboratorien) beträgt 2,0 °C.

Für die **Enthalpiebestimmung** gibt ASTM E 793-01 eine Genauigkeit von +/- 5,5 % an. Nach DIN 53765 wird für die Genauigkeit von Temperaturwerten die Angabe je nach Breite des Peaks auf 0,1 °C bzw. 1 °C empfohlen. Enthalpiewerte werden auf 0,1 J/g bzw. 1 J/g angegeben.

Die charakteristischen Temperaturen werden nach einer Norm ISO/DIN 11357-3/2013 wie folgt bezeichnet; DIN EN ISO 11357-1-2010 beschreibt diese nur für die Kristallisation in der Aufheizkurve.

In verschiedenen gültigen Normen werden die einzelnen Punkte zur Beschreibung der Kristallisationskurve z. T. unterschiedlich bezeichnet:

Bei der Anfangstemperatur T_{ic} beginnt die Kristallisation, Bild 3.15. In der Praxis wird die extrapolierte Anfangstemperatur T_{eic} als wichtigste Temperatur der Abkühlkurve herangezogen.

Die **Peaktemperatur** T_{pc} kennzeichnet die Temperatur, bei der die Kristallisationsgeschwindigkeit maximal ist. Die extrapolierte Endtemperatur T_{efc} und die Endtemperatur T_{fc} kennzeichnen das detektierbare Ende des Kristallisationsvorgangs unter den gegebenen Temperatur-Zeit-Bedingungen.

Tabelle 3.3 Bezeichnungen für charakteristische Temperaturen beim Kristallisieren in verschiedenen Normen

DIN EN ISO 11357-1	DIN 53 765 **	ASTM D 3417/3418-99 **	
T_{ic} Anfangstemperatur	T_{KO} Onset-Temperatur	-	[°C]
T_{eic} extrapolierte Anfangstemperatur	T_{KO}^{E} extrapolierte Onset-Temperatur	T_{eic} crystallization extrapolated onset-temperature	[°C]
T_{pc} Peaktemperatur	T_{KP} Peaktemperatur	T_{pc} crystallization peak temperature	[°C]
T_{efc} extrapolierte Endtemperatur	T_{KEE} extrapolierte Endtemperatur	T_{efc} crystallization extrapolated end temperature	[°C]
T_{fc} Endtemperatur	T_{KE} Endtemperatur	-	[°C]
ΔH_c Enthalpieänderung	ΔH_K Kristallisationsenthalpie	ΔH_c heat of crystallization	[J/g]

* Die Bezeichnungen wurden in Anlehnung an die Norm formuliert, da diese nur eine exakte Beschreibung des Kristallisationspeaks beim Aufheizen, d.h. von tiefen Temperaturen kommend, liefert.
** DIN 53 765 und ASTM D 3417/3418-99 sind zurückgezogen.

Anfangs- und Endtemperatur T_{ic} und T_{fc} können nur gemessen werden, wenn der thermische Effekt die Empfindlichkeitsgrenze der DSC überschreitet.

Der Wert für die Anfangs- und Endtemperatur T_{ic} und T_{fc} hängt auch von der Empfindlichkeit des DSC-Gerätes ab.

Die Lage der Kristallisationskurve auf der Temperaturskala und die daraus bestimmten Kennwerte werden von der Abkühlgeschwindigkeit beeinflusst. Mit zunehmender Abkühlgeschwindigkeit verschiebt sich die Kristallisationskurve in Richtung niedriger Temperaturen.

Die Kristallisation aus der Schmelze ist erst nach Unterschreiten der theoretischen Schmelztemperatur T_m (Unterkühlung) möglich. Es müssen Kristallisationskeime vorhanden sein. Diese bilden sich entweder selbst aus oder/und werden durch bewusste Zugabe bestimmter Substanzen (Keimbildner, Nukleierungsmittel) forciert.

Die Gesamtkristallisationsgeschwindigkeit, die bei der DSC-Messung registriert wird, ist von der Keimbildungs- und Wachstumsgeschwindigkeit bestimmt. Diese Prozesse laufen parallel ab und sind stark von der Unterkühlung ΔT (= T_m^0 - T_c) abhängig.

Mit der DSC wird die mittlere Gesamtkristallisationsgeschwindigkeit anschaulich erfasst, entspricht aber nicht den realen Verhältnissen der Verarbeitung. Im Gegenteil können strukturelle Änderungen bei der langsamen, druckfreien Temperaturänderung während der Messung auftreten. ■

Eine zunehmende Abkühlgeschwindigkeit führt zu einer starken Unterkühlung, wodurch die thermodynamischen Voraussetzungen für die Kristallisation verbessert, die kinetischen (Molekülbeweglichkeit) aber verringert werden. Als Folge erreicht die Gesamtkristallisationsgeschwindigkeit (wie auch Keimbildungs- und Wachstumsgeschwindigkeit) in Abhängigkeit von der Temperatur ein Maximum zwischen T_m und T_g.

Während der Kristallisation bei hoher Unterkühlung, die infolge der zunehmenden Abkühlgeschwindigkeit stattfindet, wird der Kristallisationsgrad immer geringer. Wenn die Schmelze sogar auf Temperaturen unterhalb von T_g abgeschreckt wird, friert das Material im Glaszustand ein. Eine geringe Unterkühlung aufgrund langsamer Abkühlung ergibt einen höheren Kristallisationsgrad.

Für isotherme Abkühlbedingungen gilt: je niedriger T_c ist, desto kleiner der erreichbare Kristallisationsgrad K. Bei nichtisothermer Abkühlung sind die Bedingungen für die Keimbildung und das Kristallwachstum wesentlich komplizierter, da sie sich ständig verändern. Das Zusetzen von Keimbildnern vergrößert die Keimdichte, die Kristallisation beginnt, gleiche Abkühlgeschwindigkeit vorausgesetzt, bei höheren Temperaturen, d. h. bei einer geringen Unterkühlung.

Neben der Kristallisation in der Abkühlphase kann auch eine Kristallisation in der Aufheizphase gemessen werden, eine sog. Kaltkristallisation. Diese tritt beim Erwärmen über T_g auf, wenn die Kristallisation beim Abkühlen unvollständig war, besonders beim Abschrecken unter den Glasübergang. Die kennzeichnenden Temperaturen werden nach *0* entsprechend zu Bild 3.15, jedoch von tiefen Temperaturen beginnend, bezeichnet.

Die Anfangstemperatur T_{ic} kennzeichnet den Beginn der Kristallisation beim Aufheizen und Abkühlen. ■

3.7.4.1 Unsichere Kristallisationsgrade

3.7.4.1.1 Kristallisationsgrad mittels $\Delta H_m{}^0$

Aus der gemessenen Schmelzenthalpie ΔH_m und dem Literaturwert für 100 % kristallines Material $\Delta H_m{}^0$ kann der Kristallisationsgrad K der Probe berechnet werden.

$$K = \frac{\Delta H_m}{\Delta H_m^0} \cdot 100 \ [\%] \qquad (3.3)$$

Alleine die Uneindeutigkeit der Schmelzenthalpie ΔH_m^0 in der Fachliteratur zeigt eine Problematik der Bestimmung eines Kristallisationsgrades, u.a. aus Wunderlichs Advanced Thermal Analysis Laboratory (ATHAS), van Krevelens Properties of Polymers, dem Polymer Handbook (Brandrup/Immergut), dem Kunststoff-Kompendium (Franck et al.) und der Praxis der Thermischen Analyse von Kunststoffen (Ehrenstein, Riedel, Trawiel).

In Tabelle 3.4 sind drei praktische Beispiele dargestellt, bei denen die Schmelzenthalpie im Versuch gemessen und der Kristallisationsgrad mittels verschiedener 100%-Schmelzenthalpie gemessen wurde.

Tabelle 3.4 Bestimmung des Kristallisationsgrades mittels gängiger 100%-Schmelzenthalpie

POM-H:		
ΔH_m^0	Wunderlich = 326 J/g; LKT = 270 J/g	Messung LKT-Probe = 191 J/g ~> Kristallisationsgrad Wu = 58%; LKT = 70%
PA 6:		
ΔH_m^0	Wunderlich = 230 J/g;	Messung LKT-Probe = 188 J/g
PA 66:		
ΔH_m^0	Wunderlich = 255 J/g; Krevelen = 300 J/g	Brocka-Probe = 72 J/g ~> Wunderlich = 28%; van Krevelen = 24%

Die Schwierigkeiten mit der genauen Bestimmung des Kristallisationsgrades mittels der 100%-Schmelzenthalpie verschiedener Quellen zeigt ein Gefta-Rundversuch, ergänzt um die Kennwerte von Wunderlich und van Krevelen zeigen die Auswertungen von PE-HD und PET die Werte in Tabelle 3.5.

Tabelle 3.5 Bestimmung des Kristallisationsgrades im Vergleich mit den Ergebnissen eines Gefta-Rundversuchs

Kristallisationsgrad von PE-HD bei einem Produkt-Messwert von 60 J/g		
ΔH_m^0	Gefta-Werte: 175,5 - 204,0 [J/g];	34% - 29%
	Mittelwert: 184 J/g;	32%
	Wunderlich = 326 J/g;	20%
	van Krevelen = 293 J/g;	20%
Kristallisationsgrad von PET bei einem Produkt-Messwert von 20 J/g		
ΔH_m^0	Gefta-Werte: 37,9 - 56,0 J/g;	53% - 36%
	Mittelwert: 47,0 J/g;	42%
	Wunderlich = 140 J/g;	14%
	van Krevelen = 145 J/g;	13,5%

Gefta-Rundversuch: 11 Laboratorien, Messwerte bezogen auf die Schmelzenthalpie 100 % kristallin.

Es gibt verschiedene Methoden zur Bestimmung der Kristallinität von teilkristallinen Polymeren wie Röntgenographie, Dichtemessung, Kalorimetrie, IR-Spektroskopie. Man geht dabei von unterschiedlichen Eigenschaften der kristallinen und amorphen Anteile aus. Verschiedene Ordnungs- und Übergangszustände werden dabei unterschiedlich oder gar nicht erfasst, ebenso können sich die Gleichgewichtszustände, kristallinen Modifikationen und Orientierungen während der Messung ändern. Dieses erklärt z. B. die unterschiedlichen Angaben für ΔH_m^0. Die verwendete Messmethode sollte daher immer angegeben werden.

3.8 Praktische Anwendungen

Beispielhaft verdeutlicht Tabelle 3.6, welche DSC-Kennwerte zur Charakterisierung thermischer Eigenschaften herangezogen werden können.

Tabelle 3.6 Beispiele für praktische Anwendungen von DSC-Messungen bei Kunststoffen mit den jeweils relevanten Kennwerten

Anwendung	Kennwert	Beispiel
Werkstoffidentifizierung, Rezepturbestandteile	T_{pm}, T_g	Unterscheidung von Polyamiden (PA 6 und PA 66), mehrere Schmelzpeaks und T_g`s bei unverträglichen Mischungen und Rezyklaten
Modifikationen,zusätzliche Komponenten	T_g	Verschiebung des Glasübergangsbereiches durch Weichmacherzugabe, Reste von Lösemitteln oder Monomeren
Reinheit, Verunreinigungen, Verträglichkeit, Mischbarkeit	T_{pm}, T_g	Reste von PE in PP-Formteil, Silikonkautschuk in EP-Harz, T_g-Verschiebung
Prozesstemperaturen	T_{pm}, T_g, ΔH_m, c_p	Hinweise zu Verarbeitungsbedingungen, z. B. Massetemperatur, Nachdruck, Vorwärmtemperatur, Schweißtemperatur
Abkühlbedingungen im Werkzeug	T_{pc}, ΔH_c, ΔH_m	Aussage über Erstarrungs- und Werkzeugtemperatur, Kristallisationsverhalten, Kristallisationsgrad
Beurteilung der thermischen Vorgeschichte	T_{pm}, T_g, ΔH_m	Rückschlüsse auf zu kaltes Werkzeug, Rekristallisation
Tempereffekte	T_{pm}	Feststellen von Gebrauchstemperaturen

Anwendung	Kennwert	Beispiel
Kristallinität	ΔH_m	Information über Bauteilqualität, mechanische Eigenschaften
Aushärtezustand/-grad	T_g, T_{pr}, ΔH_r	Verschiebung des Glasübergangs, Lage und Größe der Restreaktion
Aus-/Härtebedingungen	T_g, T_{eir}, ΔH_r	Härtungsbeginn, Optimieren der Härteparameter durch geeignete Wahl von Temperatur und Zeit
Lagerstabilität, Reaktivität einzelner Komponenten	ΔH_r	Reaktionsenthalpie nach längerer Lagerzeit

3.9 Temperaturmodulierte DSC (TDSC)

Ein spezielles Verfahren der Dynamischen Differenzkalorimetrie stellt die Temperaturmodulierte DSC dar. Mit Hilfe dieser Methode können reversible Effekte (Glasübergang, Schmelzen, Kristallisation) von irreversiblen Effekten (chemische Reaktion, Verdampfen, Rekristallisation usw.) unterschieden werden. Dies ermöglicht eine Trennung sich überlagernder oder kurz aufeinander folgender Vorgänge sowie eine signifikante Auswertung schlecht ausgeprägter Glasübergänge, z. B. bei teilkristallinen Thermoplasten. Zusätzlich wird die spezifische Wärmekapazität in einer einzigen Messung ermittelt.

Bild 3.18 zeigt die TMDSC-Messung eines ABS-Granulates. Die durchgezogene Kurve kennzeichnet die Summenkurve des Gesamtwärmestromverlaufs, diese entspricht der konventionellen DSC-Messung. Als problematisch für die Auswertung einer solchen Kurve sind der unsaubere Basislinienverlauf vor T_g (106 °C) und der endotherme Effekt nach T_g anzusehen. Die reversible Wärmestromkurve ermöglicht eine eindeutige Auswertung der Glasübergangstemperatur. Die irreversible Wärmestromkurve zeigt zwei endotherme Effekte, das Abdampfen von Wasser zwischen 60 °C bis 100 °C und das Lösen der Orientierung um 105 °C. Diese beiden Effekte treten nur in der 1. Aufheizkurve auf und sind nicht wiederholbar.

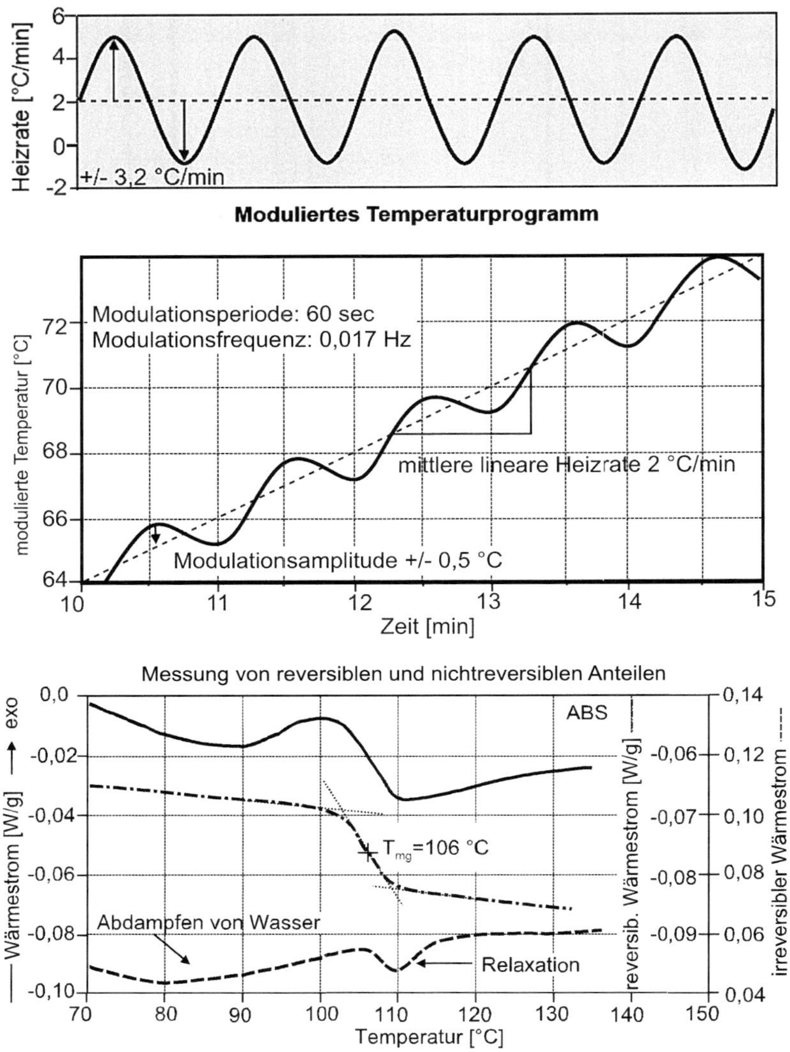

Bild 3.18 Bestimmung der Glasübergangstemperatur

3.10 Oxidative Induktionszeit/-Temperatur (OIT)

3.10.1 Grundlagen und Messprinzip

Kunststoffe unterliegen während ihrer gesamten Lebensdauer der Alterung. Die OIT stellt ein Verfahren dar, bei dem mit Hilfe der DSC eine vergleichende Aussage über die Stabilität von Werkstoffen gegenüber thermisch-oxidativem Angriff getroffen werden kann.

Die meisten Kunststoffe benötigen eine Stabilisierung gegen thermisch-oxidativen Abbau. Als Verarbeitungsstabilisatoren bei kurzzeitiger hoher thermischer Belastung von Schmelzen in Anwesenheit von Sauerstoff werden im Allgemeinen Phosphite und Phosphonite verwendet. Da die Verarbeitungstemperaturen durchaus bis 200 °C über der Gebrauchstemperatur liegen können, gelten für sie andere Anforderungen als für die Langzeitstabilisatoren für Kunststoffe im festen Zustand, die gegen den Abbau bei langzeitigem Einsatz bei Gebrauchstemperaturen wirken sollen. Hierzu werden oftmals Phenole verwendet [Kramer E.].

Weiterhin gibt es Lichtschutzmittel wie UV-Absorber und sterisch gehinderte Amine (engl.: HALS - Hindered Amin Light Stabilisator). Sie sind i. a. in Konzentrationen von Bruchteilen eines Prozentes wirksam. Gewöhnlich wird ein System aus verschiedenen Stabilisatoren mit dem Ziel eines synergistischen Effektes eingesetzt, wobei dies nicht zwingend ist [Kramer E., Koppelmann J.].

Zur Beurteilung der Wirkung von Stabilisatoren werden stabilisierte Kunststoffe in Wärmeschränken gelagert und anschließend auf verschiedene Kennwerte geprüft. OIT-Messungen im DSC werden häufig aufgrund der einfachen Probenpräparation und kurzen Messzeit angewandt. Von einem Rückschluss auf die Langzeitbeständigkeit und einer Bewertung unterschiedlich stabilisierter Polymere ist jedoch abzuraten.

> Schnellmethode zur Bestimmung der Stabilisatorwirkung im DSC-Messgerät (gleiche Stabilisatoren vorausgesetzt)

Oxidationsreaktionen lassen sich aufgrund der exothermen Reaktion von Kunststoffen mit Sauerstoff im DSC beurteilen. Die Probe wird bei erhöhter Temperatur einem oxidierenden Spülgas (Sauerstoff oder Luft) ausgesetzt. Zwei Varianten haben sich bewährt, siehe Bild 3.19:

- dynamisches Verfahren, Kenngröße „**OIT-Temperatur**“ auf +/- 1 °C
- statisches Verfahren, Kenngröße „**OIT-Zeit**“ auf +/- 1 min

Beim **dynamischen** Verfahren wird die Probe mit definierter Heizrate (dynamisch) von Messbeginn an unter Sauerstoff- oder Luftatmosphäre aufgeheizt. Die Oxidationsreaktion wird durch das Abweichen von der Basislinie als exotherme Reaktion deutlich. Diese Abweichung kann durch eine bestimmte kennzeichnende Temperatur charakterisiert werden. Der Vorteil dieses Verfahrens liegt im niedrigen Zeitaufwand, der Nachteil in der geringeren Empfindlichkeit bei ständig steigenden Temperaturen. Feine Unterschiede in der Stabilisatorwirksamkeit können deshalb nicht ermittelt werden. Das dynamische Verfahren kann bei fast allen Kunststoffen herangezogen werden.

Angabe von OIT-Temperaturen (dynamisches Verfahren) - weniger empfindlich - schnelleres Verfahren - Einsatz bei fast allen Kunststoffen

Beim **statischen** Verfahren, das genormt ist in z.B. DS 2131.2 0, ASTM D 3895-07(15) und ISO 11357-6(8), wird die Probe unter inerter Atmosphäre auf eine bestimmte konstante Temperatur oberhalb der Schmelztemperatur aufgeheizt. Diese Temperatur wird gehalten (statisch). Nach der Einstellung des Gleichgewichtszustandes wird das Spülgas von inerter auf oxidative Atmosphäre, meist von Stickstoff auf Sauerstoff oder Luft, gewechselt. Die exotherme Oxidationsreaktion tritt dann nach einer gewissen Zeit auf. Der Vorteil dieses Verfahrens liegt in der Möglichkeit, feine Abstufungen des Stabilisierungsgrades zu erfassen.

Zur Ermittlung einer aussagekräftigen Prüftemperatur sind Vorversuche (dynamische OIT-Messung zur Eingrenzung der Testtemperatur und statische OIT-Messungen zur Eingrenzung der Testzeit) notwendig, die einen größeren Zeitaufwand erfordern. Das statische Verfahren wird bevorzugt bei langzeitig thermisch belasteten Kunststoffen, z.B. Polyolefinen im Rohrleitungs- und Apparatebau, eingesetzt.

Angabe von OIT-Zeiten (statisches Verfahren) - empfindlicher - hoher Zeitaufwand - Einsatz meist bei Polyolefinen (genormt)

3.10.1.1 Auswertung

Bild 3.19 veranschaulicht den Kurvenverlauf und die Auswertung für die beiden Verfahren. Die OIT-Temperatur (dyn. Verfahren) wird üblicherweise durch die extrapolierte Anfangstemperatur T_{eio} anhand des Oxidationsbeginns, als Schnittpunkt der an die gerade Basislinie und an den Steilanstieg angelegten Tangenten, charakterisiert. Bei langsamem Anstieg oder schlecht reproduzierbaren Anfangstemperaturen wird eine Temperatur $T_{\mathrm{x}}^{\mathrm{dy}}$ vorgezogen, die die Veränderung des Wärmestroms um einen Wert x gegenüber der Basislinie kennzeichnet; häufig wird ein Wert von 0,2 W/g verwendet.

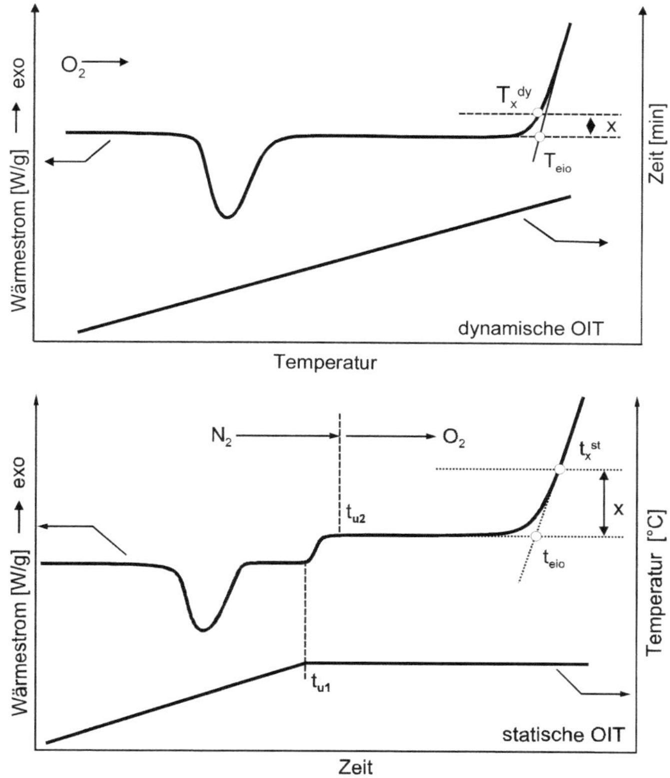

Bild 3.19 Auswertung einer dynamischen und statischen OIT-Messkurve nach DS 2131.2 und ASTM D 3895-07 Bezeichnungen in Anlehnung an DIN EN ISO 11357-1 und -6(3). Angabe in Klammern nach ISO 11357-6.

Index „o" für engl. „oxidation", „i" für „initial"

T_{eio} = *Extrapolierte Anfangstemperatur der Oxidation, Schnittpunkt der Tangenten vor und während der Oxidation*

T_x^{dy} = *Temperatur nach exothermem Abweichen des Wärmeflusses um x von der Basislinie*

t_{u1} = *Umschaltzeit auf konstante Temperatur*

t_{u2} = *Umschalten von inerter auf oxidative Gasatmosphäre*

t_{eio} = *extrapolierte Anfangszeit der Oxidation, Schnittpunkt der Tangenten vor und während der Oxidation,*

t_x^{st} = *Zeit nach Abweichen des Wärmeflusses um x von der Basislinie*

Die Auswertung der exothermen Abweichung von der Basislinie erfolgt beim statischen Verfahren analog zum dynamischen Verfahren unter Angabe von OIT-Zeiten, der extrapolierten Anfangszeit t_{eio} bzw. einer konstanten Abweichung von der Basislinie t_x^{st}. Diese Zeit t_x^{st} wird wiederum als Hilfsgröße bei schleichender Reaktion und schwer auswertbaren Anfangszeiten bevorzugt. ISO 11357-6 empfiehlt als Wärmestromänderung einen Betrag von 0,05 W/g und liefert weiterhin einige Hinweise auf die Präzision des Verfahrens für Polyolefine.

Für Vergleiche muss bei der Auswertung von t_x^{dy} oder t_x^{st} die Wärmestromänderung x konstant gehalten werden.

Bei der Messung mit offenem Tiegel können keine zuverlässigen Umwandlungstemperaturen oder Enthalpie angegeben werden, da ein optimaler bzw. reproduzierbarer Kontakt der Probe zum Tiegel während der Messung nicht gewährleistet ist.

3.10.1.2 Praktische Vorgehensweise

Probenvorbereitung: Die Entnahmestelle wird problemorientiert gewählt (Oberfläche/-Probenmitte); die Präparation erfolgt analog zur DSC schonend. Bei vergleichenden Messungen ist die Größe der Probenoberfläche möglichst konstant zu halten, da der oxidative Angriff an der Oberfläche einsetzt.

Einwaagemenge: Die Einwaagemenge sollte wegen der meist heftigen Oxidationsreaktion möglichst gering sein. Bei ungleichmäßiger Stabilisatorverteilung ist jedoch eine höhere Einwaage empfehlenswert, diese liegt nach eigenen Erfahrungen zwischen 5 und 10 mg, nach 0 bei mind. 12 mg. Die Probenoberfläche sollte möglichst groß und v. a. reproduzierbar sein. Nach 0 beträgt die Probendicke 0,7 bis 1 mm, der Ø 6 mm.

Einwaagemenge > 5 mg; Probenoberfläche möglichst groß und reproduzierbar

Tiegel: Der DSC-Tiegel wird nach DIN EN ISO 11357-1 nicht verschlossen; der angreifende Sauerstoff gelangt ungehindert an die Probe. Als Referenz dient ein ebenfalls offener Tiegel, Bild 3.20. Für kupferinduzierte OIT-Messungen werden Kupfertiegel eingesetzt.

Bild 3.20 Bestimmung der Glasübergangstemperatur

Da es sich bei OIT-Messungen um vergleichende Messungen handelt, ist sicherzustellen, dass die Proben einer Messreihe sich möglichst ähnlich sind, insbesondere hinsichtlich der Probenoberfläche nach dem Aufschmelzen. Die Reproduzierbarkeit der Oberfläche ist insbesondere bei Proben aus Formteilen und Granulaten schwer zu erreichen; hier muss zumindest auf gleiche Einwaagemenge geachtet werden. Trotzdem kann es zu unterschiedlicher Benetzung im Tiegel kommen, wodurch der Sauerstoffangriff unterschiedlich intensiv erfolgt.

Bild 3.21 veranschaulicht die Benetzungsunterschiede an PP-Granulaten, wie sie nach erfolgter statischer OIT-Messung beobachtet wurden. Es bilden sich unterschiedliche Schmelzfilme aus, die erheblich voneinander abweichende OIT-Zeiten (Differenz in diesem Fall bis zu 22 min) zur Folge haben.

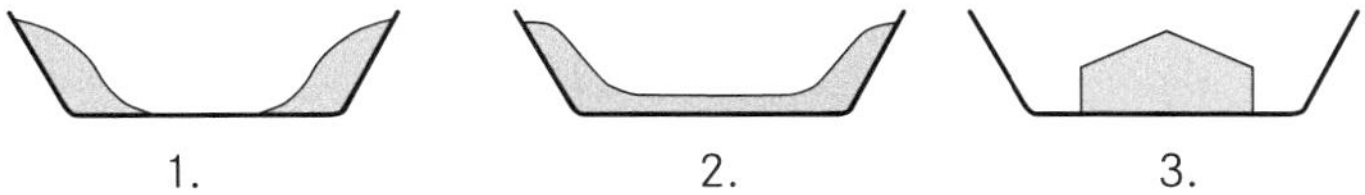

Bild 3.21 Verschiedene Möglichkeiten der Tiegelbenetzung durch die Probe
Anmerkung:
Effekt 1 und 2 überwiegend bei PP und Ziegler PEHD (Ti-Typ),
Effekt 3 überwiegend bei PEHD-Cr (Phillips-Typ) infolge Vernetzung während der Oxidation.
Der Schmelzefilm zieht sich an den Seitenrändern des Tiegels hoch und reißt am Tiegelboden ab; große nicht zusammenhängende Oberfläche; geringe OIT-Zeiten, in diesem Fall ca. 26 min., schlecht reproduzierbar
Der Schmelzefilm zieht sich am Rand hoch und bleibt am Tiegelboden zusammenhängend; große zusammenhängende Oberfläche, mittlere OIT-Zeiten, in diesem Fall ca. 35 min., gut reproduzierbar
Die Probe behält ihre Form weitgehend; kleine Oberfläche, hohe OIT-Zeiten, in diesem Fall ca. 48 min., schlecht reproduzierbar

Ursächlich für dieses unterschiedliche Benetzungsverhalten ist die Änderung von Polarität, Viskosität und Dichte des Kunststoffs während der Oxidation. In der Regel nimmt der polare Anteil der Oberflächenspannung der Probe zu, und es kommt bei ausreichend niedriger Viskosität der Schmelze zu einer Benetzung der Metalloberfläche des Tiegels. Dies kann z. B. durch Abspalten flüchtiger Oxidationsprodukte oder Vernetzung behindert werden [Ehrenstein, Riedel, Trawiel „Praxis der Thermischen Analyse“, Carl Hanser Verlag].

Für die Reproduzierbarkeit ist ein zusammenhängender Schmelzefilm mit großer Oberfläche günstig.

Bei stark verstreckten und relaxierenden Proben, wie z. B. Fasern, kann es beim Aufheizen zu so starken Bewegungen der Probe im Tiegel kommen, dass die Probe ganz oder teilweise aus dem Tiegel springen kann. Neben dem Verschmutzen der Messzelle kann es zu Verfälschungen der Messergebnisse aufgrund veränderter Umgebungsbedingungen kommen. Solche „gefährdeten“ Proben sollten in möglichst kleine Abschnitte geschnitten werden, um die Bewegungen einzudämmen.

> Schmelzefilm im Tiegel nach der Messung in Augenschein nehmen; günstig – zusammenhängende Oberfläche

Spülgas: Die Oxidation wird durch Sauerstoff oder Luft als Spülgas ermöglicht. Bei der statischen Messung (T = konst.) erfolgt die Aufheizung unter inerter Atmosphäre.

> Offene Tiegel, oxidative Spülgasatmosphäre

Messprogramm:

Dynamische OIT: Die Messung beginnt bei RT oder höher und wird mit einer definierten Heizrate (meist 10 °C/min) bis zur exothermen Zersetzung durchgeführt. Dabei wird die Probe von Messbeginn an mit oxidativem Gas gespült.

Statische OIT: Die Probe wird unter Inertgas auf eine Temperatur, deutlich über der Schmelztemperatur, stetig aufgeheizt (meist 10 bis 20 °C/min), dann isotherm gehalten und nach einer kurzen Anpassungszeit von ca. 3 min (bei Vergleichen gleich halten) mit einem oxidativen Spülgas (Sauerstoff, Luft) beaufschlagt, dabei ist auf einen möglichst schnellen Gaswechsel (nach 0 bis max. 15 s) zu achten.

> Dynamische OIT – Oxidation bei kontinuierlichem Aufheizen, stat. OIT – Oxidation bei konstanter Temperatur

Auswertung:

Dynamische OIT: Es wird die Temperatur bestimmt, bei der sich eine exotherme Abweichung von der Basislinie (Oxidation) zeigt.

Statische OIT: Es wird die Zeit unter oxidativer Atmosphäre bestimmt, bei der eine exotherme Abweichung von der Basislinie (Oxidation) erkennbar ist (T = konst.).

Interpretation: Statische und dynamische OIT-Untersuchungen sind ausschließlich als vergleichende Messungen zu betrachten. Daraus abgeleitete Aussagen über die voraussichtliche Gebrauchsdauer eines Kunststoffes sind nicht möglich. Aussagen über Kristallinität, Schmelzeffekte u. ä. sind aufgrund schlechterer Wärmeleitung bei fehlenden Deckeln und geänderter Gasatmosphäre unsicher.

> Gesicherte Lebensdauervorhersagen sind nicht möglich

3.10.1.3 Praktische Anwendungen

Beispielhaft verdeutlicht Tabelle 3.7, welche Anwendungsmöglichkeiten OIT-Messungen zur Beurteilung von Qualitätsmängeln, Verarbeitungsfehlern und anderen Parametern bieten.

Tabelle 3.7 Beispiele für praktische Anwendungen von OIT-Messungen bei Kunststoffen

Anwendung	Beispiel
thermische Beständigkeit eines Kunststoffs, Alterung	Vergleichsmessungen erlauben eine Aussage über Stabilisierungsgrad
Vorhandensein von Stabilisatoren	Abbau des Stabilisators nach thermischer Belastung oder Schädigung durch UV-Strahlung
Wirksamkeit von Stabilisatoren	Verarbeitung im Schmelzezustand (Extrusion, Spritzgießen, Schweißen)
Vergleich der Alterungsbeständigkeit verschiedener Kunststoffe	Schädigung im Gebrauch (Rohrleitungen, Motorbereich)
unterschiedliche Füllstoffe	Einfluss von Füllstoffen auf Bildung von Strukturen

3.10.1.4 Prüfbericht

DIN EN ISO 11357-1 liefert wertvolle Hinweise zur Erstellung eines vollständigen Prüfberichts, der alle Messparameter und Probeninformationen beschreibt.

Der Prüfbericht soll, soweit zutreffend, folgende Angaben enthalten:

- Hinweis auf verwendete Normen;
- alle nötigen Angaben für die vollständige Kennzeichnung des untersuchten Materials;
- Typ des verwendeten DSC-Geräts;
- Art und Typ der Tiegel;
- Art, Gewicht und Eigenschaften der verwendeten Kalibriersubstanzen;
- Art und Volumenstrom des verwendeten Gases;
- Entnahme, Vorbereitung der Probe und Verfahren der Probenvorbehandlung;
- Masse des Probekörpers;
- thermische Vorgeschichte der Probekörper und der Probe vor der Prüfung;
- die Parameter des Temperaturprogramms einschließlich Anfangstemperatur, Heizrate, Endtemperatur und Kühlrate;
- Massenänderung der Probe (soweit gegeben);
- Prüfergebnisse;
- Datum der Prüfung;
- DSC-Kurve.

3.11 Normen

Thermische Analyse - Allgemein

DIN 51005 (2005)
Thermische Analyse (TA) - Begriffe

ASTM-E 473b (2007)
Standard Terminology Relating to Thermal Analysis and Rheology

Dynamische Differenzkalorimetrie

DIN EN ISO 11357-1 (2010)
Kunststoffe - Dynamische Differenz-Thermoanalyse (DSC) - Teil 1: Allgemeine Grundlagen

ISO 11357-2 (2014)
Kunststoffe - Dynamische Differenzkalorimetrie (DDK) - Teil 2: Bestimmung der Glasübergangstemperatur

ISO 11357-3 (2013)
Kunststoffe - Dynamische Differenzkalorimetrie (DDK) - Teil 3: Bestimmung der Schmelz- und Kristallisationstemperatur und der Schmelz- und Kristallisationsenthalpie

ISO 11357-4 (2014)
Kunststoffe - Dynamische Differenz-Thermoanalyse (DSC) - Teil 4: Bestimmung der spezifischen Wärmekapazität

ISO 11357-5 (2014)
Kunststoffe - Dynamische Differenz-Thermoanalyse (DSC) - Teil 5: Bestimmung von charakteristischen Reaktionstemperaturen und -zeiten, Reaktionsenthalpie und Umsatz

ISO 11357-6 (2013)
Kunststoffe - Dynamische Differenz-Thermoanalyse (DSC) - Teil 6: Oxidations-Induktionszeit (isothermische OIT) oder -Temperatur (iso-dynamische OIT)

ISO 11357-7 (2014)
Kunststoffe - Dynamische Differenz-Thermoanalyse (DSC) - Teil 7: Bestimmung der Kristallisationskinetik

ISO/DIS 11357-8 (2001)
Kunststoffe - Dynamische Differenzkalorimetrie (DDK) - Teil 8: Bestimmung des Anteils der Wasseraufnahme

DIN 51007 (1994)
Thermische Analyse (TA); Differenzthermoanalyse (DTA), Grundlagen

DIN 65467 (1999)
Luft- und Raumfahrt – Prüfung von Reaktionsharzsystemen mit und ohne Verstärkung – DSC-Verfahren

ASTM-D 3417-99
Standard Test Method for Enthalpies and Fusion of Crystallization of Polymers by Differential Scanning Calorimetry (DSC), (Withdrawn 2004)

ASTM-D 3418 (2003)
Standard Test Method for Transition Temperatures and Enthalpies of Fusion and Crystallization of Polymers by Differential Scanning Calorimetry

ASTM-D 3895 (2007)
Standard Test Method for Oxidative-Induction Time of Polyolefins by Differential Scanning Calorimetry

ASTM-D 7426 (2008)
Standard Test Method for Assignment of the DSC Procedure for Determining Tg of a Polymer or an Elastomeric Compound

ASTM-E 793 (2006)
Standard Test Method for Enthalpies of Fusion and Crystallization by Differential Scanning Calorimetry

ASTM-E 794 (2006)
Standard Test Method for Melting and Crystallization Temperatures by Thermal Analysis

ASTM-E 967 (2003)
Standard Practice for Temperature Calibration of Differential Scanning Calorimeters and Differential Thermal Analyzers

ASTM-E 1269 (2005)
Standard Test Method for Determining Specific Heat Capacity by Differential Scanning Calorimetry

ASTM-E 1858 (2003)
Standard Test Method for Determining Oxidation Induction Time of Hydrocarbons by Differential Scanning Calorimetry

ASTM-E 2041 (2003)
Standard Method for Estimating Kinetic Parameters by Differential Scanning Calorimeter Using the Borchardt and Daniels Method

ASTM-E 2070 (2008)
Standard Test Method for Kinetic Parameters by Differential Scanning Calorimetry Using Isothermal Methods

Verwendete Literatur

- Dobrowsky, J.; Kramer, E.; Koppelmann, J.; Oxidation Stability of Cross-linked Polyethylene Isothermal DTA-Method, Thermal Analysis 35 (1989) 2, S. 443
- Ehrenstein, G. W.; Riedel, G.; Trawiel, P.; Praxis der Thermischen Analyse von Kunststoffen; 2. Aufl., Carl Hanser Verlag, München 2003
- Kopczynska, A.; Ehrenstein, G. W.; Oberflächenspannung von Kunststoffen – Messmethoden am LKT Sonderdruck, LKT, *http://www.lkt.uni-erlangen.de*
- Kramer, E.; Koppelmann, J.; Thermo-Oxidative Degradation of Polyolefins Overserved by Isothermal Long-Term DTA, J. Polymer Eng. and Sci. 27 (1987) 13, S. 954
- Kramer, E.; Persönliche Mitteilungen
- Lutterbeck, K.; DS 2131.2; Thermische Analyse, FH Köln, 2009 Dansk Standard, Pipes, Fittings and Joins of Polyethylen Type PEM and PEH for Buried Gas Pipelines, (1982), S. 10
- Riedel, G.; Trawiel, P.; Thermoplaste Thermoanalyse-Seminar, Lehrstuhl für Kunststofftechnik, Universität Erlangen, 2018
- Riedel. G.; Trawiel, P.; Thermische Analyse – Methodenübersicht, Hochschulseminar-Untersuchungsmethoden Lehrstuhl für Kunststofftechnik, Universität Erlangen, 2018
- Rieger, J.; Bestimmung der Glastemperatur mittels DSC, Kunststoffe 85 (1995) 4, S. 528 – 530
- Sarge, S. M. u. a.; Die kalorische Kalibrierung dynamischer Kalorimeter, PTB-Mitteilungen 103, Juni 1993
- Turi, E. A.; Thermal Characterization of Polymeric Material, Second Edition, Academic Press, Inc., San Diego 1997
- Van Krevelen, D. W.; Properties of Polymers, 3rd Edition Elsevier Scientific Publishing Company, Amsterdam 1997
- Winkel, H.; Arbeitsblatt FH Köln, 2009
- Wunderlich, B.; Thermal Analysis Academic Press, Inc., San Diego, 1990
- Zweifel, H.; Stabilization of Polymeric Materials, Springer-Verlag, Berlin Heidelberg, 1998
- Höhne, G. W. H. u. a.; Die Temperaturkalibrierung dynamischer Kalorimeter, PTB-Mitteilungen 100, Januar 1990
- Mörl, M.; Steigerung der Zähigkeit von isotaktischem PP durch Kontrolle der Morphologie mittels 1.3.5 – Benzoltrisamiden; LS für Polymere Werkstoffe, Uni Bayreuth, 2017; *www.kunststoffe.de/dissertationsbank*
- Schwämmlein, A.; Bestimmung des Glasübergangs und des gummielastischen Bereichs amorpher Thermoplaste mittels Rotationsviskometrie, Studienarbeit LKT Universität Erlangen 2007

4 Flash-DSC

Die wesentlichen Unterschiede zwischen einer Klassischen DSC und einem Chipkalorimeter (Messung von Wärmeleistungen mit Kalorimeter-Chip) sind etwa:

Klassische DSC: (Schätzwerte -20 - +400 °C)	Chipkalorimeter (Flash-DSC) (teilweise hoher Messaufwand)
▪ Einwaage ~ 2 mg	▪ Einwaage ~ 10 µg
▪ Heizraten < 500 °C/min	▪ Heizrate max.: 1 Mio °C/min
▪ Kühlrate > 200 °C/min	▪ Kühlrate min.: 0,5 Mio °C/min
▪ Signal/Zeit-Konstante: 0,5 s	▪ Signal/Zeit-Konstante: 1 ms

Während die normale DSC mit einer Temperaturerhöhungs- und Abkühlrate und einer schädigungsarm herstellbaren Probengröße arbeitet, die eine möglichst zuverlässige Messung und aussagekräftige Ergebnisse bringen, gibt es bei der Flash-DSC eine Reihe von Rahmenbedingungen, die der normalen Kunststoffverarbeitung näherkommen. Die maximale Abkühl- und Aufheizgeschwindigkeit der Flash-DSC liegt bei 4000 °C/s und übertrifft sogar etwas die realen Abkühlwerte an der Werkzeugoberfläche mit 3000 °C/s bzw. im Inneren von 6 – 600 °C/s, dem kann mit der Flash-DSC nachgegangen werden. Dabei muss man aber berücksichtigen, dass nach wie vor der Druck im Werkzeug dagegen zig-fach höher ist, was alle handelsüblichen DSC-Geräte nicht nachvollziehen können.

Der Anpressdruck in der Realität fördert natürlich den Wärmeübergang, und das ist ein Problem bei der Flash-DSC.

Die normale DSC zeigt strukturelle Eigenschaften und Änderungen optimal, wenn auch häufig im anderen Temperaturmessbereich. Die FSC-DSC zeigt sie realitätsnah (Verarbeitungs-Geschwindigkeit).

Somit ergibt sich für die Flash-DSC folgender Vorteil:

- es können dem realen Verhalten entsprechende hohe Abkühlgeschwindigkeiten nachgestellt werden und die unter diesen Bedingungen eintretenden Strukturbildungen nachvollzogen werden. Die Einflüsse durch die Abkühlgeschwindigkeit sind z. T. erheblich, so dass zumindest Tendenzen abgeleitet werden können;

- die hohen Heizraten von mehr als 1000 °C/s verringern Reorganisationen von Verarbeitungs- oder Beanspruchungseinflüssen; die hohen Aufheizgeschwindigkeiten spielen in der Verarbeitungsrealität keine große Rolle, mittels ihrer kann jedoch ein nicht erreichter struktureller Endzustand messtechnisch dargestellt werden, der bei der Standard-DSC noch ablaufen würde;
- es sind auch Heiz- und Kühlraten wie bei der normalen DSCs möglich;

dem einige Probleme gegenüberstehen:

- eine Prüfkörperherstellung im 1 µm-Dickenbereich dürfte ohne strukturelle Beeinflussung kaum präparierbar sein;
- die Aufheiz- und Abkühlvorgänge erfordern einen unmittelbaren Kontakt mit der Messeinrichtung, die durch wärmeinduzierte Flexibilität erreicht wird und somit die Ausgangssituation der Materialien beeinflusst;
- reale und vermutlich sehr unterschiedliche Abkühlzeiten z. B. im Spritzgießprozess (Werkzeugwand, Materialinneres) werden bisher praktisch kaum richtig gemessen, so dass ein Vergleich nicht gesichert ist;
- die Strukturen entstehen bevorzugt bei der Erstarrung. Bei amorphen Thermoplasten ist bisher keine Erstarrungstemperatur definiert und kann auch mit der DSC und der Flash-DSC nicht gemessen werden;
- der z. T. sehr hohe und mit Sicherheit einflussreiche Druck in üblichen Verarbeitungsmaschinen kann in der DSC und der Flash-DSC nicht nachgestellt werden;
- die Sensoren kosten ca. 70 € und sind nur bedingt mehrfach einsetzbar (nach mehrfachem Aufheizen und Abkühlen mit Silikonöl).

Die Unterschiede zwischen normalen DSC und einem Flash-DSC bestehen vor allem darin, dass die DSC-Geräte ausgereifte Messgeräte sind, zu deren Präparationstechnik vielfältige Erfahrungen und Messergebnisse vorliegen. Wie bei so manchen üblichen Messgeräten und Messverfahren entspricht das klassische DSC-Messverfahren im Gegensatz zu dem FSC-DSC-Verfahren deutlich weniger den realen Gegebenheiten in der Kunststoff-Verarbeitungstechnik.

4.1 Messvorgang

Im Gegensatz zur konventionellen DSC wird beim Flash-DSC die Probe nicht in einem Tiegel u. a. zum Schutz des Sensors präpariert, sondern direkt auf dem Sensor aufgebracht, Bild 4.1. Um eine gute Wärmeleitung zu erreichen, sollten die Kunststoffproben über die Glastemperatur erwärmt werden, weil sie sich dann besser an den Sensor anschmiegen und die Wärmeübertragung verbessern. Das kann natürlich schon zu Änderungen vor allem bei Orientierungen und Eigenspannungen führen, bei Teilkristallinen zu einer Nachkristallisation und bei Duroplasten zu Nachhärtungen. Erwärmungen mit optimaler Anschmiegung ergeben sich beim

Aufschmelzen der Proben in der ersten Fahrt. Dabei wird jedoch die ursprüngliche Struktur mit großer Wahrscheinlichkeit beeinflusst.

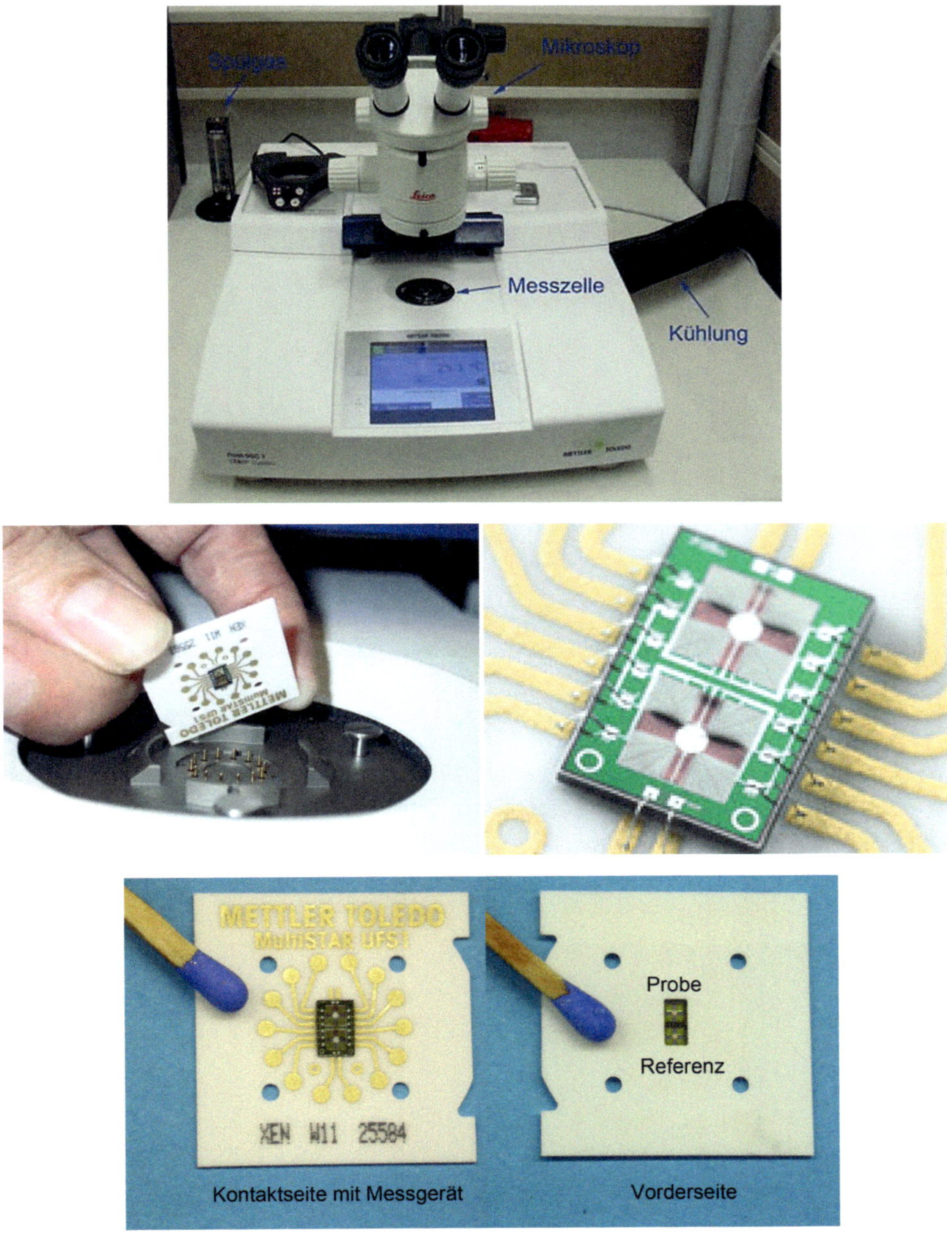

Bild 4.1 DSC-Messzelle und mögliche Effekte
oben: Flash-DSC 1 (Mettler Toledo)
mitte: Sensorhalterung für Sensorchip
unten: Chip für die Flash-DSC

Aus dem Aufbau des **Sensors** ergeben sich die Prüfkörperabmessungen. Der DSC-Chip hat zwei separate Öfen mit einem Durchmesser von 0,5 mm – ein Ofen heizt die Probe auf, der andere dient als Referenz. Der Aufwand ergibt sich alleine aus den acht Thermoelementen, bei zwei unterschiedlichen Heizelementen. Die Auflagefläche des Chipsensors ist mit einer dünnen Aluminiumschicht überzogen. Der Einfluss auf die Zeitkonstante ist anscheinend gering.

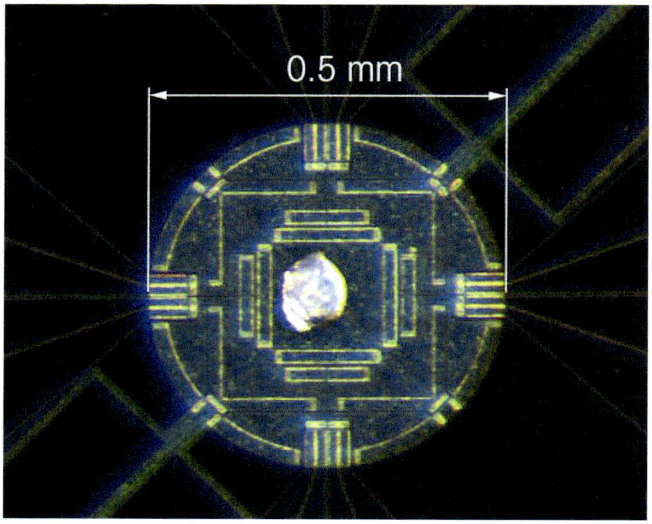

Bild 4.2 Probenauflagefläche mit Prüfkörper auf Aluminiumbeschichtung

Wird nach dem Aufbringen einer ebenen Dünnschnittprobe zur Verbesserung des **Wärmekontakts** die Probe kurz aufgeschmolzen, besteht die Gefahr der Verlagerung der dann globulären Probe, was zu Doppelpeaks in der Messung führt und beim festen Anhaften zum Verwerfen des Sensors führt, Bild 4.3.

Bild 4.3
Aufgeschmolzene Probe eines POM-Dünnschnitts, die sich unter Einwirkung der Oberflächenspannung zu einer globulären Form verformt hat.

Der Sensor wird im ersten Schritt online angemeldet und die **Kalibrierdaten** von FSC-DSC heruntergeladen. Vor der Messung wird jeder Sensor mehrfach (mind. 3x) auf 450 °C aufgeheizt und mehrere Basislinien aufgenommen (Dauer ca. 15 min). Danach würde dann die Vorpräparation mit Silikonöl folgen (Auftragen und mehrmaliges Aufheizen bis 300 °C), evtl. nochmaliges Aufnehmen der Basislinie.

4.2 Praktische Vorgehensweise

- **Vorbereitung des Chipsensors**

(Einbau, Ausheizung, Basislinie, evtl. Silikonbehandlung)

- **Vorbereitung der Probe**

(dünnen Schnitt erstellen, mit Skalpell unter Mikroskop auf erforderliche Größe zuschneiden – Einwiegen entfällt und die Masse kann nur indirekt bestimmt werden)

- **Aufbringen der Probe auf den Sensor**

(mit Hilfe des Mikroskops durch ein dünnes Haar, vorsichtiges Aufschmelzen, Probe auf dem Sensor für optimalen Wärmekontakt)

- **Parametereingabe**

(Spülgas/Messprogramm usw.)

- **Start der Messung**

Die **Artefakte** treten vor allem durch Ausdehnungs- bzw. Schwindungs-Spannungen auf, wenn die Probe auf dem Sensor zu fest aufklebt. Dann kann evtl. die Probe den sehr dünnen Sensor verformen und es kommt zu Artefakten auf der Messkurve. Diese Problematik kann durch die Verwendung des Silikonöls verringert werden, das jedoch u. U. ein völlig fremder Werkstoff mit hoher Trennwirkung ist. Nach Auftragen von Silikonöl auf den Sensor und dessen mehrmaligem Ausheizen/ Abdampfen des Öls sind die Proben nach der Messung wieder vom Sensor zu entfernen und somit der Sensor für weitere Proben zu verwenden.

Zur **Probengröße** gibt es Vorschläge von Leuten mit Versuchserfahrung. Schick schlägt vor, dass Proben bei Heiz- und Kühlraten von 1000 °C/s nicht dicker als 10 µm sein sollen, die Probenmassen 10 bis 200 ng betragen sollten. Die laterale Ausdehnung kann 50 – 100 µm betragen. Riedel und Trawiel nennen 50 ng – 2 µg. Bei durchschnittlichen Kunststoffen würden Probenabmessungen von 1 µm × 0,3 mm × 0,3 mm zu 100 ng , 2 µm × 0,5 mm × 0,5 mm zu 500 ng , 2 µm × 1 mm × 1 mm zu 2 µg führen, bei den von Mettler Toledo empfohlenen max. 10 µm × 0,5 mm × 0,5 mm Probendicke 2.5 µg. Damit befindet man sich in der Größenordnung von einzelnen Sphäroliten. Präparationen in dieser Größenordnung sind nur unter dem Mikroskop möglich.

Die Probenpräparation bedarf großer Fingerfertigkeit und kann je nach Probe einige Zeit in Anspruch nehmen (bis zu 30 min). Die Proben sollten möglichst fein „vorpräpariert" sein (z. B. als Dünnschnitte). Auf einem Objektträgerglas wird die Probe dann mit einem Skalpell unter dem auf dem Gerät montierten Mikroskop weiter zerkleinert (max. 50 µm). Mit einem aufgeklebten Haar wird die Probe dann auf den Sensor platziert.

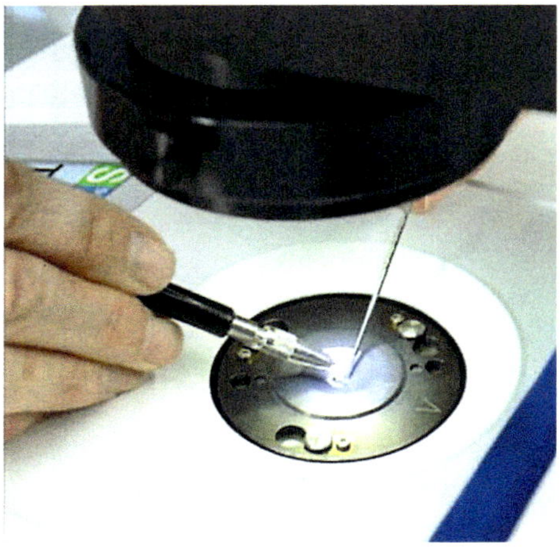

Bild 4.4 Eingeben der Probe auf den Sensor auf einem Haar anhaftend

4.3 Heizrateneinfluss

Als Heizraten werden 0,5 °C/s bis 400000 °C/s angegeben, Kühlraten von 0,01 °C/s bis 4000 °C/s. Das Abkühlen ist für die Realität der Verarbeitung über die flüssige Phase viel relevanter als das Aufheizen. Beim Abkühlen bilden sich die Strukturen, die die Eigenschaften des Fertigteils charakterisieren. Als Hilfsmittel für schnelleres Abkühlen werden flüssiger Stickstoff (Siedetemperatur –196 °C) und flüssiges Helium (Siedetemperatur –269 °C) angewendet. Die 10 °C/min-Ergebnisse aus der normalen DSC sehen in der Regel ganz stimmig mit den extrapolierten Flash-DSC-Werten aus.

Da die Flash-DSC bei amorphen Thermoplasten keine Fließtemperaturen markiert, gibt es durch eine erhöhte Abkühl- oder Aufheiztemperatur nur einen Einfluss auf die Glasübergangstemperatur.

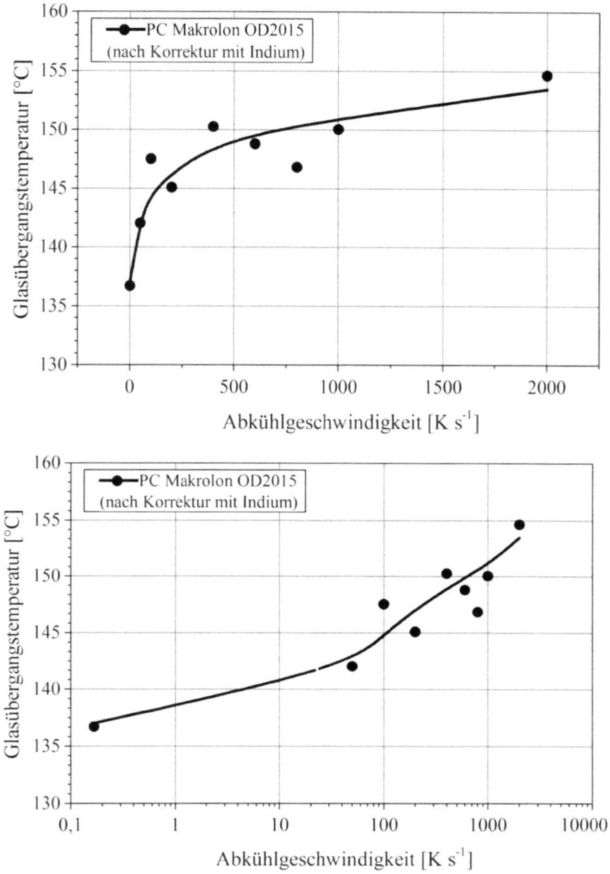

Bild 4.5 Glasübergangstemperatur von amorphem PC in Abhängigkeit von der Abkühlgeschwindigkeit

Bei teilkristallinen Thermoplasten scheint der Einfluss der Aufheiz- und der Abkühlgeschwindigkeit auf die Glasübergangstemperatur in ähnlicher Größenordnung zu sein wie bei amorphen Thermoplasten, was insofern nicht verwunderlich ist, als in diesem Zustand nur die amorphen Bereiche betroffen sind, während die kristallinen Lamellen erst bei der Schmelztemperatur aufgelöst werden, Bild 4.6. Mögliche Füll- oder Verstärkungsstoffe reduzieren die Abweichungen, da diese nur in den amorphen Bereichen angesiedelt sein können.

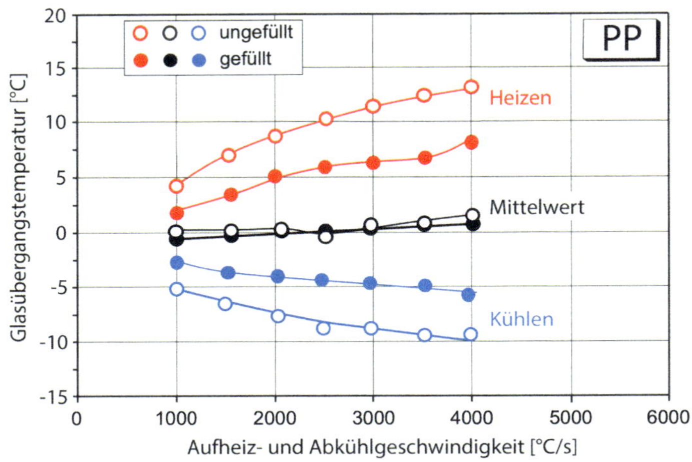

Bild 4.6 Einfluss der Aufheiz- und der Abkühlgeschwindigkeit auf die Glasübergangstemperatur von PP [Schawe]

Die verschiedenen teilkristallinen Thermoplaste zeigen aufgrund ihrer unterschiedlichen amorphen und kristallinen Strukturen sowie der sich ändernden Übergänge zwischen beiden einen unterschiedlichen Einfluss der thermischen Behandlung. Eine unterschiedliche Aufheizgeschwindigkeit hat einen sehr viel geringeren Einfluss auf den Schmelzpeak als die Abkühlgeschwindigkeit. Es sind wenige °C beim Aufheizen und zig °C beim Abkühlen, Bild 4.7. Offensichtlich ist die Ordnung der Strukturen beim Abkühlen durch die zunehmende Mobilität und die differenzierte Anordnung der Makromoleküle in Lamellen und amorphen Zwischenbereichen deutlich zeitaufwendiger.

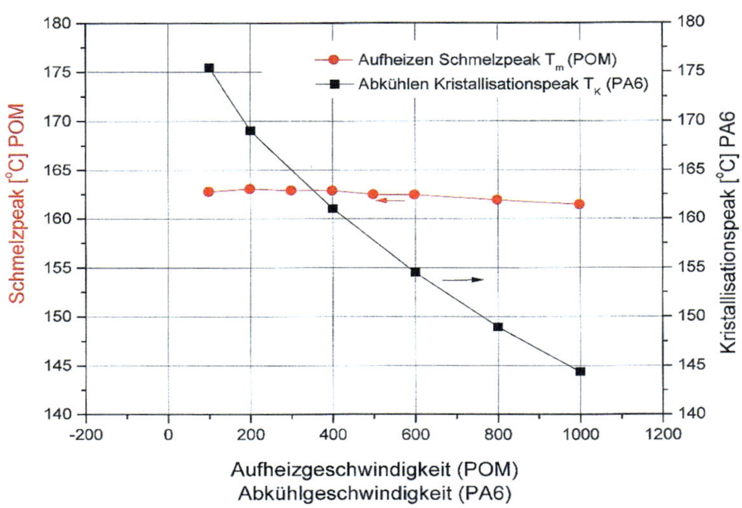

Bild 4.7 Einfluss der Abkühl- und Aufheizgeschwindigkeit auf den Schmelzpeak von POM und den Kristallisationspeak von PA 6

Die teillogarithmische Darstellung täuscht manchmal über die Geschwindigkeitsbereiche, in denen die größten Änderungen zu erwarten sind, Bild 4.8. Das Peakmaximum erreicht bei niedrigen Abkühlgeschwindigkeiten die höchsten Werte. Dort ist aber auch der größte Einfluss der Abkühlgeschwindigkeit feststellbar.

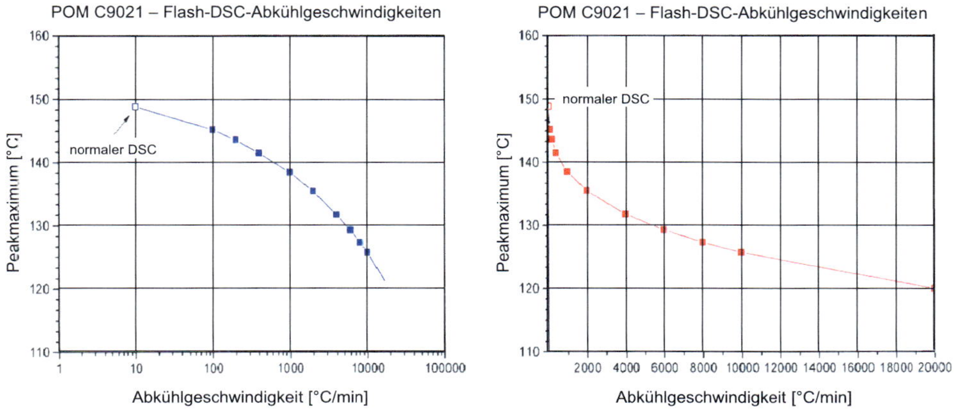

Bild 4.8 Kristallisationstemperatur in Abhängigkeit von der Abkühlgeschwindigkeit von POM. Vergleich lineare und logarithmische Darstellung

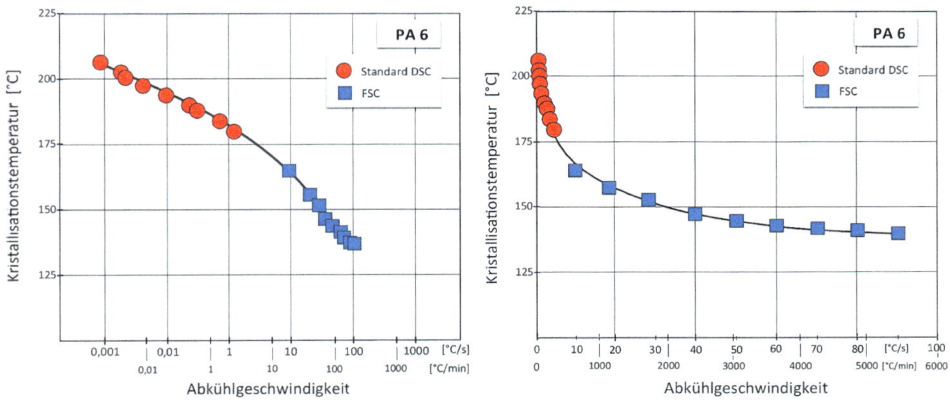

Bild 4.9 PA 6 in Abhängigkeit von der Abkühlgeschwindigkeit gemessen in Standard-DSC und FSC-DSC mit üblicher logarithmischer und sinnvollerer linearer Auftragung der Geschwindigkeit

Neben der Kristallisationstemperatur wird die Schmelzenthalpie und damit u.a. der Kristallisationsgrad mit zunehmender Kühlrate erniedrigt. Bei langsamer Heizrate erfolgt während der Aufheizung eine Nachkristallisation, was aber bei schneller Kühlrate u.U. nicht mehr kompensiert werden kann.

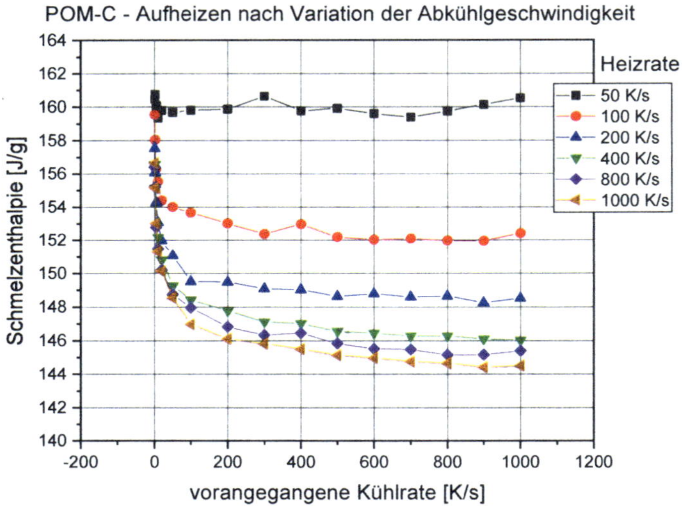

Bild 4.10 Einfluss der Kühlrate auf die Schmelzenenthalpie (u. a. Grad der Kristallisation)

Die hauptsächlich vorliegenden Messungen beschäftigen sich mit teilkristallinen Kunststoffen. In der Literatur findet man gelegentlich einige Beispiele für Messungen an amorphen Materialien. Dabei geht es meistens um Untersuchungen über die Zeitabhängigkeit von T_g, die man mit hohen Heiz- und Kühlraten sehr gut untersuchen kann, und um Untersuchungen über Relaxationsvorgänge. Die Glasübergangstemperatur T_g bietet für die Auslegung von Bauteilen allerdings kaum Informationen. Für Duroplaste gibt es kaum Messungen. Das liegt vermutlich daran, dass man hier nur einmal messen kann und dann immer einen neuen Sensor bräuchte. Das macht solche Untersuchungen etwas kostspielig.

Daneben gibt es eine **kritische Kühlrate**. Darunter versteht man nach Schick bei der Fast Scanning-Methode kritische Abkühlgeschwindigkeiten, die erforderlich sind, um eine Kristallisation bei kontinuierlichem Abkühlen auf Temperaturen unter T_g für eine große Vielzahl von kristallisierbaren Polymeren zu vermeiden, Tabelle 4.1. Auch hier ist die Glasübergangstemperatur T_g eine Größe, die das temperaturbedingte Ende eines energieelastischen Einsatzbereiches nicht ausreichend direkt kennzeichnet. Ein Einsatz bis zur *Glasübergangstemperatur* T_g, der Temperatur der größten mechanischen Änderungen, führt als thermisch-mechanische Einsatzgrenze zur **Auslegungs-Katastrophe**.

Tabelle 4.1 Kritische Kühlrate verschiedener teilkristalliner Thermoplaste

Material	Kritische Kühlrate [K/s]*
HD-PE	> 1 Mio.
PP	1000
PA6	150 bis 500
PA11	500
PA6.6	500 bis 1800
PA4.6	8000
PET	3
PBT	200
PEEK	100

* Weitere Darstellungen: Kapitel Flash-DSC Abschnitt 4.4.1 „Temperatur und Heizratenkalibrierung“ und weitere Darstellungen dazu folgen im Band 5 „Struktur und Eigenschaften“ Abschnitt 1.2.5.3 „Kristallisationsgeschwindigkeit“

4.4 Kalibrieren

Gemessene Temperaturen und Enthalpieänderungen müssen „wahren“ Werten zugeordnet werden. Da die Temperaturmessung in einem DSC-Gerät nicht direkt in der Probe durchgeführt wird, ergibt sich eine Differenz zwischen tatsächlicher Probentemperatur und angezeigter, direkt unterhalb der Probe ermittelter Messtemperatur, die durch Kalibrierung bestimmt werden muss. Da diese Differenz jedoch nicht über den gesamten Temperaturbereich linear ist, müssen mindestens zwei Kalibriersubstanzen im relevanten Temperaturbereich der Messung herangezogen werden. Die Kalibrierung wird im Wesentlichen durch folgende Punkte beeinflusst [1]:

- Gerätetyp
- Art und Durchflussmenge des Spülgases
- Art, Maße und Position der Tiegel
- Masse der Probe
- Heiz- und Kühlrate
- Art des Kühlsystems

Empfehlenswert ist eine regelmäßige Kalibrierung des Gerätes unter Berücksichtigung der Herstellerempfehlungen. Die meisten empfohlenen Kalibriersubstanzen können für die Kalibrierung sowohl der Temperatur als auch der Enthalpie herangezogen werden, Tabelle 4.2.

Kalibrierparameter = Messparameter; mindestens zwei Kalibriersubstanzen im probenrelevanten Temperaturbereich

Tabelle 4.2 Übersicht der Umwandlungs- oder Schmelztemperaturen und Schmelzenthalpien verschiedener Kalibriersubstanzen, aus DIN EN ISO 11357-1

Kalibriersubstanz	Umwandlungs- oder Schmelztemp. (Gleichgewichtstemp.) [°C]	Schmelzenthalpie [J/g]
Cyclohexan (Umwandlung)	-83*	
Quecksilber (Schmelzen)	-38,9	11,47
1,2-Dichlormethan (Schm.)	-32*	
Cyclohexan (Schmelzen)	7*	
Phenylether (Schmelzen)	30*	
o-Terphenyl (Schmelzen)	58*	
Biphenyl (Schmelzen)	69,2	120,2
Kaliumnitrat (Umwandlung)	127,7	
Indium (Schmelzen)	157	28,42
Kaliumperchlorat (Umw.)	299,5	
Zinn (Schmelzen)	231,9	60,22
Blei (Schmelzen)	327,5	23,16
Zink (Schmelzen)	419,6	107,38

* *Peaktemperatur*

4.4.1 Temperatur- und Heizratenkalibrierung

Die zur Temperaturkalibrierung verwendeten Materialien richten sich nach dem für die Probe erforderlichen Messbereich. Für viele Polymere eignet sich Indium zur Kalibrierung des mittleren Temperaturbereiches. Für tiefe Temperaturen können n-Heptan oder Wasser, für hohe Temperaturen Blei oder Zink eingesetzt werden.

Zum Vergleich mit Literaturwerten werden Ergebnisse dynamischer Messungen mit unterschiedlichen Heizraten auf die Heizrate Null extrapoliert, was in den meisten Geräten softwaremäßig standardisiert ist. Für geringe Temperaturgradienten, z. B. bei hochreinen Metallen, wird zur Kalibrierung die gemessene extrapolierte Anfangstemperatur T_{eim} herangezogen, bei größeren Temperaturgradienten oder breiteren Peaks das Peakmaximum T_{pm}.

Der Vorteil der Flash-DSC ist, keine Änderungen der Strukturen konservativer, d. h. ohne Änderungen durch zeitbrauchende Aufheizraten, befürchten zu müssen, Bild 4.11.

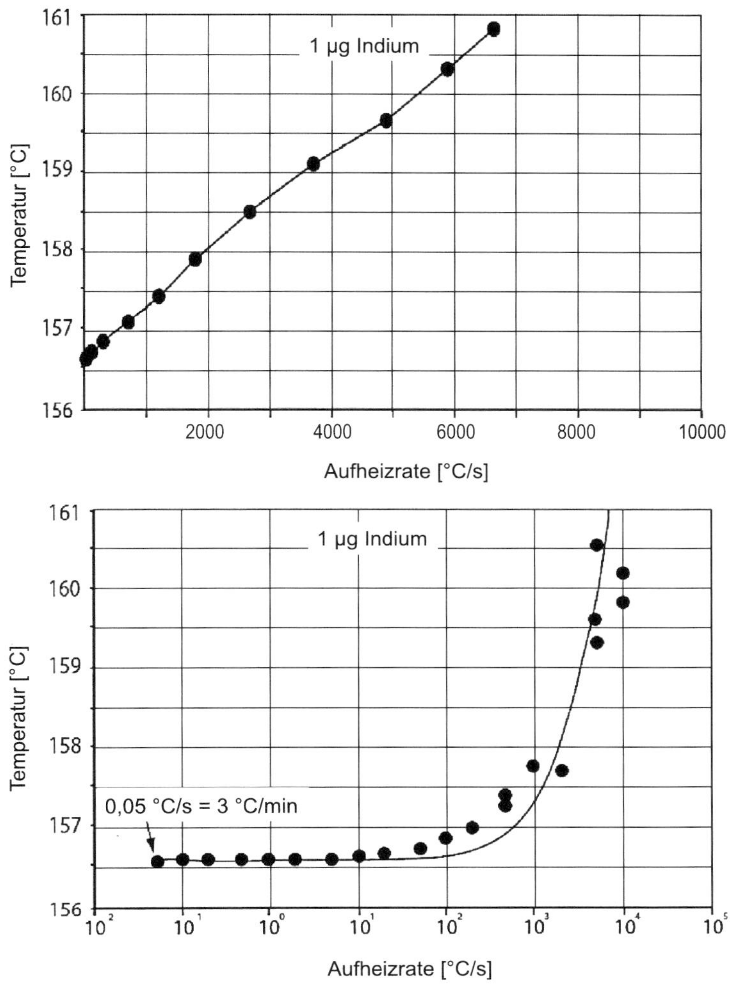

Bild 4.11 Onset-Temperatur des Schmelzpeaks von Indium bei verschiedenen Aufheiztemperaturen

Es sollten mindestens zwei Kalibriersubstanzen in einem für die Probe günstigen Temperaturbereich gemessen werden. Kalibriermaterialien sollten nicht mehr als 10 °C über ihre Umwandlungstemperatur hinaus erhitzt werden, um Reaktionen zwischen Probe und den üblichen Tiegelmaterialien zu vermeiden. Die Temperaturkalibrierung wird immer in der Aufheizphase vorgenommen.

4.4.2 Wärmekalibrierung

Die Wärmekalibrierung erfolgt mittels Substanzen bekannter Umwandlungswärme, z. B. Indium, Zinn oder Zink. Die gemessene Umwandlungswärme ist der Peakfläche proportional, die durch die DSC-Kurve und eine konstruierte Basislinie begrenzt wird. Der Proportionalitätsfaktor zwischen gemessener Fläche und Schmelzenthalpie der verwendeten Kalibriersubstanz wird ebenfalls als Funktion der Temperatur bestimmt. Die Ausgleichskurve liefert einen temperaturabhängigen Kalibrierfaktor. Es sollten mindestens zwei Substanzen mit unterschiedlichen Umwandlungswärmen jeweils dreifach gemessen und der Mittelwert herangezogen werden [2].

Für die Wärmestrom- bzw. Wärmekapazitätskalibrierung sind mindestens zwei aufeinanderfolgende Messungen notwendig.

Unter idealen Bedingungen ist die Differenz der wahren Wärmeströme in die Probe und in die Referenz durch die Differenz der Wärmekapazitäten gegeben. Die wahre Wärmestromdifferenz wird aus zwei Messkurven ermittelt. Die erste Messung resultiert aus einer Messung mit leeren Tiegeln, die zweite aus einer Messung mit Probe (z. B. Saphir) und Referenz. Aus der Differenz der beiden Messkurven ergibt sich nach Multiplikation mit dem Kalibrierfaktor (z. B. mit c_p von Saphir) die wahre Wärmestromdifferenz bzw. aus der gemessenen Wärmestromdifferenz die Wärmekapazitätsdifferenz [2].

4.5 Digitaler Aufwand

In den zwei Testwochen wurden 90 Messungen durchgeführt. Dabei beinhaltete eine Messung bis zu 20 Heiz- und Kühlzyklen mit vor allem für die isothermen Kristallisationen sehr hohen Datenerfassungsraten (10 kHz). Dabei entstand ein Datenbestand von ~200 MB. Es sollte also ein Rechner mit viel Speicherplatz vorgesehen werden.

■ 4.6 Normen

DIN SPEC 91127:2011-06

Empfehlung für die Temperaturkalibrierung von Fast Scanning Calorimeters (FSCs) für Probenmasse und Scanrate; Text Englisch

DIN EN ISO 11357-1:2010-03

Kunststoffe – Dynamische Differenz-Thermoanalyse (DSC) – Teil 1: Allgemeine Grundlagen (ISO 11357-1:2009)

Literatur

[1] Riedel, G.; Trawiel, P.; FCS – Fast Scanning Calorimetrie; neue Möglichkeiten durch hohe Heiz- und Kühlraten, Vortrag Hochschulseminar Thermische Analyse, LKT Erlangen, 2015

[2] Wagner, M.; Bottom, R.; Schawe, J.; Messen mit hohen Heizraten – Vorteile und Grenzen, Mettler Toledo – UserCom 19; 1/2004 Flash Dynamische Differenzkalorimetrie für Forschung und Entwicklung, CH 8603 Schwerzenbach, 2010

[3] Schawe, J.; Influence of processing conditions on polymer crystallisation measured by fast scanning DSC, Journal of Thermal Analysis and Calorimetry; ISSN 1388-6150; Vol. 116; No. 3; 2014

- Schick, Ch.; Persönliche Mitteilungen *http://www.polymerphysik.uni-rostock.de/publication/publication.php*
- Schick, Ch.; Genauigkeit der DSC-Messungen von Glasübergangstemperaturen, LaborPraxis – Mai 1995
- Toda, A.; Androsch, R.; Schick, Ch.; Insights into polymer crystallization and melting from fast scanning chip calorimetry, Polymer 91 (2016) S. 239 – 263
- Khanna, Y.P.; A Barometer of Crystallisation Rates of Polymeric Materials, Polymer; Engineering and Science, Dec. 1990, Vol. 30, No 24

5 Fehlerquellen der Thermischen Analyse – DSC

5.1 Einleitung

In der Kunststofftechnik hat sich die Thermische Analyse als eines der wichtigsten Prüfverfahren etabliert. Sie ermöglicht qualitative und quantitative Aussagen über die Zusammensetzung der Produkte, hilft bei der Schadensanalyse und ist unverzichtbares Hilfsmittel bei der Produktentwicklung. Aus diesem Grunde sind zuverlässige und zeitnahe Untersuchungen immer mehr alltägliche Herausforderungen an den Praktiker.

Dennoch ist es notwendig, die Ganzheitlichkeit von der Wahl der geeigneten Messtechnik über Probenvorbereitung, Parameterwahl, Messablauf bis zur Auswertung aufzuzeigen und mögliche Fehlerquellen zu verdeutlichen.

5.2 Wahl der Messtechnik

Ausgehend von einer bestimmten Fragestellung (Glasübergangstemperatur, Füllstoffgehalt usw.) und auch der vorhandenen Laborausstattung muss zu Beginn einer Analyse eine Entscheidung für das geeignete Messverfahren getroffen werden. Einen Überblick über die Einsatzmöglichkeiten der verschiedenen thermoanalytischen Messtechniken verschafft folgende Tabelle 5.1.

Tabelle 5.1 Übersicht über die Einsatzmöglichkeiten verschiedener thermoanalytischer Messtechniken

	DSC	TGA	TMA	DMA
physikalische Eigenschaften				
spezifische Wärmekapazität	XXX			
Ausdehnungskoeffizient			XXX	
E-Modul, Dämpfung				XXX

Tabelle 5.1 Übersicht über die Einsatzmöglichkeiten verschiedener thermoanalytischer Messtechniken *(Fortsetzung)*

	DSC	TGA	TMA	DMA
physikalische Umwandlung				
Schmelzen / Kristallisieren	XXX		X	X
Verdampfen / Trocknen	X	XXX		
Glasübergang / Erweichen	XX		XX	XXX
chemische Eigenschaften				
Zersetzung / Pyrolyse / Oxidation	XXX	XXX		
Zusammensetzung / Gehaltsanteile	XX	XXX	X	X
Vernetzen / Vulkanisieren	XXX		XX	XX

XXX - sehr gut geeignet
XX - gut geeignet
X - eingeschränkt geeignet

5.3 Probenvorbereitung

Die Vorbereitung der zu untersuchenden Probe ist eine der wichtigsten Voraussetzungen für eine Analyse. Folgende Stichpunkte sind dabei hervorzuheben:

Eindeutige Bezeichnung und Beschreibung der Probe und deren Vorgeschichte:

- Vorbehandlung der Probe,
- Konditionierung (z.B. Feuchtigkeitsgehalt),
- Temperatur (z.B. Trocknung),
- mechanische Belastung vor der Messung (z.B. Transportschäden),
- Entnahmestelle der Probe,
- Oberfläche/Kern,
- angussnah/-fern,
- Richtung.

Das folgende Beispiel (Bild 5.1) soll die Auswirkungen unterschiedlicher Probenvorbehandlungen auf die DSC-Messkurven und die damit nachfolgende Interpretation verdeutlichen.

Bild 5.1 und Bild 5.2 zeigen die Auswirkungen thermischer Vorbehandlungen auf das Schmelzverhalten thermoplastischer Kunststoffe. Sowohl das Trocknen des Granulates (bei 100 °C) als auch das spätere Aushärten eines Klebers für elektronische Komponenten bei ca. 120 °C auf dem Formteil führen zu endothermen Effekten, sog. Temperpeaks. Ein endothermer Effekt bei 116 °C bzw. 139 °C könnte auch als Schmelzpeak eines Polyethylens interpretiert werden. Deshalb ist die Betrachtung des zweiten Aufheizens und der Kristallisation notwendig.

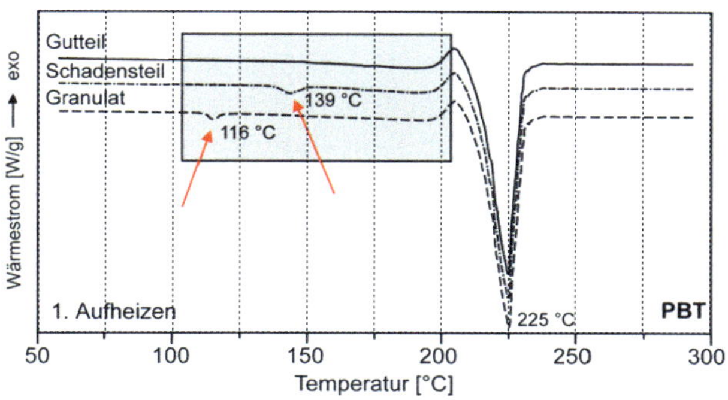

Bild 5.1 DSC an PBT in unterschiedlichem Zustand
1. Aufheizen, 10 K/min, Einwaage: ca. 3 mg, bei 120 °C; Kleberhärtung bei 120 °C, Granulattrocknung bei 100 °C im Vakuum

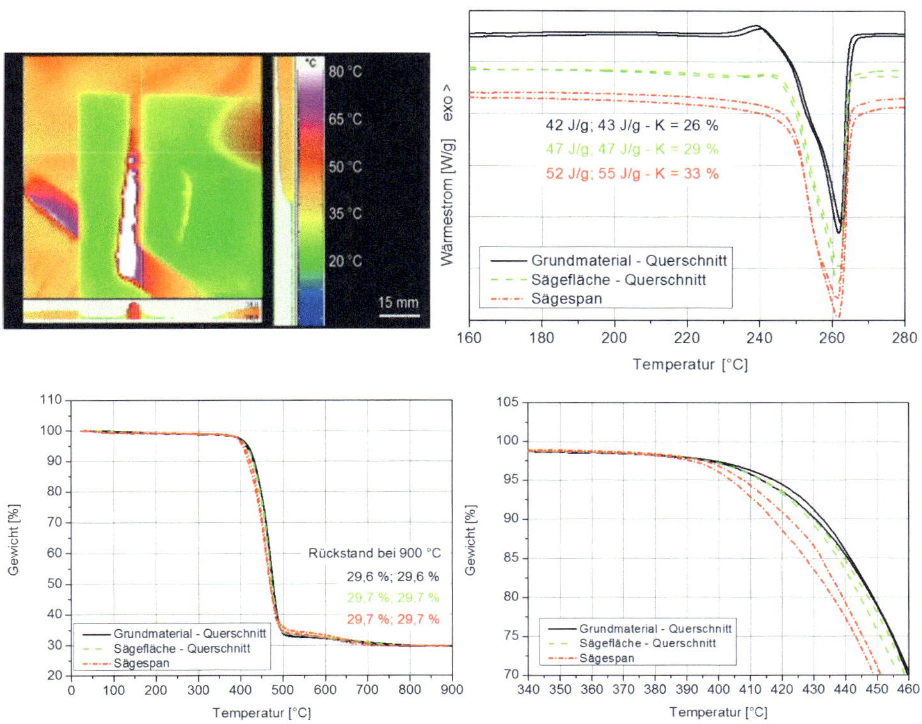

Bild 5.2 PA 66-GF30-Probenplatte mit Bügelsäge gesägt – Vergleich verschiedener Entnahmestellen
oben links: Temperaturen beim Sägen der Probe (Bügelsäge ohne Kühlung)
rechts: DSC-Messung – 1. Aufheizen, Heizrate 10 °C/min, Spülgas N_2
unten: TG-Messung – Heizrate 10 °C/min, Spülgas N_2

Die gezielte Wahl der Entnahmestelle der Probe ist von großer Bedeutung für die Interpretation und Reproduzierbarkeit des Analyseergebnisses. Dabei ist die Beeinflussung des kristallinen Zustands z. B. durch die beim Sägen auftretende Temperatur u. U. erheblich, wobei die Temperaturverteilung nur schwer zu ermitteln ist.

Noch schwieriger ist der Einfluss der Temperaturen bei Reaktionsharzen festzustellen, wenn diese z. B. nur durch die reagierende Harzmenge beeinflusst wird. Obwohl die Reaktion bei EP-Harzen langsam abläuft, kann die Temperatur und damit die Beeinflussung der kristallinen Struktur erheblich sein. Während sich der Ansatz im 40 mm-Durchmesser-Behälter auf ca. 140 °C erwärmt und, wie die DSC-Messung zeigt, zu einer vollständigen Aushärtung führt.

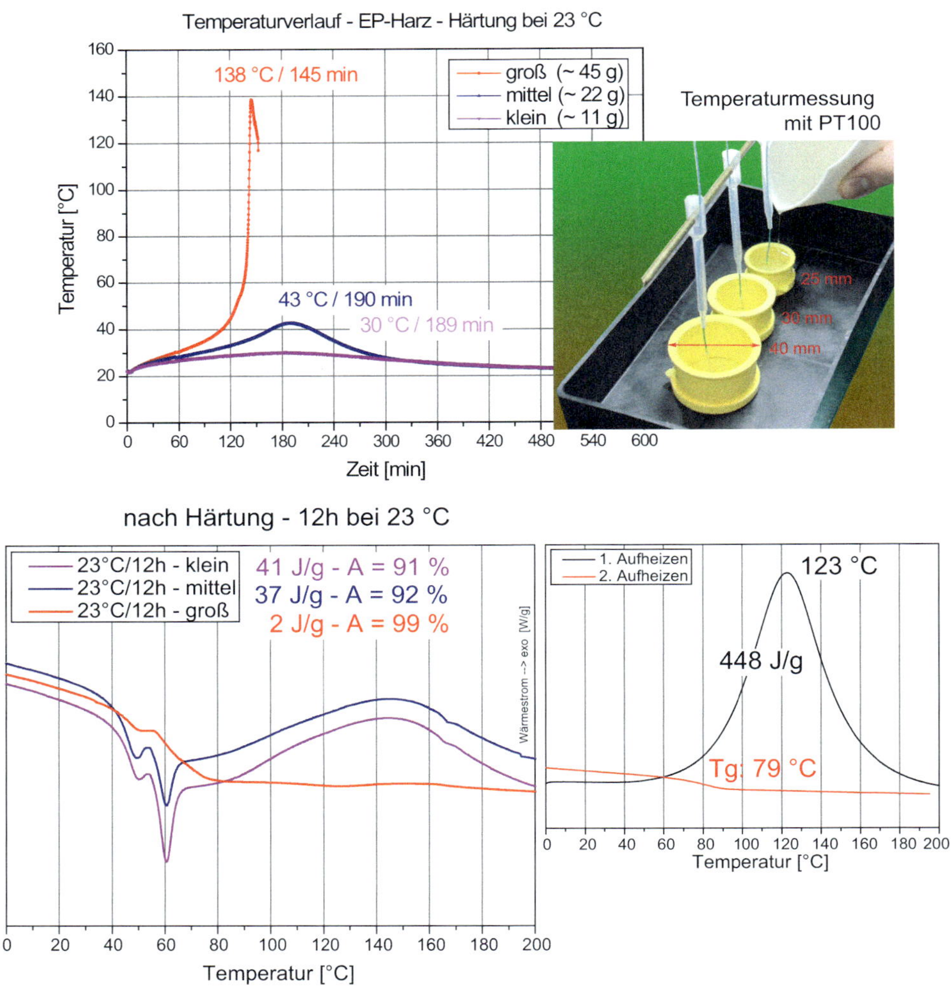

Bild 5.3 Reaktionstemperaturen von EP-Harz bei unterschiedlichem Volumen

5.4 Prüfparameter

Je nach Gerät und Messmethode beeinflusst eine Vielzahl von Parametern das Ergebnis einer Messung. In der Regel sind die wichtigsten Parameter wie Heizrate, Atmosphäre und Probenmasse oder Probengeometrie in Normen vorgeschrieben. Es bleibt jedoch immer noch ausreichend Spielraum für die Beeinflussung einer Messung.

Die Endtemperatur und die Häufigkeit der Wiederholungsmessungen können das Material während der Messung verändern. Die hierbei am häufigsten auftretenden Effekte sind Vernetzung und Abbau (Nukleierungseffekt) des Kunststoffs.

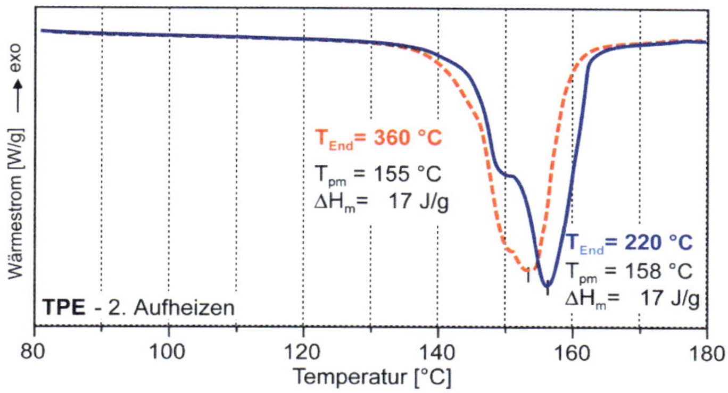

Bild 5.4 TPE – unterschiedliche Endtemperaturen des 1. Aufheizens
DSC - 2. Aufheizen, Heizrate 10 °C/min, Einwaage 3 mg, Spülgas N_2

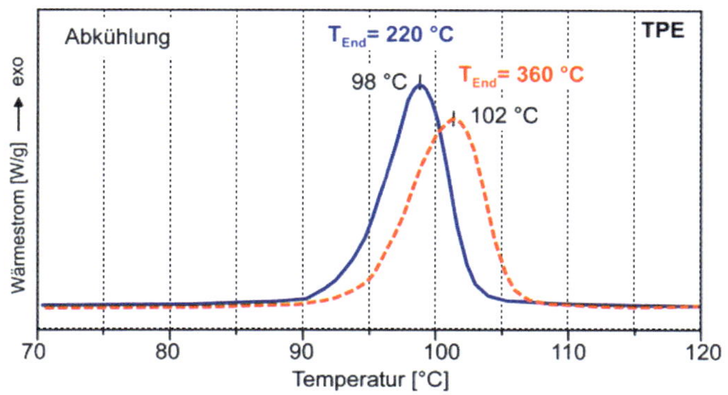

Bild 5.5 TPE – Nukleierungseffekt durch unterschiedliche Endtemperaturen des 1. Aufheizens
DSC - Abkühlung, Kühlrate 10 °C/min, Einwaage 3 mg, Spülgas N_2

Während es bei einem Nukleierungseffekt zu einer Erhöhung der Kristallisationstemperatur kommt, verschiebt sich die Kristallisationstemperatur bei einer Vernetzung zu tieferen Temperaturen. Die Schmelzenthalpie verringert sich zudem deutlich, Bild 5.6 und Bild 5.7.

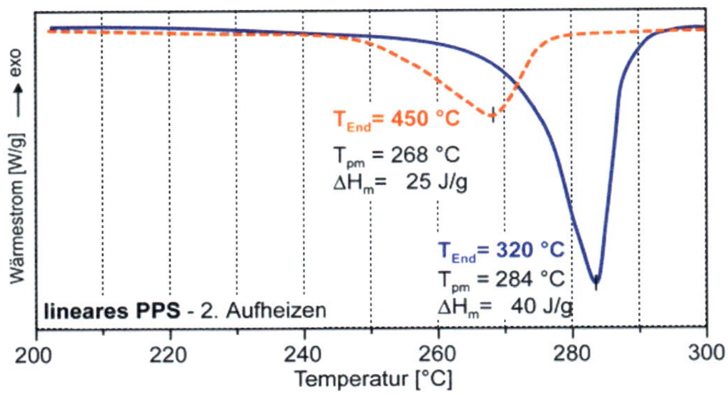

Bild 5.6 PPS – Vernetzungseffekt durch unterschiedliche Endtemperaturen des 1. Aufheizens
DSC - 2. Aufheizen, Heizrate 10 °C/min, Einwaage 3 mg, Spülgas N_2

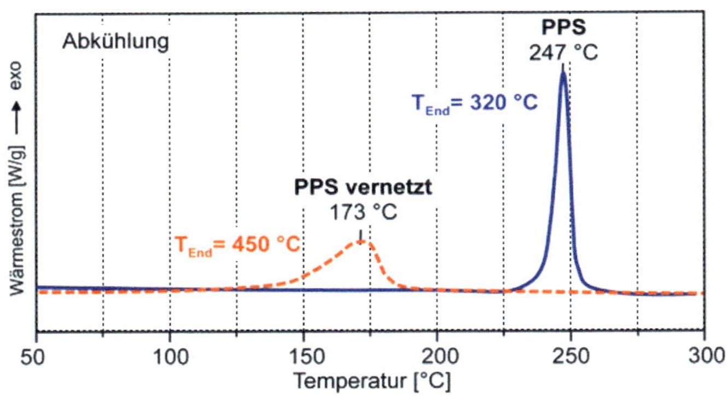

Bild 5.7 PPS – Vernetzungseffekt durch unterschiedliche Endtemperaturen des 1. Aufheizens
DSC - Abkühlung, Kühlrate 10 °C/min, Einwaage 3 mg, Spülgas N_2

Weitere Einflussgrößen sind gerätespezifische Parameter wie Tiegelart und -material (DSC, TGA) sowie Belastungsart und -höhe (DMA, DSC).

Eine besondere Fehlerquelle stellen leicht flüchtige Substanzen dar, vor allem wenn sie als Reaktionspartner fungieren. Geschlossene Normaltiegel in der DSC können dem beim Aufheizen entstehenden Druck meist nicht standhalten und wölben sich oder platzen auf. Das normalerweise vorhandene Loch im Tiegeldeckel würde hingegen ein Entweichen der Substanzen ermöglichen (z. B. UP-Harz), die zur Reaktion benötigt werden und dann nicht mehr zur Verfügung stehen. Die resultierende Reaktionsenthalpie verringert sich, Bild 5.8. Abhilfe können Drucktiegel schaffen.

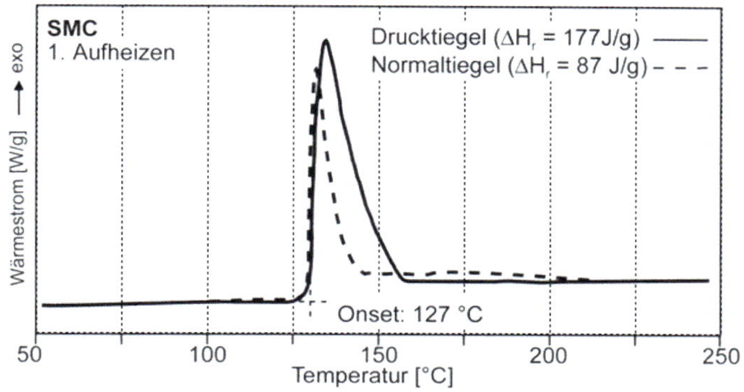

Bild 5.8 Vernetzungsreaktion von SMC-Paste im Normal- und Drucktiegel
1. Aufheizen, Einwaage ca. 20 mg, Heizrate 10 °C/min, Stickstoff [1]

■ 5.5 Durchführung der Messung

Neben der Kalibrierung sind vor allem Veränderungen der Probe während der Messungen Ausgangspunkt für Fehlinterpretationen.

In DIN EN ISO 11357-1 (2010) werden detaillierte Vorschläge zur Kalibrierung von DSC-Messgeräten angegeben. Demnach sollten, um eine Reproduzierbarkeit der Temperatur von „besser 0,2 K“ und der Energie (Wärme)-Kalibrierung „besser 2 %“ zu erreichen, mindestens drei Kalibriersubstanzen an jeweils zwei Proben und vier Heizraten gemessen werden. Alternativ wird eine Temperaturkalibrierung „besser 0,8 K“ an mind. Zwei Kalibriersubstanzen vorgeschlagen, vorausgesetzt dass die Temperaturdifferenz zwischen den Kalibriersubstanzen 50 °C nicht überschreitet.

Bei der Lagerung der Kalibriersubstanzen sind folgende Punkte zu beachten:

DIN EN ISO 11357-1 (2010)

Temperaturkalibrierung – Wärmekalibrierung - Wärmestromkalibrierung — Hochpräzise Kalibrierung

„... mindestens 2 Kalibriersubstanzen .. ungefähren Masse von 3 - 10 mg...
Temperaturkalibrierung besser als 0,8 K, vorausgesetzt die Temperaturdifferenz der Kalibriersubstanzen überschreitet nicht 50 °C “

Indium	**(156,6°C)**	- gut geeignet, sehr beständig
Zinn	**(231,9 °C)**	- schnell oxidierend an Luft, Rekristallisation von α- und β-Zinn
Zink	**(419,5 °C)**	- bildet witterungsbeständige Schutzschicht aus Zinkoxid und -carbonat
Gallium	**(29,8 °C)**	- bildet mit Alu schnell eine Legierung
Wasser	**(0 °C)**	- Reinheit zu beachten
Cyclopentan	**(-93 °C)**	- leicht flüchtig und entzündlich, Siedepunkt 49 °C

Tiegelmaterial / Spülgas
Lage des Thermoelements
Heizrate

⇨

Kalibrierung mind. 1 x monatlich
Angabe der Temperatur auf 1 °C !
Angabe der Schmelzenthalpie reproduzierbar auf max. 2 %

Bild 5.9 Kalibrierung der Messung

Unter Berücksichtigung von Tiegelmaterial, Spülgas, Heizrate und verwendetem Thermoelement ist eine wöchentliche bis monatliche Kalibrierung mit Indium im Laboralltag meist ausreichend. Werden dabei signifikante Änderungen festgestellt, sollte die Kalibrierung mit einer zweiten Substanz im angewandten Temperaturbereich bestätigt werden.

Eine Angabe von Umwandlungstemperaturen auf 1 °C und 2 % genaue Enthalpieangaben sind für Kunststoffformteile sinnvoll.

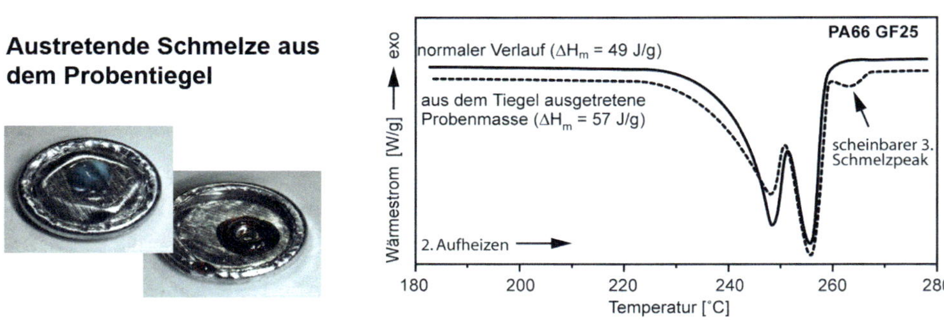

Bild 5.10 DSC - 2. Aufheizen von PA 66-GF25 mit aus dem Tiegel ausgetretener Probenmasse und normalem Verlauf
Einwaage ca. 3 mg, Heizrate 10 °C/min, Spülgas Stickstoff

Bei der Verwendung von perforierten Deckeln besteht die Gefahr des Masseaustritts und somit einer Verfälschung der Ergebnisse. In Bild 5.10 ist dieser Effekt für ein glasfaserverstärktes PA 66 dargestellt.

Wenn auch Indium als Kalibriersubstanz am meisten gebräuchlich ist, gibt es noch eine Reihe anderer Substanzen, deren Verträglichkeit mit dem Tiegelwerkstoff gesichert sein muss, Tabelle 5.2.

Tabelle 5.2 Wechselwirkung zwischen Kalibriersubstanzen und Tiegelwerkstoffen nach DIN EN ISO 11357-1 [2011]

Tiegelwerkstoff	Kalibriersubstanz								
	Cyclopentan	Wasser	Gallium	Indium	Zinn	Blei	Zink	Lithiumsulfat	Aluminium
Korund, Al_2O_3	O	O	+	+	+	+	+	+	+
Bornitrid, BN	O	O	+	+	+	+	+	+	+
Graphit, C	O	O	+	+	+	+	+	+	+
Silikatglas	+	+	+	+	+	+	?	+	-
Quarzglas, SiO_2	+	+	+	+	+	+	+	+	-
Aluminium, Al	+	▲	-	+	-	+	-	+	X
Aluminium, oxidiert	+	+	+	+	+	+	+	+	X
Silber, Ag	+	+	-	-	-	-	-	?	-
Gold, Au	+	+	▲	▲	-	-	-	+	-
Nickel, Ni	+	+	▲	▲	▲	▲	▲	?	-
Eisen, Fe	+	▲	▲	+	▲	+	-	?	-
Nichtrostender Stahl	+	+	▲	+	▲	+	-	?	-
Platin , Pt	+	+	▲	▲	-	-	-	+	-
Molybdän, Mo	+	+	▲	?	▲	?	▲	?	?
Tantal, Ta	+	+	?	+	?	?	?	+	-
Wolfram, W	O	O	▲	?	?	▲	+	?	▲

\+ keine Löslichkeit und kein Einfluss auf die Schmelztemperatur zu erwarten
\- Schmelze löst Tiegelwerkstoff auf, größere Änderung der Schmelztemperatur
▲ teilweise Auflösung möglich mit vernachlässigbar kleiner Änderung der Schmelztemperatur
X Tiegel schmilzt
? keine Wechselwirkung bekannt
O hermetisches Verschließen des Tiegels kann schwierig sein

5.6 Auswertung von Messungen

Moderne Geräte verfügen über eine Vielzahl von Auswertemöglichkeiten. Die Messbereiche erstrecken sich über einen großen Temperaturbereich, wodurch während einer Messung eine Vielzahl von Effekten gemessen werden kann. Trotzdem ist eine möglichst unvoreingenommene Herangehensweise an die Auswertung von Messkurven sinnvoll.

Eine wichtige Grundregel ist es, möglichst den ganzen Messbereich von Start- bis Endtemperatur genau zu betrachten. Dazu bedarf es oftmals einer getrennten Auflösung der verschiedenen Temperaturbereiche, da besonders energieintensive Vorgänge (Schmelzen) andere Effekte wie Glasübergänge oder Schmelzen von Verunreinigungen oder Zusatzstoffen überdecken können, Bild 5.11 und Bild 5.12.

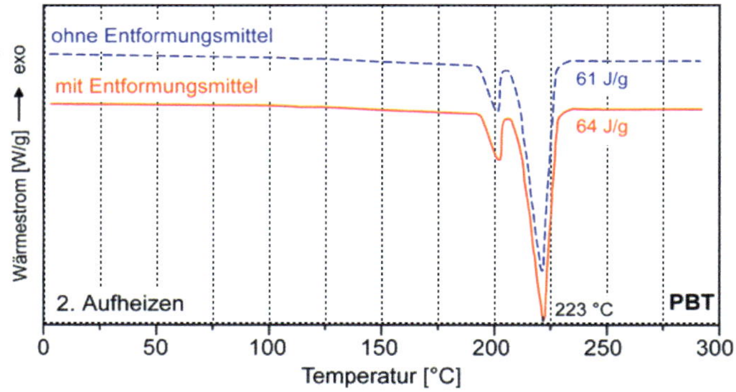

Bild 5.11 DSC - PBT - mit und ohne Entformungsmittel
Einwaage ca. 3 mg, Heizrate 10 °C/min, Spülgas Stickstoff

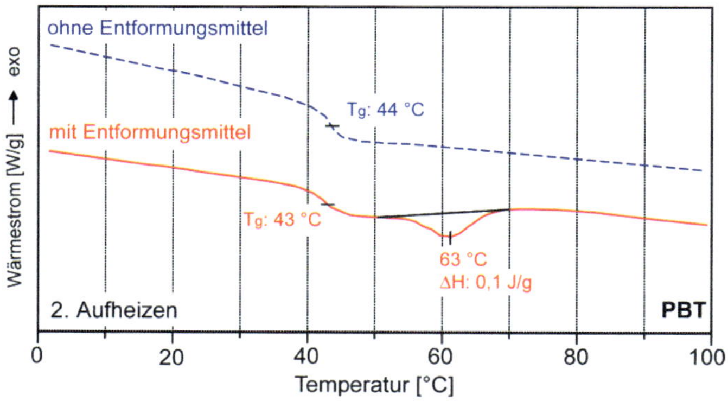

Bild 5.12 DSC - PBT - mit und ohne Entformungsmittel - Vergrößerung des unteren Temperaturbereiches der Kurve aus Bild 5.11
Einwaage ca. 3 mg, Heizrate 10 °C/min, Spülgas Stickstoff

Ein wichtiger Bestandteil von DSC-Messungen sind die Abkühlkurven. Sie sollten immer mit einer definierten Kühlrate gemessen werden. Kristallisationskurven liefern oftmals deutlichere Hinweise auf das Vorhandensein von Fremd- oder Zusatzstoffen bzw. Alterung des Materials als das Aufheizen, Bild 5.13.

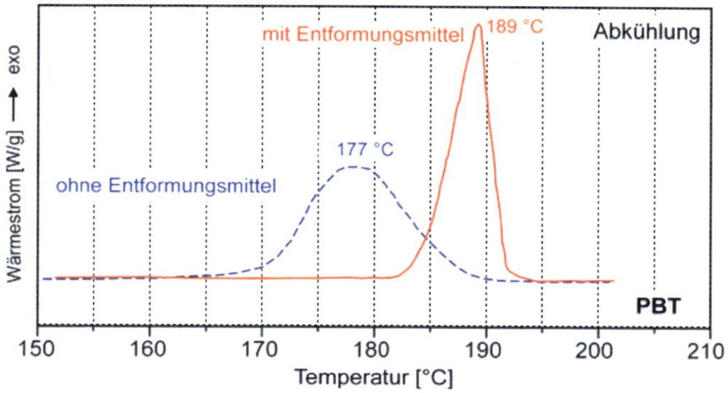

Bild 5.13 DSC – PBT – mit und ohne Entformungsmittel – Abkühlung
Einwaage ca. 3 mg, Heizrate 10 °C/min, Spülgas Stickstoff

Für die Auswertung von Glasübergangsstufen gibt es eine Vielzahl von Vorschlägen und Richtlinien. In der Regel bietet die Bestimmung der Mittenpunktstemperatur (DIN EN ISO 11357-1) [4] zuverlässige und gut reproduzierbare Ergebnisse. Vor allem bei überlagerten Relaxationen zeigt diese Auswertemethode Vorteile gegenüber der ebenfalls sehr verbreiteten Wendepunktmethode, Bild 5.14.

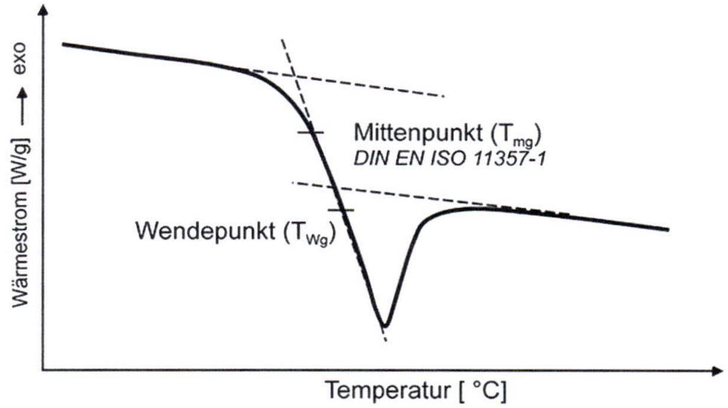

Bild 5.14 DSC – T_g-Auswertung:
T_{mg} = *Mittenpunktstemperatur,*
T_{Wg} = *Wendepunkt*

Alternativ zur Tangentenmethode wird nach DIN 65 583 [5] und DIN 29 971 [5] bei DMA-Messungen faserverstärkter Kunststoffe eine Auswertung nach der sog. 2 %-Methode empfohlen. Nach DIN 65 583 [5] wird zu der Tangente am linearen Kurvenverlauf des Speichermoduls über der Temperatur eine Parallele gezogen, die bei der Temperatur (T_{g0} – 50 °C), bezogen auf den Speichermodul, um 2 % unterhalb dieser Tangente verläuft. Der Schnittpunkt dieser Parallelen mit der Kurve des Speichermoduls wird als Beginn des Glasübergangs $T_{g2\%}$ definiert, Bild 5.15. Dieser Wert ist als thermische Einsatzgrenze, d. h. als Beginn der Erweichung, bei der Bauteilauslegung geeignet.

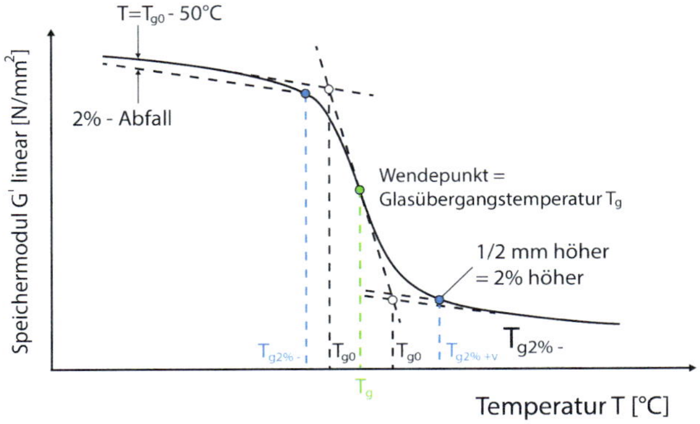

Bild 5.15 DMA – Bestimmung des Glasübergangs (2 %-Methode) durch Auswertung der Speichermodul-Temperaturkurve nach DIN 65 583 (April 1999) [6]

Besonders wichtig und in der Praxis oftmals unterschätzt ist die Art der Auftragung des Speichermoduls von DMA-Kurven. Der Speichermodul wird häufig in logarithmischer Form über der Temperatur aufgetragen. Durch die logarithmische Skalierung wird der Verlauf des Speichermoduls künstlich gestaucht, wodurch zwar die Konstruktion beziehungsweise das Anlegen von Tangenten, speziell bei unstetigen Modulverläufen, deutlich erleichtert wird, gleichzeitig aber signifikant erhöhte T_g-Werte ermittelt werden, Bild 5.16 [1, 3].

Häufig beeinflussen gleichzeitig ablaufende Effekte den Kurvenverlauf von Messungen derart, dass eine Auswertung nur schwer möglich ist. Liegen irreversible und reversible Prozesse nebeneinander vor, können diese mit Hilfe der TMDSC getrennt dargestellt werden.

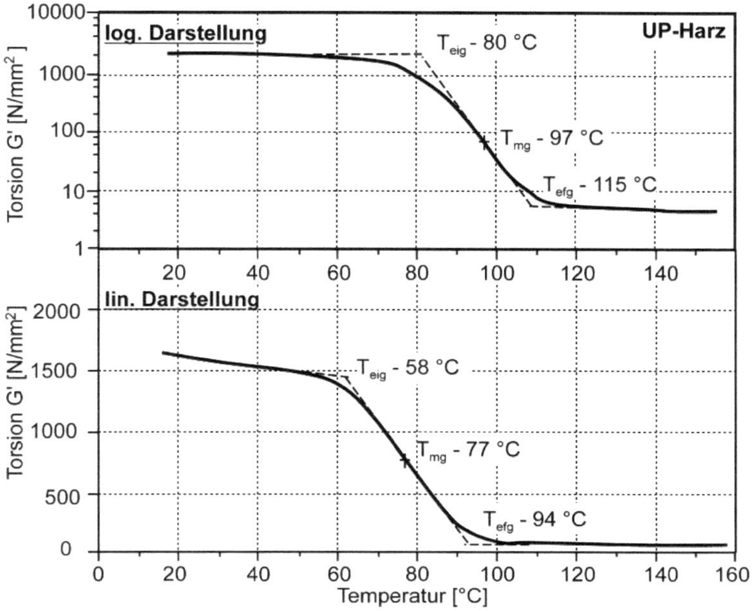

Bild 5.16 DMA – Stufenauswertung der T_g-Glasübergangsstufe einer UP-Harz-Probe
lineare und logarithmische Darstellung, Torsion, Heizrate 3 °C/min, Frequenz 1 Hz

In Bild 5.17 ist die Überlagerung einer Nachhärteraktion eines noch nicht vollständig ausgehärteten EP-Harz-Formteils mit dem Glasübergang dargestellt. Der Gesamtwärmestrom zeigt nur die exotherme Aushärtereaktion. Durch die reversible Wärmestromkurve kann der im gleichen Temperaturbereich liegende Glasübergang mit einer Mittenpunktstemperatur T_{mg} = 72 °C ausgewertet werden. Im irreversiblen Wärmestrom wird die Nachhärtereaktion allein sichtbar.

Der Wärmestrom kennzeichnet die Nachhärtereaktionen.

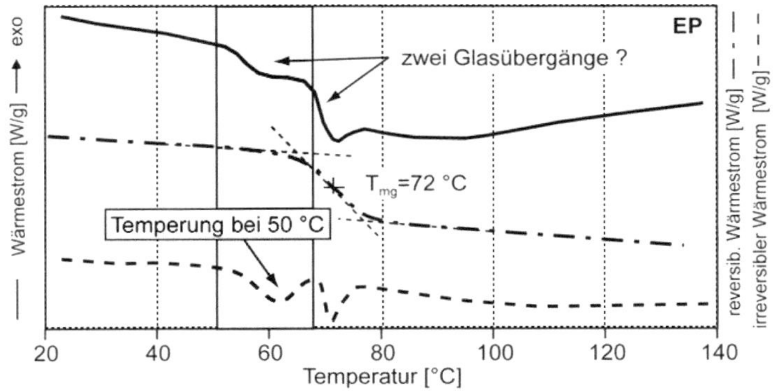

Bild 5.17 Bestimmung der Glasübergangstemperatur T_{mg} von EP-Harz mit der TMDSC
Einwaage ca. 10 mg, Heizrate 3 °C/min, Amplitude +/-0,5 °C, Periode 60 s, Spülgas Stickstoff

Die durchgezogene Kurve kennzeichnet die Summenkurve des Gesamtwärmestromverlaufs, diese entspricht der normalen DSC-Messung. Aufgrund von Entmischungen der Reaktionskomponenten innerhalb der Probe kann es zu Inhomogenitäten im Formteil kommen. Bei der Betrachtung der Gesamtwämestromkurve lag die Vermutung nahe, dass dies durch die Ausbildung von zwei Glasübergangsstufen erkennbar ist. Die Trennung von reversiblem und nicht reversiblem Wärmestrom macht hingegen deutlich, dass nur eine Glasübergangsstufe vorhanden ist, die allerdings durch 2 nicht reversible Effekte (Tempereffekt durch Lagerung bei 50 °C und Relaxation) überlagert ist. Weiteres Beispiel siehe Abschnitt 3.9, Bild 3.18 zeigt analoges Beispiel mit ABS.

5.7 Genauigkeit der Glasübergangstemperatur

In einem Ringversuch der Gefta wurde die Genauigkeit der Glasübergangstemperatur von einem amorphen Standard-Polystyrol 168N an verschiedenen DSC-Geräten gemessen, wobei den einzelnen Teilnehmern freigestellt war, die Messungen nach ihren eigenen Kriterien durchzuführen. Lediglich die Temperaturprogramme wurden mit 2,5 - 20 °C/min vorgegeben, die Temperaturobergrenze mit ca. 147 °C. Die Glasübergangstemperatur wurde als Mittenpunkt [T_{mg}] wie in Bild 5.14 bestimmt. Während die Kühlkurven bekanntermaßen niedrigere Temperaturen ergaben und die Heizkurven höhere, wie auch in Bild 5.18 dargestellt, gab es für die Glasübergangstemperatur insgesamt eine Spannweite von 16 °C.

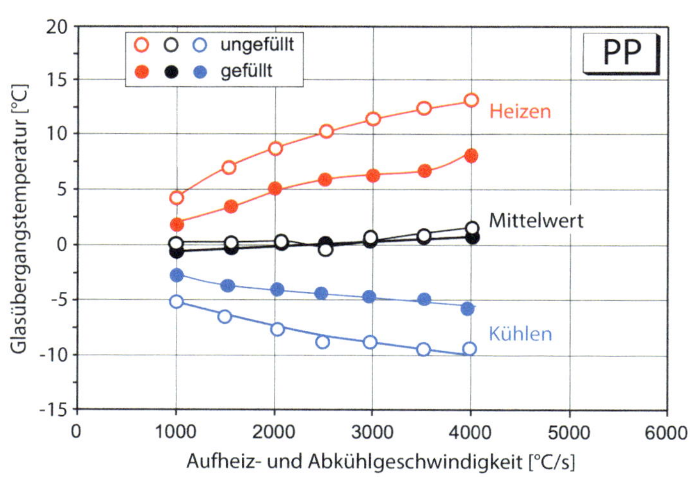

Bild 5.18 Einfluss der Aufheiz- und der Abkühlgeschwindigkeit auf die Glasübergangstemperatur von PP [Schawe]

Wie sich gezeigt hat, sind die Streuungen nicht auf Probleme der Temperaturkalibrierung zurückzuführen sondern auf Probleme der Wärmeleitung in der Probe, den thermischen Kontakt zwischen Kalorimeter und Tiegel sowie zwischen Tiegel und Probe. Besonderen Einfluss hat die schlechte Wärmeleitung der Kunststoff-Probe, da beim Abkühlen und Aufheizen die Probe immer leicht nachhängt, werden beim Abkühlen vom Gerät bereits niedrigere Temperaturen z. B. für die Glasübergangstemperatur angezeigt, beim Aufheizen dagegen höhere. Dieser Effekt kann durch Dünnwandigkeit reduziert werden. Allerdings ist zu berücksichtigen, dass geringe Einwaagen zu einem schlechten Signal-Rausch-Verhältnis führen, aber auch große Effekte durch z. B. sehr kleine Wärmeleitfähigkeiten z. B. bei Schüttungen von Pulver aus der Additiven Fertigung zu beobachten sind.

Der Kontakt Tiegel-Probe und Tiegel-Kalorimeter sind kaum zu beeinflussen, zumindest wenn der Tiegel eben und sauber ist. Beim Heizen eilt die Probenerwärmung nach, beim Abkühlen besteht das Gegenteil. Somit weicht die Probentemperatur immer ein wenig von der angezeigten Temperatur ab, wobei die Abweichung mit zunehmender Temperatur-Änderungsgeschwindigkeit zunimmt. Da die Abweichungen symmetrisch sind, dürfte die Mittenkurve auf Bild 5.19 gerechtfertigt sein. Damit können die o. a. Streuungen von 16 °C auf ca. 2 °C reduziert werden.

Derartige Mittelwertbildungen sind nur zulässig, wenn keine Phasenumwandlungen auftreten, besonders keine unsymmetrischen. Änderungen der Messkurven bei unterschiedlichen Temperatur-Änderungsgeschwindigkeiten dürften nur einen geringen Ein-fluss von +/- 1 °C haben.

■ 5.8 Zusammenfassung

Die Methoden der Thermischen Analyse bieten eine Vielzahl von Möglichkeiten zur Charakterisierung von Kunststoffformteilen. Dabei spielen alle Bereiche gleichermaßen, von der Wahl der Messtechnik über Probenvorbereitung, Parameter, Messbedingungen bis zur Auswertung eine wichtige Rolle für die erfolgreiche Interpretation.

Vor allem die vergleichsweise kleinen Probenmengen sind Gefahr und Chance zugleich. Es liegt eine hohe Verantwortung in der Hand des Analytikers, da die Auswirkungen der genannten Einflüsse durch die reine Betrachtung der Messkurven selten erkennbar sind.

5.9 Normen

DIN EN ISO 11357-1 (2010)

Dynamische Differenz-Thermoanalyse (DSC)

DIN 65 583 (1999)

Faserverstärkte Kunststoffe – Bestimmung des Glasübergangs von Faserverbundwerkstoffen unter dynamischer Belastung

DIN 29 971 (1991)

Unidirektionalgelege-Prepreg aus Kohlenstofffasern und Epoxidharz

Literatur

[1] Ehrenstein, G. W.; Riedel, G.; Trawiel, P.; Praxis der Thermischen Analyse von Kunststoffen, 2. Auflage, Carl Hanser Verlag, München 2003

[2] Künkel, R.; Auswahl und Optimierung von Kunststoffen für tribologisch beanspruchte Systeme, Dissertation 2005, Lehrstuhl für Kunststofftechnik

[3] Schemme, M.; Avondet, M. A.; Ehrenstein, G. W.; Charakterisierung von Faserverbund-Kunststoffen mit Methoden der Dynamisch-Mechanischen Analyse (DMA), Materialprüfung 39 (1997) 3, S. 59 – 66

[4] Schick, C.; Genauigkeit der DSC-Messungen von Glasübergangstemperaturen, LaborPraxis – Mai 1995

[5] Toda, A.; Androsch, R; Schick, C.; Insights into polymer crystallization and melting from fast scanning chip calorimetry, Polymer 91 (2016) S. 239 – 263

[6] Trawiel, P.; Riedel, G.; Fehlerquellen im Umgang mit der Thermischen Analyse von Kunststoffen, Hochschulseminar Praxis der Therm. Analyse von Kunststoffen; LKT, Uni Erlangen, 2017

6 Dynamisch-mechanische Analyse DMA – Thermische Einsatzgrenzen

Zu den unverständlichen Besonderheiten der Kunststofftechnik gehört der Fakt, dass keine Schmelz- oder Fließtemperatur für amorphe Thermoplaste definiert ist, obwohl nahezu alle **amorphen Thermoplaste** über den schmelzflüssigen Zustand verarbeitet werden. D. h. das Material wird im Zylinder bis in den schmelzflüssigen Zustand erwärmt, ins Werkzeug gedrückt und dort in den festen Zustand abgekühlt.

Mit der DMA können für alle Kunststoffarten die **Übergänge** vom energieelastischen in den gummielastischen Bereich gemessen werden. Die Übergänge in den schmelzflüssigen Bereich lassen sich nicht ausreichend genau messen, schon gar nicht unter Berücksichtigung der Prozessparameter Druck, Strömungssituation und Feuchte.

Für die Kunststoff-Schadensanalyse ermöglicht die DMA einige nützliche und aussagekräftige Kennwertermittlungen, Tabelle 6.1.

Tabelle 6.1 Beispiele für praktische Anwendungen von DMA-Messungen bei Kunststoffen mit den jeweils relevanten Kennwerten für die Kunststoff-Schadensanalyse

Anwendung	Kennwert	Beispiel
temperaturabhängige Zustandsbereiche	E'/G'	energie- und entropieelastischer Zustandsbereich, Schmelzbeginn
temperaturabhängige Steifigkeit	E'/G', E''/G'', T_g, $\tan\delta$	elastisches und nicht elastisches Verhalten
thermische Einsatzgrenzen	T_g	Kennzeichnung der Erweichung bzw. Versprödung
frequenz- und temperaturabhängiges Dämpfungsverhalten	$\tan\delta$ (f)	Übergangstemperaturen
Mischbestandteile, die in DSC schwer erkennbar sind	T_g	Zähmodifizierung von ABS durch Butadienkautschuk
Einfluss der Faserverstärkung auf mechanische Größen	E'/G', E''/G'', $\tan\delta$	beginnende thermische Erweichung

Tabelle 6.1 Beispiele für praktische Anwendungen von DMA-Messungen bei Kunststoffen mit den jeweils relevanten Kennwerten für die Kunststoff-Schadensanalyse *(Fortsetzung)*

Anwendung	Kennwert	Beispiel
Recycling, Mehrfachverarbeitung, Alterung	T_{g1}, T_{g2}	Verschiebung der Butadienkautschuk-T_g von ABS zu höheren Temperaturen
Konditionierungszustand	T_g	Rückschluss auf Wassergehalt im PA
Aushärtegrad, Nachhärtung	T_g	T_g steigt, tan δ sinkt, Modul steigt
thermischer Abbau	T_g	T_g sinkt, bei Elastomeren steigt T_g

Kunststoffe unterscheiden sich von den klassischen Konstruktionswerkstoffen durch ihr viskoelastisches Verformungsverhalten. Dabei wird zwischen den drei Verformungsanteilen **elastisch**, **viskos** und **relaxierend** unterschieden. Diese sind jeweils unterschiedlich **zeit**-, **temperatur**- und **spannungsabhängig**. Die elastische Verformung erfolgt dabei spontan reversibel, die viskose zeitabhängig irreversibel und die relaxierende Verformung zeitabhängig reversibel.

In der Dynamisch-mechanischen Analyse (DMA) verlaufen Spannung und Dehnung aufgrund des viskoelastischen Werkstoffverhaltens von Kunststoffen phasen- [zeitlich] verschoben.

Im Bereich der linearen Viskoelastizität können charakteristische Kennwerte wie der **Speicher- oder Verlustmodul** analytisch auf Grundlage der Phasenverschiebung und der Verhältnisse von Spannungs- und Dehnungsamplituden berechnet werden.

Im Bereich der **nicht-linearen Viskoelastizität** hingegen müssen numerische Verfahren angewandt werden, da hier der Winkel nicht mehr konstant ist und die Berechnung von Kennwerten nicht mehr über Winkel-, sondern z. B. über Flächenbetrachtungen erfolgt. Diese Algorithmen kommen in Standard-DMA-Geräten, die nur einen geringen Kraft- und Deformationsbereich erfassen, nicht zum Einsatz.

Vielfach werden zur Dimensionierung von Bauteilen aus Kunststoffen Kennwerte verwendet, die im Bereich der linearen Viskoelastizität, d. h. bei geringen Spannungen und Dehnungen ermittelt werden. Die Übertragbarkeit dieser Kennwerte auf praxisrelevante Belastungen ist jedoch meist nicht zulässig, da im Bereich der nicht-linearen Viskoelastizität deutlich abweichende Kennwertverläufe auftreten können.

Ein Beispiel dafür ist der nach DIN EN ISO 527 im Zugversuch bei einer Dehnung von 0,05 bis 0,25 % bestimmte E-Modul, der zwar eine Vergleichbarkeit von Werkstoffen ermöglicht, aber stets zu hohe Werte bei realen Bauteilbeanspruchungen ergibt. Er lässt daher nur begrenzt richtige Aussagen über das Verformungsverhalten bei höheren bzw. langzeitigen Belastungen zu.

Ebenfalls unzureichend ist die weit verbreitete Methode, den Beginn des Abfalls des Schubmoduls, der bei sehr geringen Belastungen mit Hilfe der dynamisch-mechanischen Analyse (DMA) ermittelt wird, als thermische Einsatzgrenze heranzuziehen.

Die mit der DMA bestimmten Werte für Elastizitätsmoduln sind immer deutlich höher als die in der Realität des Bauteils anzunehmenden.

6.1 Grundlagen

Mit der Dynamisch-mechanischen Analyse (DMA) werden keine mechanischen Dimensionierungskennwerte, sondern Informationen über deren Eigenschaftsänderungen vor allem in Abhängigkeit von der Temperatur, und somit thermisch bestimmte Einsatzbereiche ermittelt.

Die Dynamisch-mechanische Analyse (DMA) liefert darüber hinaus Informationen über den Verlauf mechanischer Eigenschaften unter geringer, meist sinusförmiger dynamischer Belastung als Funktion der Temperatur, Zeit und/oder der Frequenz.

Nach DIN EN ISO 6721 werden abhängig von der Verformungsart die Speichermoduln wie folgt bezeichnet:

- Zugspeichermodul - E'_t
- Biegespeichermodul - E'_f
- Schubspeichermodul - G'_s
- Torsionsspeichermodul - G'_{to}
- Kompressions-Speichermodul - K'
- Einachsiger Dehnspeichermodul - L'_c
- Longitudinalwellenspeichermodul - L'_w

Ein eindeutiger Belastungszustand über den gesamten Probenquerschnitt ist besonders bei Biegung und bei Schub nur schwer zu erreichen. Bei Biegung sind die Probleme der Randfaserdehnung und der variablen Spannungshöhe, bei Torsion von Flachstäben die Dehnung der Außenbereiche und Stauchung der Innenbereiche der Proben zu beachten, was besonders bei Faserverstärkung kritisch sein kann, und im Band „Strukturverhalten" diskutiert wird.

Eine aufgebrachte mechanische Beanspruchung, d. h. Spannung oder Deformation, hat ein entsprechendes Antwortsignal, Deformation bzw. Spannung, zur Folge, das hinsichtlich Amplitude und Phasenverschiebung ausgewertet wird. Im linear-viskoelastischen Bereich hat die Spannungsantwort dieselbe Frequenz ($\omega = 2\pi f$) wie die Deformationsanregung. Die Messgrößen bei dynamischen Versuchen sind die Amplitude der Verformung und der Spannung sowie die Zeitverschiebung δ/ω zwischen Verformung und Spannung, mit Hilfe derer die Kenngrößen ermittelt werden können, Bild 6.1.

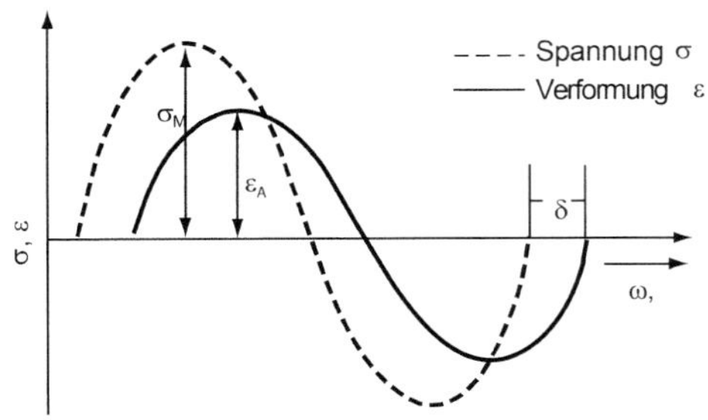

$$|E^*| = \frac{\sigma_A}{\varepsilon_A}$$

$$|E^*| = \sqrt{[E'(\omega)]^2 + [E''(\omega)]^2}$$

$$E'(\omega) = |E^*| \cdot \cos\delta$$

$$E''(\omega) = |E^*| \cdot \sin\delta$$

$$\tan\delta = \frac{E''(\omega)}{E'(\omega)}$$

Bild 6.1 Sinusförmige Schwingung und Antwortsignal eines linear-viskoelastischen Materials (links), Berechnungsformeln für den komplexen E*-Modul

Der **komplexe Modul** $\boldsymbol{E^*}$ wird als Quotient zwischen Spannungs- und Verformungsamplitude bestimmt und kennzeichnet die Materialsteifigkeit der Probe. Der komplexe Modul wird in den Speichermodul E' (Realteil) und den Verlustmodul E'' (Imaginärteil) aufgeteilt, dabei handelt es sich um dynamisch-elastische Kenngrößen, die als werkstoffspezifische Funktionen neben den Messbedingungen und der Vorgeschichte vor allem von der Frequenz abhängen.

Der **Speichermodul** $\boldsymbol{E'}$ stellt nach DIN EN ISO 6721-1 die Steifigkeit eines viskoelastischen Werkstoffs dar und ist proportional zur maximal während einer Belastungsperiode elastisch gespeicherten Arbeit. Er entspricht in etwa dem E-Modul bei einmaliger zügiger Beanspruchung, niedriger Belastung und reversibler Verformung und damit weitgehend den in den Tabellen nach DIN EN ISO 527 angegebenen Werten.

Der **Verlustmodul** $\boldsymbol{E''}$ ist proportional zur Arbeit, die während einer Belastungsperiode im Material dissipiert wird. Er kennzeichnet die z. B. in Wärme umgewandelte Energie und ist ein Maß für die bei einer Schwingung nicht wiedergewinnbare, umgewandelte Schwingungsenergie. Die Modulwerte werden mit der Einheit [MPa] angegeben, häufig wird [N/mm^2] verwendet.

Der **Phasenwinkel** $\boldsymbol{\delta\delta}$ kennzeichnet nach 0 die Phasenverschiebung zwischen der dynamischen Spannung und der dynamischen Verformung eines viskoelastischen Materials, das einer sinusförmigen Schwingung ausgesetzt ist. Der Phasenwinkel wird ausgedrückt in [rad].

Der **Verlustfaktor tan** $\boldsymbol{\delta}$ kennzeichnet das Verhältnis zwischen Verlust- und Speichermodul. Er wird üblicherweise als ein Maß für die Energieverluste bei einer Schwingung, bezogen auf die wiedergewinnbare Energie, benutzt. Er kennzeichnet die mechanische Dämpfung oder innere Reibung eines viskoelastischen Systems. Der Verlustfaktor tan δ ist dimensionslos [-]. Ein hoher tan δ-Wert kennzeichnet ein Material mit hohem nichtelastischen Verformungsanteil; ein niedriger Wert ein mehr elastisches Material.

DMA-Kurven zeigen je nach Belastungsart den Verlauf vom komplexen Modul E^* oder G^*, Speichermodul E' oder G', Verlustmodul E'' oder G'' und Verlustfaktor $\tan \delta$.

Bild 6.2 zeigt schematisch DMA-Kurvenverläufe von amorphen Thermoplasten. Der Zustand bei tiefen Temperaturen wird als Glaszustand oder energieelastischer Zustandsbereich bezeichnet, der Zustand bei hohen Temperaturen als gummi- oder entropieelastischer Zustandsbereich. Der Übergang vom Glaszustand in den gummielastischen Zustand wird als Glasübergang bezeichnet. Wenn die Molekülbewegungen durch Erweichen den schwingenden Belastungen gerade folgen können, wird pro Schwingungsbewegung das mögliche Maximum an innerer Reibung und nichtelastischer Verformung umgesetzt, der Verlustmodul als Maß für diese dissipierte Energie erreicht damit ebenfalls ein Maximum. Der Speichermodul fällt im Glasübergang bei der Erwärmung auf ein Tausendstel bis Zehntausendstel seines ursprünglichen Wertes. Da der Verlustfaktor durch Division des Verlustmoduls durch den Speichermodul bestimmt wird, unterdrückt der Abfall des Speichermoduls zunächst den Anstieg des Verlustfaktors, so dass er sein Maximum erst bei höheren Temperaturen als der Verlustmodul erreicht.

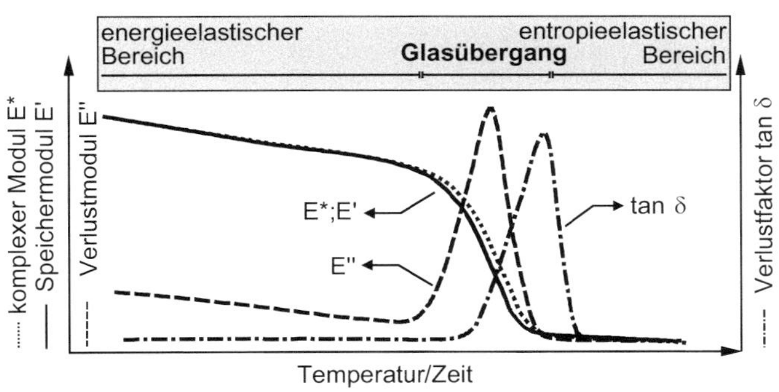

Bild 6.2 Schematische Darstellung typischer DMA-Kurven eines amorphen Kunststoffs

Bei DMA-Messungen sind die einwirkenden Beanspruchungen schon alleine gerätebedingt gering, so dass sich die Werkstoffe weitgehend rein elastisch oder zumindest linear-viskoelastisch verhalten. Bei der Übertragung der Ergebnisse einer DMA-Messung auf reale Bauteile sollte man immer berücksichtigen, dass mit zunehmender Belastungshöhe und -dauer Ereignisse wie der Glasübergang wenige °C früher eintreten, als die DMA-Messung anzeigt.

Es ist zu beachten, dass die üblichen DMA-Messgeräte nicht den schmelzflüssigen Bereich erfassen und somit auch nicht den Übergang vom gummielastischen in den schmelzflüssigen Bereich (Fließ-[amorphe] und Schmelztemperatur[teilkristal line]).

6.2 Einsatzgebiete der DMA

6.2.1 Einsatz in der Kunststoff-Schadensanalyse

Die DMA wird in der Kunststoff-Schadensanalyse aufgrund der notwendigen Probengeometrien und des aufwendigen Verfahrens eher selten eingesetzt. Dennoch gibt es Fälle, in denen die DMA im Rahmen einer Schadensanalyse wertvolle Informationen liefert, wie etwa bei:

- temperaturabhängigem Verhalten (Steifigkeit, Zustandsbereiche, Einsatzgrenzen),
- frequenz-[belastungsgeschwindigkeits-]abhängigem Verhalten (v. a. bei elastomeren Werkstoffen, siehe Band „Werkstoffe" in der Reihe Erlanger Schadensanalyse),
- Anteil von Mischungsbestandteilen, die in anderen Verfahren schwer bewertbar sind (z. B. Butadien in ABS),
- Bewerten der Glasübergangstemperatur zum Erkennen von Materialien und Bewertung von Veränderungen.

6.2.2 Praktische Einsatzgebiete

Die Möglichkeit, Informationen über das viskoelastische Verhalten von Materialien zu erhalten, macht die DMA zu einem wichtigen Werkzeug bei folgenden Anwendungen:

- dynamisch-mechanisches Verhalten in Abhängigkeit von der Temperatur
- elastische/nichtelastische Anteile
- Dämpfungsverhalten
- Einsatztemperaturen
- Erweichungstemperaturen
- Frequenzabhängigkeit
- Zeit-Temperatur-Verschiebung
- Faserverstärkung
- α β γ-Übergänge

Die Kenntnis über das dynamisch-mechanische Verhalten in Abhängigkeit von der **Temperatur** und der **Frequenz** liefert Informationen über Speicher- und Verlustmodul, was den elastischen und nichtelastischen Werkstoffanteilen entspricht. Das Verhältnis von Verlustmodul zu Speichermodul wird **als mechanischer Verlustfaktor tan δ** oder auch als mechanische Dämpfung bezeichnet. Ein hoher Verlustfaktor kennzeichnet ein Material mit vorwiegend nichtelastischem Verhalten; ein niedriger Verlustfaktor ein eher elastisches, federndes Material. Aus dem Modulverlauf können wichtige Informationen über **Einsatztemperaturen** gezogen werden.

Da der Verlauf des Speichermoduls jede Änderung, z. B. durch den Feuchtigkeitseinfluss bei Polyamiden, beinhaltet, ist es möglich, **Einsatztemperaturen** für bestimmte Konditionierungszustände anzugeben. Glasübergänge werden somit sehr sensibel messbar, wobei die Glasübergangstemperatur zur Bauteilauslegung oder als Dimensionierungsgröße völlig ungeeignet ist, da sie die Temperatur größter Eigenschaftsänderung kennzeichnet. Sie liefern einen signifikanten Abfall der Speichermodulkurve und ein Maximum des Verlustmoduls bzw. Verlustfaktors. Mit anderen Methoden schwer bestimmbare Glasübergangstemperaturen, wie z. B. die von Elastomeren oder Duroplasten, sind in der DMA deutlich erkennbar.

Bei unter Festfrequenz messenden Systemen ist es möglich, Messungen unter verschiedenen **Frequenzen** innerhalb eines Messlaufs durchzuführen. Die Frequenzabhängigkeit im Bereich des Glasüberganges liefert wichtige Aussagen für den praktischen Einsatz. T_g-Werte können in Abhängigkeit von der Frequenz um bis zu 20 °C schwanken. Aussagen über den messbaren Frequenzbereich hinaus sind mit der **Zeit-Temperatur-Verschiebung** realisierbar. Hierbei wird die Frequenzabhängigkeit bei bestimmten isothermen Temperaturen gemessen. Diese Kurven werden längs der Frequenzachse verschoben; mittels WLF-Gleichung wird eine sog. Masterkurve erzeugt. Anhand der Masterkurve ist es möglich, auf den Modul bei einer bestimmten Temperatur (die innerhalb der gemessenen Isothermen liegt) und einer Frequenz, die weit außerhalb des messbaren Bereiches liegt, zu schließen.

Der Einfluss von **Faserverstärkungen** z. B. längs und quer zur Verstärkungsrichtung kann mit der DMA sehr gut erfasst werden.

Ebenso können **α β γ-Übergänge** durch die DMA detektiert werden. Sie liefern Informationen über die Bewegung von Seitengruppen auf molekularer Ebene und können mit keinem anderen thermoanalytischem Verfahren bestimmt werden.

6.3 Messmethoden

Bei einer DMA-Messung kann eine sinusförmige Deformation vorgegeben und die resultierende Spannung gemessen werden; man spricht dann von weg- oder deformationsgesteuerten Versuchen. Gibt man jedoch eine sinusförmige Spannung als dynamische Kraft vor und misst die resultierende Verformung, handelt es sich um kraftgesteuerte Versuche. Die dynamische Belastung kann grundsätzlich in freier oder erzwungener Schwingung realisiert werden. Aus konstruktiven Gründen sind zwei Gerätebauweisen zu unterscheiden:

- Geräte für Torsionsbelastung,
- Geräte für Biege-, Zug-, Druck- oder Scherbelastung.

Die Funktionsweise von DMA-Messgeräten besteht entweder in freier oder erzwungener Schwingung. Geräte mit freischwingender Versuchsanordnung sind sehr empfindlich und daher gut zur Untersuchung schwach ausgeprägter Effekte geeignet. Der Nachteil liegt in der sinkenden Frequenz bei Modulerniedrigung infolge erhöhter Temperaturen. Frequenzabhängige Messungen sind schwer durchführbar, nur mit unterschiedlichen Probengeometrien und somit erheblichem Mehraufwand zu realisieren.

Geräte mit festeinstellbarer Frequenz arbeiten mit vorgegebener Amplitude (Spannungs- oder Verformungsamplitude). Dabei können eine oder mehrere Messfrequenzen während eines Messdurchlaufs gewählt werden. Bild 6.4 zeigt die üblicherweise verwendeten Messgeometrien. Dimensionsstabile rechteckige oder zylindrische Proben werden zwischen zwei Einspannklemmen fixiert; es können Proben im Bereich von sehr hohen (Faserverbundkunststoffe) bis zu geringen Modulwerten (Elastomere) gemessen werden.

Im nächsten Bild 6.3 ist der Aufbau eines Torsionsschwinggerätes dargestellt.

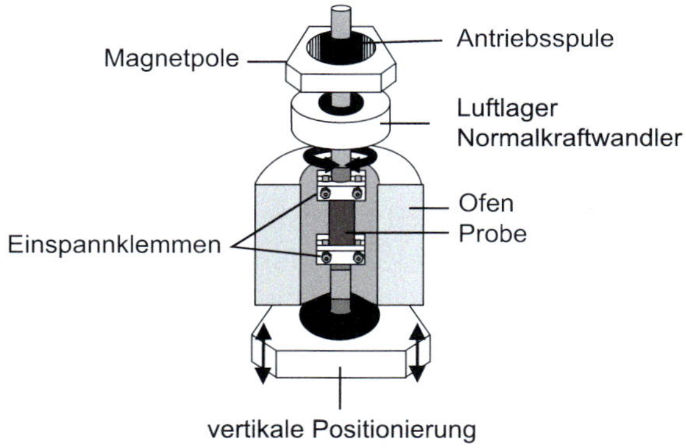

Bild 6.3 Schematische Darstellung eines Torsionsschwinggerätes mit fest einstellbarer Frequenz

Eindeutige und einsinnige Spannungszustände sind häufig nicht zu erreichen und damit reale Dimensionierungskennwerte, definierte mehrachsige Beanspruchung praktisch gar nicht.

Da die DMA sensibel auf Unterschiede im Steifigkeitsverhalten eines Materials reagiert, wird sie neben der direkten Bestimmung von Modul- und Dämpfungswerten auch zur Bestimmung von **Glasübergangstemperaturen** eingesetzt. Mit der DMA können Glasübergänge besonders empfindlich gemessen werden, da die Moduländerung deutlicher ausgeprägter ist als vergleichsweise die c_p-Änderung in der DSC-Messung.

Die beidseitig fest eingespannte Probe wird elektromagnetisch mit definierter Auslenkung und Frequenz in sinusförmige Schwingung versetzt. Durch die Dämpfungseigenschaften des Materials bzw. der Probe bleibt das Drehmoment um den Phasenwinkel δ hinter der Verformung zurück. Mit gemessenen Werten für das Drehmoment, den Phasenwinkel und die Geometriekonstanten der Probe lassen sich aus den aufgeführten Beziehungen der komplexe Modul G^*, der Speichermodul G' und der Verlustmodul G'' sowie der Verlustfaktor tan δ berechnen.

Dimensionsstabile rechteckige oder zylindrische Proben werden zwischen zwei Einspannklemmen fixiert; es können Proben mit sehr hohen (Faserverbundkunststoffe) bis zu geringen Modulwerten (Elastomere) gemessen werden. Mit entsprechenden planparallelen Platten, die an den Antriebswellen fixiert werden können, ist auch die Messung weicher, gelartiger Substanzen oder zäher Flüssigkeiten möglich.

Die meisten Geräte weisen eine **vertikale Belastung** auf und erlauben Messungen unter Biege-, Zug-, Druck- oder Scherbelastung. Dabei werden die verschiedenen Belastungen meist an einem Gerät durch den Austausch der Einspannvorrichtungen realisiert, Bild 6.4.

Unterschiedliche Deformationsarten können Ergebnisse hervorrufen, die nicht direkt vergleichbar sind. Zum Beispiel ergeben Zugschwingungen Spannungen, die über die gesamte Dicke des Probekörpers gleichförmig sind, während Biege-Messungen bevorzugt durch die Eigenschaften von Oberflächen-Gebieten beeinflusst sind. Eigenschaftswerte aus Biegeprüfungen sind mit solchen aus Zugprüfungen nur vergleichbar in Spannungsbereichen, in denen die Spannungs-Dehnungs-Beziehung linear ist, und für Probekörper mit homogener Struktur.

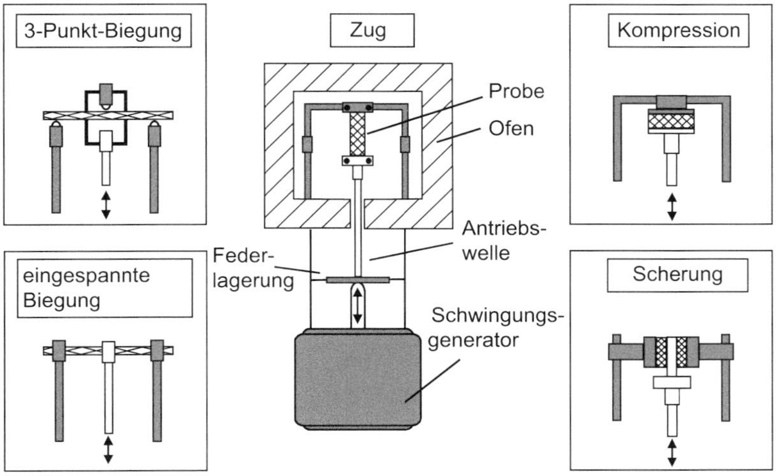

Bild 6.4 Schematischer Aufbau eines DMA-Gerätes unter vertikaler Belastung mit möglichen Versuchsanordnungen

6.4 Messablauf

Im Folgenden wird der grundsätzliche Messablauf einer DMA-Messung beschrieben. Dabei kommt besonders der Auswahl der Messparameter große Bedeutung zu.

- Belastungsmodus
- Probenpräparation
- Einspannungs-/Anzugsmoment
- Messparameter
  - Frequenz
  - Deformation/Kräfte
  - Starttemperatur
  - Heizrate
  - Endtemperatur

6.4.1 Probenbelastung

Die dynamisch-mechanische Analyse ist eine Prüfmethode, die die mechanischen Eigenschaften in Abhängigkeit von der Temperatur kennzeichnet, wobei die aufgebrachte Belastung selten einen eindeutigen Belastungszustand kennzeichnet.

Unter einer sich durchaus systematisch zeitlich ändernden, meist sinusförmigen Belastung oder Verformung wird die Phasenverschiebung zwischen dem Kraft- und Verformungssignal registriert.

Da die Beziehungen zwischen Spannung und Dehnung und daraus abgeleitet die E-Moduln je nach Höhe der Belastung, sprich der Belastbarkeit, kein linearelastisches Verhalten aufweisen, wird bei der DMA ein viskoelastisches Verhalten geprüft.

Die Art der Belastung ist oft nicht eindeutig. Während sie bei reiner **Zugbelastung** eine eindimensionale Beanspruchung kennzeichnet, ist eine eindeutige **Druckbeanspruchung** schon kaum realisierbar wegen der Ausbeul-/Ausknick-Gefahr und der Notwendigkeit absolut paralleler Auflager. Beliebt ist die **Torsionsbeanspruchung** besonders von flachen Stäben, die aber neben der Torsion eine wechselnde Zug-/Druck-Beanspruchung in den äußeren Phasen bewirkt. Eine wechselnde **Biegebeanspruchung** in 3- oder 4-Punktbelastung bewirkt zusätzlich lokale Auflagerbelastungen und nur bei homogenen Werkstoffen zu vernachlässigende Schubspannungen in der neutralen Phase.

Die Belastungen sind also häufig nicht klar, müssen zur vergleichenden Bewertung der Ergebnisse gleichartig bleiben.

Die Belastungen sind meistens erzwungene oder freie Schwingungen. Die DMA-Messungen werden daher nicht zur direkten Bestimmung des dynamischen Verhaltens von Kunststoffen verwendet, sondern zur Kennzeichnung von Eigenschaftsänderungen, vor allem unter Einfluss der Temperatur, der Belastungsgeschwindigkeit und im gewissen Maße auch der Belastungshöhe.

Die Belastungsart hängt vom zu messenden Material ab. Grundsätzlich ermöglicht die Torsionsmessung die Bestimmung des Torsionsmoduls, der dem Schubmodul tendenziell entspricht, aber nicht auf reiner Schubbeanspruchung basiert. Die anderen Belastungsmethoden erlauben die direktere Messung des Elastizitätsmoduls, der mit Kenntnis der nur ungefähr bekannten Querkontraktionszahl den Schubmodul abschätzen lässt.

6.4.2 Probenform

Je nach Wahl der Belastung müssen die Proben präpariert werden. Für die **Torsionsmessung** ist eine gewisse Torsionssteifigkeit notwendig, die Probe darf nicht zu dünn sein; es eignen sich auch relativ robuste Proben, mit einer Dicke von bis zu 8 mm und einer Breite bis zu 12 mm. Die **Zugvorrichtung** erfordert je nach Gerätetyp u. U. kleinere Proben, die je nach Modulwert eine maximale Querschnittsfläche von ca. 8 mm^2 nicht überschreiten sollten. Unter Zugbelastung können mit entsprechender Geräteausstattung sehr dünne Proben wie Folien oder Mikrotomschnitte gemessen werden. Einspannvorrichtungen im **Biegemodus** (zweiarmig-, einarmig-eingespannte Biegung, 3- oder 4-Punkt-Biegung) erlauben größere Abmessungen und eignen sich zur Messung von Proben mit mittlerem bis hohem Modul. Sehr weiche Proben oder zähe Flüssigkeiten können am besten in **Scherung** gemessen werden. **Kompressionsmessungen** eignen sich für Proben mit niedrigem Modulwert.

Bei der Präparation ist darauf zu achten, dass die Proben parallele Flächen aufweisen, die mit einer Mikrometerschraube exakt messbar sind. Es muss sichergestellt werden, dass die Probe fest in der Einspannung fixiert ist. Dies geschieht durch Anziehen der Einspannklemmen mit einem definierten Drehmoment. Hier muss darauf geachtet werden, dass die Probe nicht zu stark deformiert wird. Bei tiefen Starttemperaturen ist es notwendig, die Klemmen nochmals nachzuziehen.

6.4.3 Messparameter

Die DMA ermöglicht neben den bereits bekannten Messparametern Start-, Endtemperatur und Heizrate die Auswahl noch weiterer wichtiger Größen. Zunächst muss die Messfrequenz eingestellt werden. Diese sollte sich nach dem Anwendungsfall richten, sonst wählt man eine Standardmessfrequenz von 1 Hz und/oder 10 Hz. Häufig wird mit mehreren Frequenzen gearbeitet; hierbei sollte jedoch auf eine besonders langsame Heizrate geachtet werden.

Die Wahl der Deformationsamplitude entspricht der vom Messsystem aufgebrachten Kraft. Da diese meist mit 8 N begrenzt ist, wählt man die Amplitude bei steifen Proben kleiner, bei weichen, elastischen Proben größer. Die Amplituden sollten im linearen Bereich der Materialien liegen, sie sollen also nicht zu einer plastischen Verformung führen. Um eine sinnvolle Auswertung zu gewährleisten, orientieren sich Start- und Endtemperatur nach dem zu erwartenden Effekt. Aufgrund der relativ großen Probenabmessungen darf die Heizrate 5 °C/min nicht überschreiten. Günstigere Heizraten bewegen sich zwischen 1 und 3 °C/min.

6.4.4 Praktische Vorgehensweise

Belastungsart: Torsions-, Biege-, Zug-, Druck- oder Scherbelastung; abhängig vom Messziel, der Probengeometrie und -konsistenz.

Belastungshöhe / Deformation: Die Belastungen liegen bei allen Messverfahren weit unter praktisch auftretenden Belastungen von Bauteilen, so dass die viskoelastischen und viskosen Verformungsanteile im Messergebnis deutlich geringer sind. Bei der Messung kann die Deformation als Auslenkung (µm, °, %) oder Kraft bzw. Drehmoment vorgegeben werden. Es muss sichergestellt sein, dass die vorgegebene Deformation im linear-viskoelastischen Bereich liegt.

Die Deformation bei der Messung muss innerhalb des linear-viskoelastischen Bereiches liegen.

Versuchsanordnung / Probengeometrie:

- Torsion: längliche Proben mit rechteckigem oder rundem (zylindrischem) Querschnitt mit hohem Modul;
- Platte/Platte-Anordnung: weiche, eher pastöse Proben;
- 3- bzw. 4-Punkt-Biegung: Proben mit hohem Modul (Faserverstärkung);
- zweiseitig eingespannte Biegung: Proben mit niedrigem bis mittlerem Modul;
- einseitig eingespannte Biegung: Proben mit mittlerem Modul und hoher thermischer Ausdehnung;
- Zug: Folien, Mikrotomschnitte, Fasern, Stäbchenproben mit geringer Querschnittsfläche;
- Druck: Proben mit geringem Modul;
- Scherung: weiche Proben.

Probenvorbereitung: Gespritzte, gefräste, gestanzte oder gesägte planparallele oder runde Proben ohne Grat, Einkerbungen oder Fehlstellen. Bei der Probenentnahme auf Verstärkungsfaserrichtung, Verarbeitungsrichtung oder Konditionierungszustand achten. Thermische Probenbeeinflussung vermeiden.

Einspannung, Fixierung oder Klemmen: Die Einspannung ist durch die Versuchsanordnung vorgegeben. Je nach Probe können unterschiedliche Klemmen eingesetzt werden. Besonders wichtig ist eine gleichmäßige und feste Fixierung der Probe ohne Einschnürung oder Deformation derselben. Es darf keine Reibung zwischen Probe und Klemme auftreten.

Spülgas: Zur Vermeidung von Oxidationsprozessen kann inertes Spülgas verwendet werden.

Messprogramm: im Messprogramm werden neben Start-, Endtemperatur und Heizrate auch Messfrequenz und Deformation vorgegeben. Die Starttemperatur sollte mind. 30 °C bis 50 °C unterhalb des erwarteten Effekts liegen; sie muss so lange konstant gehalten werden, bis eine gleichmäßige und vollständige Temperierung der Probe erreicht ist. Wegen des relativ großen Probenquerschnitts 1 bis max. 5 °C/min (Erwärmung ≈ Wanddicke). Die maximale Endtemperatur wird durch Schmelzen der Thermoplaste, bzw. Zersetzungsbeginn duroplastischer Werkstoffe bestimmt.

Günstige Heizrate < 3 °C/min

Frequenz: Bei nichtresonanten Schwingungen sind die Frequenzen stufenweise meist zwischen 0,001 bis 200 Hz einstellbar, wobei die maximale Frequenz unterhalb der Resonanzfrequenz des Probe/Mess-Systems liegt. Es können Einzel- (Standard: 1 Hz) oder Mehrfrequenzmessungen durchgeführt werden.

Standardmessfrequenz: 1 Hz

Auswertung: Auswertung des Modulverlaufs (komplexer Modul, Speicher-, Verlustmodul) und des mechanischen Verlustfaktors, T_g-Auswertung. Lineare und logarithmische Auftragungen beeinflussen das Auswerteergebnis.

Interpretation: Aussagen zum temperaturabhängigen Steifigkeitsverhalten, Glasübergangsbereich, viskoelastischen Verhalten. Probenspezifische Parameter, Messparameter sowie Auswerteroutinen müssen beachtet werden.

Anmerkung: **elastisch** = Belastung und Verformung sind direkt proportional. Es gibt keine irreversiblen Schädigungen oder Materialänderungen; Kennzeichen: linearer Verlauf des Spannungs-Dehnungs-Diagramms.

(v = const.)

linear-viskoelastisch = Belastung und Verformung folgen verzögert auf-einander. Nicht elastische Verformungsanteile sind proportional zur Spannung, Temperatur und Zeit; Kennzeichen: linearer Verlauf des isochronen Spannungs-Dehnungs-Diagramms.

(t=const.)

nicht-linear-viskoelastische = nicht elastische Verformungsanteile hängen überproportional von der Spannung und der Temperatur ab; Kennzeichen: keine Linearität zwischen Spannung und Dehnung.

6.5 Auswertung

Die Aussagen einer Dynamisch-mechanischen Analyse liegen zum einen im Verlauf des Moduls und der mechanischen Dämpfung, zum anderen bei der Temperaturauswertung von Übergängen. Da es bei der Bestimmung von Glasübergangstemperaturen mittels DMA keine eindeutigen Normen gibt, bleiben dem Anwender verschiedene Möglichkeiten, die anhand eines Beispiels beschrieben werden.

6.5.1 Kalibrierung

Systembedingte Faktoren, wie Steifigkeit, mechanische Verluste und Massenträgheit des Messsystems müssen aus der Messung herausgefiltert werden. Es erfolgt eine tägliche Kalibrierung dieser Werte. Statische Kräfte werden ca. jedes halbe Jahr mittels definierter Gewichte kalibriert bzw. korrigiert. Zur Überprüfung exakter Modulwerte empfiehlt sich eine regelmäßige Messung bekannter Werkstoffe, wie z.B. Stahl oder eigener Standards. Eine Temperaturkalibrierung ist meistens nicht ganz einfach. Kompressionsmessungen an reinen Metallen (Indium) sind zwar auch hier praktikabel, liefern jedoch keine relevanten Werte, da die Proben bei der DMA deutlich größer und somit deutlich träger sind. Ein Temperaturgradient in der Probe ist vor allem bei massiven Proben nur durch eine extrem geringe Heizrate zu minimieren.

6.5.2 Auswertung – Glasübergangstemperatur

Bei der Auswertung und Angabe von Glasübergangstemperaturen herrscht in der Praxis Unsicherheit aufgrund unterschiedlicher Normenvorschläge und Geräteherstellerangaben. Prinzipiell kann die im Glasübergang auftretende Modulstufe analog zu DSC-Kurven ausgewertet werden, gestaltet sich jedoch komplexer. Diese und weitere Auswertemethoden werden im Folgenden beschrieben.

Glasübergangstemperaturen sind oft etwas kritische Größen, die für die Auslegung von Bauteilen ungeeignet sind.

Eine Problematik bei der Bestimmung der Glasübergangstemperatur ergibt sich dadurch, dass nahe der Glasübergangstemperatur die Änderungen der Eigenschaften der betrachteten Kunststoffe besonders groß sind und sich kleine Verschiebungen zu deutlichen Abweichungen der aus den Kurven entnommenen Werte ergeben.

Die Glasübergangstemperatur kann definiert werden:

- als Übergang vom energie- in den gummielastischen Bereich, gekennzeichnet durch einen starken Abfall des E-Moduls, z. B. *G'* als Maß für die Steifigkeit (elastischer Anteil der Verformung};
- die Temperatur, bei der der Verlustmodul *G''* ein Maximum aufweist; Verlust an mechanischer Energie = z. B. Umwandlung in Wärme;
- die Temperatur, bei der die Dämpfung, gekennzeichnet durch tan δ, ein Maximum aufweist.

Umfangreiche Untersuchungen von Rieger zeigen, dass die Glasübergangstemperaturen gemessen in der Standard-DSC mit 20 °C/min Heizrate und 15 mg Probenmasse und der in der Torsions-DMA bei 1 Hz mit einer Heizrate von 1 °C/min über den Verlustmodul *G''* gemessene Glasübergang im Mittel übereinstimmen. Auch wenn in Einzelfällen Abweichungen bis zu 10 °C möglich sind, Bild 6.5. Abweichungen wurden vor allem dann festgestellt, wenn es sich um ein Einkomponenten-Material handelt.

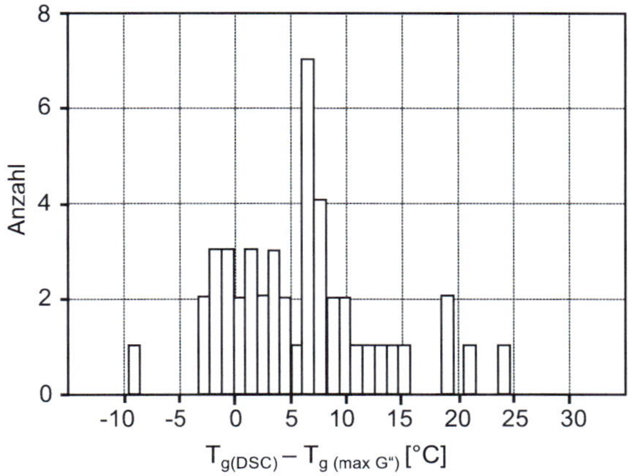

Bild 6.5 Unterschiede bei der Messung von Glasübergangstemperaturen mittels der DSC bei 20 °C/min und dem Torsionsschwingversuch bei 1 Hz und 1 °C/min, 83 verschiedene Kunststoffproben (Rieger)

Bei Kunststoffen mit z. B. eingearbeiteten zusätzlichen, meist duktilen Komponenten unterscheiden sich die Temperatur-Lage der Maxima von *G''* und tan δ kaum. Bei Einkomponenten-Material oder einer Dominanz des Materials mit der höchsten Übergangstemperatur unterscheiden sich die Temperatur-Lagen durchaus erheblich.

Die öfter genannte Auffassung, dass die Glasübergangstemperatur abgeleitet aus dem Verlauf von tan δ und G″ immer größer ist als der in der DSC gemessene Wert, ist nicht haltbar.

Die sog. Glasübergangstemperatur T_g, die gerne als Einsatzgrenze gewählt wird, ist für den Konstrukteur irritierend, da bei ihr die Steifigkeit bei Teilkristallinen etwa auf ein Fünftel, bei Amorphen aber durchaus ein Hundertstel Wert zwischen einem energieelastischen Zustand und dem zu höheren Temperaturen hin folgenden gummielastischen Bereich gesunken ist. Sinnvoller ist die sog. $T_{g2\%}$-Temperatur, Bild 6.7.

6.5.2.1 Auswerteverfahren zur Bestimmung der Glasübergangstemperatur

Mit der DMA können Glasübergänge besonders empfindlich gemessen werden, da die Moduländerung deutlicher ausgeprägter ist als vergleichsweise die c_p-Änderung in der DSC-Messung. Jedoch herrscht bei der Auswertung und Angabe von Glasübergangstemperaturen in der Praxis Unsicherheit aufgrund unterschiedlicher Normenvorschläge und Geräteherstellerangaben. Prinzipiell kann die im Glasübergang auftretende Modulstufe analog zu DSC-Kurven ausgewertet werden, gestaltet sich jedoch komplexer. Diese und weitere Auswertemethoden werden im Folgenden beschrieben.

Auswertung des stufenförmigen Modulabfalls:

- Stufenauswertung wie bei DSC-Kurven (Beginn, halbe Stufenhöhe und Ende des Glasübergangs);
- Wendepunktmethode;
- Methode des 2 %-Abfall nach DIN 65 583 u. DIN 29 971;
- (Beginn des Glasübergangs);
- Tangentenmethode nach DIN 65 583 (Beginn des Glasübergangs).

Auswertung der Kurvenmaxima von Verlustfaktor und Verlustmodul:

- Maximum des Verlustfaktors,
- Maximum des Verlustmoduls.

Bei der Angabe von T_g-Werten auf die Auswertemethode und die Messparameter hinweisen.

6.5.2.2 Auswertung des stufenförmigen Modulabfalls

Die Auswertung der Glasübergangstemperatur anhand der Stufenauswertung, in Anlehnung an die genormte DSC-Auswertung DIN EN ISO 11357-1, beinhaltet die Bestimmung der Anfangs- und der Endtemperatur sowie der Mittenpunktstemperatur.

Bei Temperaturen unterhalb und oberhalb der Glasübergangsstufe wird jeweils eine Tangente an die Kurve angelegt. Eine Wendetangente im Stufenabfall schneidet beide Tangenten bei der extrapolierten Anfangstemperatur T_{eig} und der extrapolierten Endtemperatur T_{efg}. Aus der halben Stufenhöhe wird die Mittenpunktstemperatur T_{mg} bestimmt.

Der Benutzer gibt dabei die Anlegepunkte zur Bestimmung der Tangenten weitestgehend selber vor. Aus Werten unterhalb und oberhalb dieser Temperaturen wird mittels Regression eine Gerade berechnet. Die Lage der ermittelten charakteristischen Temperaturen ist stark von der Darstellung der Modulkurve abhängig. Traditionell wird der Modul logarithmisch über der Temperatur aufgetragen, was bei den Stufenauswerteverfahren zu deutlich höheren T_g-Werten führt als bei einer linearen Auftragung, Bild 6.6.

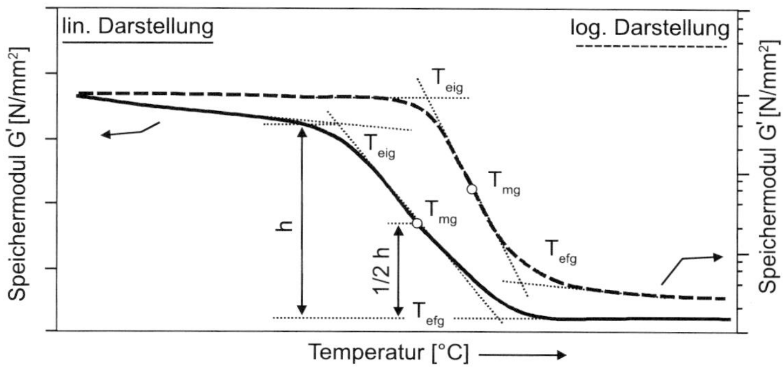

Bild 6.6 Stufenauswertung in Anlehnung an die genormte DSC-Auswertung
T_{eig} = extrapol. Anfangstemperatur, T_{mg} = Mittenpunktstemperatur
T_{efg} = extrapol. Endtemperatur, lineare u. logarithmische Auftragung des Moduls
T_{eig} extrapolierte Anfangstemperatur, Onset-Temperatur: Schnittpunkt der Wendetangente mit der von Temperaturen unterhalb des Glasübergangs extrapolierten Tangente
T_{mg} Mittenpunktstemperatur, Glasübergangstemperatur: Temperatur des Mittenpunktes der Wendetangente (halbe Stufenhöhe zwischen T_{eig} und T_{efg}), projiziert auf die Messkurve
T_{efg} extrapolierte Endtemperatur: Schnittpunkt der Wendetangente mit der von Temperaturen oberhalb des Glasübergangs extrapolierten Tangente

Anmerkung:

Den Anwender interessiert meistens, bis zu welcher Temperatur der Kunststoff eingesetzt werden kann. In der Regel kann hierfür die extrapolierte Anfangstemperatur (Onsettemperatur) angegeben werden. Da deren Auswertung z. T. subjektiv ist, wird die z. B. in Normen oder Vorschriften definierte Glasübergangstemperatur vorgezogen. Es muss jedoch darauf hingewiesen werden, dass ein technisch sinnvoller Einsatz bei dieser Temperatur nicht mehr möglich ist.

Mit Hilfe der Wendepunktmethode wird der mathematische Wendepunkt des stufenförmigen Abfalls der Modulkurve als Glasübergangstemperatur bestimmt. Dies geschieht meistens über die 1. Ableitung des Kurvenverlaufs. Da softwarebedingt unterschiedliche Berechnungsalgorithmen eingesetzt werden, können hierdurch bereits Unterschiede der T_g-Werte auftreten.

Zur Bestimmung der Temperatur bei Beginn des Glasübergangs werden in DIN 65 583 zwei Methoden genannt, die sich von der bereits beschriebenen Stufenauswertung unterscheiden. Bei der Tangentenmethode wird jeweils an den linearen Kurvenverlauf des Speichermoduls über der Temperatur unterhalb des Glasübergangs sowie im Wendepunkt des Steilabfalls des Speichermoduls eine Tangente angelegt. Die Temperatur am Schnittpunkt beider Tangenten wird als T_{g0} definiert.

Alternativ zur Tangentenmethode wird nach DIN 65 583 und DIN 29 971 für faserverstärkte Kunststoffe eine Auswertung nach der sog. 2 %-Methode empfohlen. Nach DIN 65 583 wird zu der Tangente am linearen Kurvenverlauf des Speichermoduls über der Temperatur eine Parallele gezogen, die bei der Temperatur (T_{g0} - 50 °C), bezogen auf den Speichermodul, um 2 % unterhalb dieser Tangente verläuft. Der Schnittpunkt dieser Parallelen mit der Kurve des Speichermoduls wird als Beginn des Glasübergangs $T_{g2\%}$ definiert, Bild 6.7. Die blauen Punkte zeigen die Auslegungsgrenze des energieelastischen Bereichs und den Beginn des gummielastischen Bereichs z. B. für die Nutzung der Elastomere an, was auch als Glasübergangsbereich angesehen wird und in dem sich die mechanischen Kennwerte besonders stark ändern. Der grüne Punkt kennzeichnet die Glasübergangstemperatur, die als Dimensionierungsgröße keinerlei Bedeutung hat.

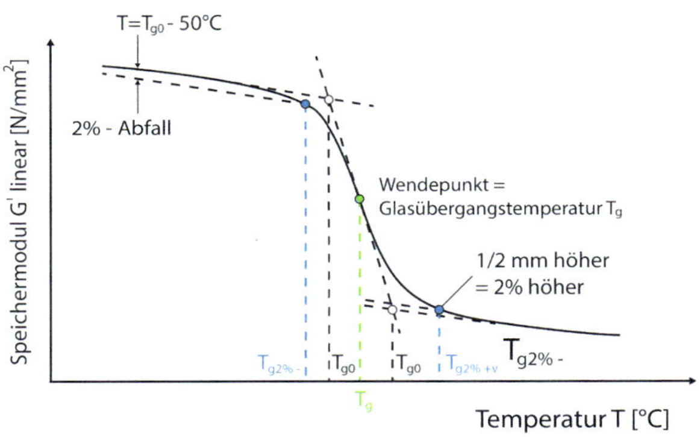

Bild 6.7 Bestimmung des Glasübergangs (2 %-Methode) durch Auswertung der Speichermodul-Temperaturkurve nach DIN 65 583 (April 1999)
Y < xs$T_{g2\%}$: Beginn und Ende des Glasübergangs nach der 2 %-Methode
T_{g0}: Beginn des Glasübergangs nach der Tangentenmethode
2 %-Abfall: Modulabfall und -Erhöhung von 2 % ausgehend vom Modul bei T = T_{g0} - 50 °C bzw. + 50 °C

6.5.2.3 Auswertung von Kurvenmaxima

Häufig wird die Temperatur des **Maximums des Verlustmoduls** (E''_{max} bzw. G''_{max}) oder die Temperatur des **Maximums des Verlustfaktors** (tan δ_{max}) als Glasübergangstemperatur herangezogen. Die Kurvenauswertungen sind im Gegensatz zu den beschriebenen Stufenauswertungen einfacher durchzuführen. Bild 6.8 zeigt einen Vergleich der unterschiedlichen Auswertemethoden.

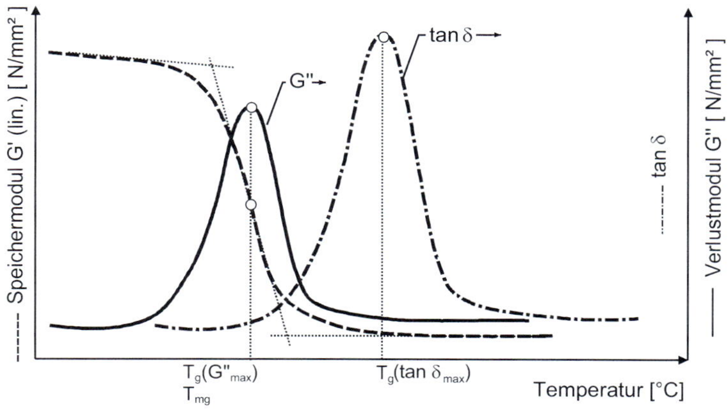

Bild 6.8 Glasübergangstemperatur als Maximum des Verlustmoduls G''_{max} und des Verlustfaktors tan δ_{max} im Vergleich zur Mittenpunktstemperatur T_{mg} aus der Stufenauswertung

Die Realitäten der Kunststoffe sehen jedoch meistens nicht so klar aus. Leider gibt es nicht sehr viele vergleichende Messungen an ein und demselben Material. Typisch für teilkristalline Thermoplaste ist, dass der relative Abfall vom energieelastischen in den gummielastischen Bereich höchstens einen einstelligen Wert ausmacht und somit zeigt, dass daraus gefertigte Bauteile sehr wohl ausreichend tragfähig und stabil sind, Bild 6.9. Der Grund liegt darin, dass die kristallisierten Anteile, Lamellen, weiterhin zusammenhalten.

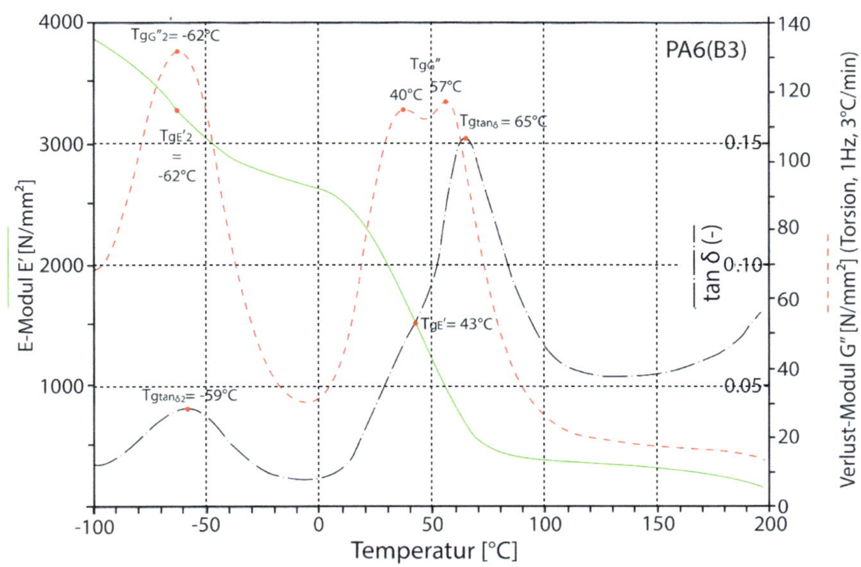

Bild 6.9 Reale Messungen der temperaturabhängigen Größen Schubmodul, Verlustmodul, Festigkeit und Dämpfung von teikristallinem Polyamid (Ultramid B3)®

Bei amorphen Thermoplasten sieht es anders aus. Die Makromoleküle besitzen eine erhöhte Beweglichkeit. Es handelt sich hierbei um Gestaltänderungen der Makromoleküle, z. B. durch Dehnungen der Hauptkette bei genügend freiem Volumen, allerdings ohne Schwerpunktverschiebung. Der Abfall besonders der Steifigkeit im Erweichungsbereich auf ca. 1/100stel bringt gravierende Verformungen im Bauteil, Bild 6.10.

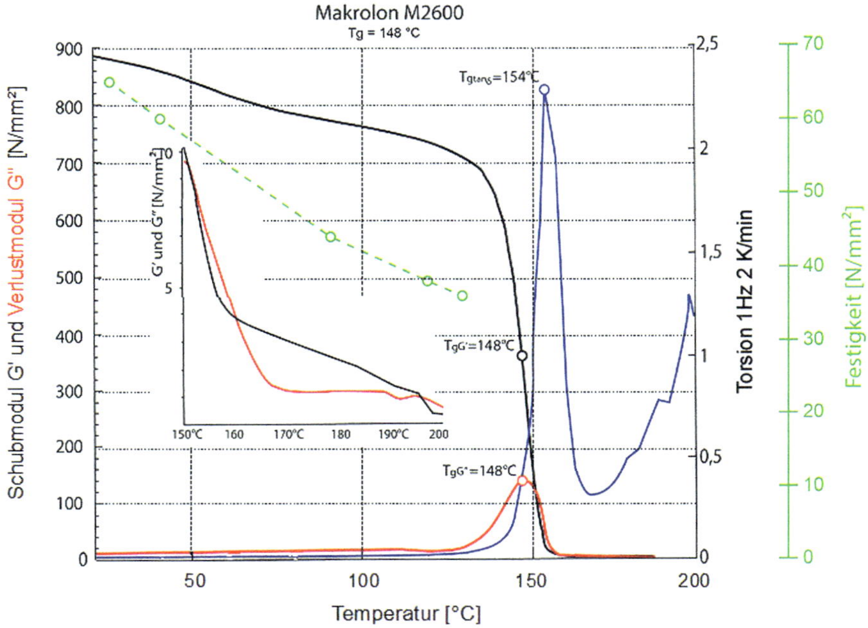

Bild 6.10 Zustandsbereiche amorphen Polycarbonates Makrolon M2600 mit Schubmodul, Verlustmodul, Festigkeit und Dämpfung

Dabei ist zudem zu berücksichtigen, dass im Bereich der Glasübergangstemperatur die Kennwerte besonders stark fallen, wie Bild 6.11 für einen amorphen Thermoplasten (Polycarbonat) und einen teilkristallinen (Polybutylen) zeigt.

Die Glasübergangstemperatur ist als maximale Einsatztemperatur für mechanisch belastete Bauteile völlig ungeeignet, sie stellt die Temperatur größter Eigenschaftsänderungen dar.

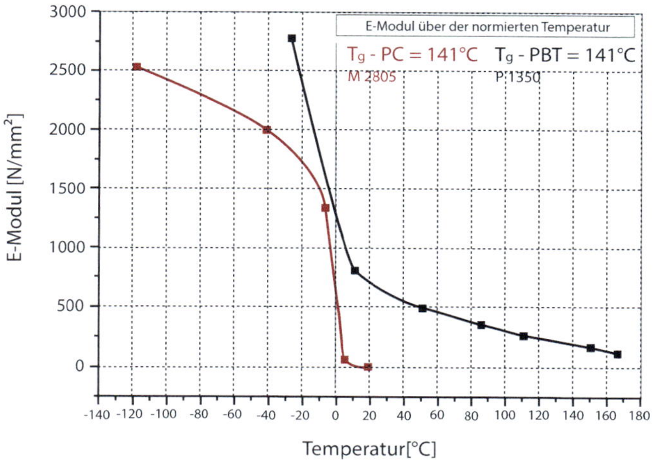

Bild 6.11 Starke Änderung des E-Moduls an der Glasübergangstemperatur eines amorphen PC und eines teilkristallinen PBT

6.6 Thermische Einsatzgrenzen – Vergleich Prüfverfahren

Da die Festigkeit von etwa einer Zehnerpotenz unter der von Metallen liegt, können Kunststoffbauteile auch unter relativ niedriger Last hoch beansprucht sein. Andererseits ist aus der Tatsache, dass der Elastizitätsmodul im Mittel sogar um zwei Größenordnungen differiert, zu schließen, dass ein Bauteil aus einem Kunststoff eher aufgrund übergroßer Verformung unbrauchbar wird als durch katastrophales Bruchversagen. Weiterhin werden in der üblichen Konstruktionspraxis die thermoplastischen Kunststoffe meist bis in den nicht-linear viskoelastischen Bereich hinein beansprucht, so dass eine Rechnung nach den Gesetzen der Elastizitätstheorie von dem tatsächlichen Verhalten mehr oder weniger abweichende Ergebnisse liefern muss. Vor allem die starke Abhängigkeit der Werkstoffkennwerte von der Temperatur, Zeit und Höhe der Belastung erschwert die Berechnung von Kunststoffbauteilen im Vergleich zu klassischen Konstruktionswerkstoffen.

Eine genaue thermische Auslegung von Kunststoffbauteilen ist daher häufig nicht möglich. So müssen überschlägige Berechnungen und Näherungsverfahren angewendet werden.

6.6.1 Statische Prüfungen

Die Problematik der Bestimmung thermischer Einsatzgrenzen wird deutlich bei den genormten Einpunkt-Schnellbestimmungsmethoden, der sog. Formbeständigkeit in der Wärme z. B. nach Vicat oder DIN EN ISO 75. Diesen Methoden ist gemeinsam, dass Probekörper unter definierter Belastung mit einer bestimmten Aufheizgeschwindigkeit erwärmt werden und dabei die Zunahme der Deformation gemessen wird. Als Formbeständigkeitstemperatur wird die Temperatur definiert, bei der die Deformation einen bestimmten Wert erreicht hat.

Die Ermittlung der Wärmeformbeständigkeitstemperatur nach DIN EN ISO 75 (engl. HDT: heat deflection temperature) ist weit verbreitet. Dabei wird ein Probekörper (Länge > 110 mm, Breite 3,0 bis 4,2 mm, Höhe 9,8 bis 15 mm) hochkant auf Dreipunktbiegung bei einem Auflagerabstand von 100 mm belastet. Die Prüfung der Durchbiegung erfolgt im Ölbad bei 2 K/min Heizrate. Die Wärmeformbeständigkeitstemperatur nach DIN EN ISO 75 wird bei einer Randfaserdehnung von 0,2 % erreicht. Die im Bauteil auftretenden Randfaserspannungen betragen je nach der gewählten Methode 1,80 N/mm^2 (Methode A), 0,45 N/mm^2 (Methode B) oder 8,0 N/mm^2 (Methode C), wenn ein ideal elastisches Verhalten vorausgesetzt wird. Teil 2 der DIN EN ISO 75 beschreibt die Bestimmung der Wärmeformbeständigkeitstemperatur für Thermoplaste und Hartgummi, Teil 3 für hochfeste duroplastische Laminate und langfaserverstärkte Kunststoffe.

In Bild 6.12 sind der Torsionsmodul und die nach drei genormten Methoden zur Bestimmung der Formbeständigkeit in der Wärme ermittelten Werte für PC und luftfeucht konditioniertes PA 6 dargestellt. Es gibt keinen erkennbaren systematischen Zusammenhang zwischen diesen Messgrößen. Ebenso lässt sich kein zwingender Zusammenhang zu den aus Erfahrung resultierenden zulässigen Gebrauchstemperaturen herstellen.

Für konditioniertes PA liegen die sog. Wärmeformbeständigkeiten zwischen 53 °C und 205 °C, bei PC zwischen 116 °C und 150 °C. Dies ist u. a. auch darauf zurückzuführen, dass die Spannungen wie auch die Grenzwerte der Verformung je nach Methoden unterschiedlich sind.

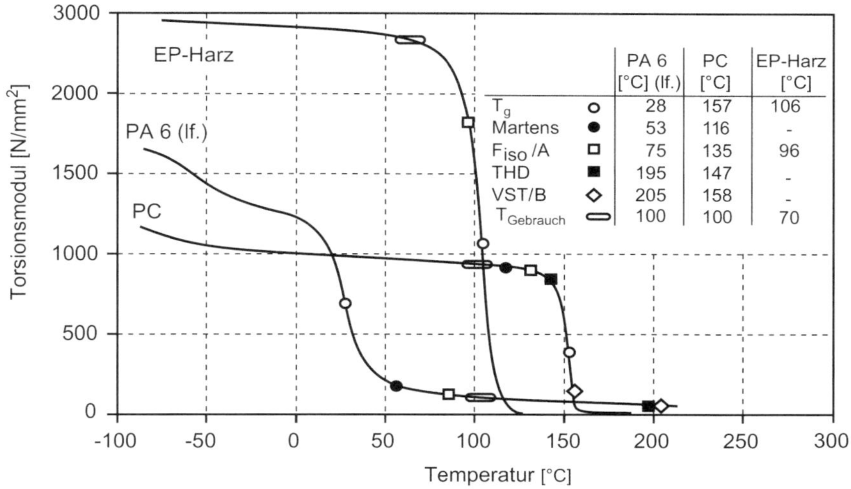

Bild 6.12 Torsionsmodul G′ über der Temperatur und Formbeständigkeit in der Wärme
T_g: Glasübergangstemperatur, definiert durch die halbe Höhe zwischen den Schnittpunkten der Tangenten ober- und unterhalb des Erweichungsbereichs mit der Tangente an den Steilabfall
Martens, DIN 53 462: Temperatur, bei der sich unter 4-Punkt-Belastung (σ_B = 5 N/mm²) ein Belastungshebel (l = 240 mm) um 6 mm gesenkt hat
F_{ISO}/A ISO 75, Methode A: Temperatur, bei der sich eine Biegeprobe in einem Wärmebad bei mittig aufgebrachter Belastung (σ_B = 1,80 N/mm²) je nach Dicke des Probekörpers um einen bestimmten Betrag durchbiegt
THD Tensile Heat Distortion, ASTM D 1637: Temperatur, bei der sich ein Probekörper unter Zugbeanspruchung (σ = 0,345 N/mm²) in einem Wärmebad um 2 % verformt
VST/B Vicat, Methode B: Temperatur, bei der ein runder Eindringkörper (A = 1 mm²) bei senkrechter Belastung (mit F = 50 N) 1 mm eingedrungen ist
$T_{Gebrauch}$: Erfahrungswert zur Dauergebrauchstemperatur nach

Da der Erweichungsvorgang fließend beginnt, ist die Bestimmung der thermischen Einsatzgrenzen (engl.: thermal application limits) von Kunststoffen eines der größten Probleme bei der Auslegung von Bauteilen. Bild 6.13 zeigt die Ergebnisse genormter Prüfverfahren zur Bestimmung der Formbeständigkeit in der Wärme beginnend mit den Schubmodul-Kurven und drei weiteren Methoden zur Bestimmung der Formbeständigkeit.

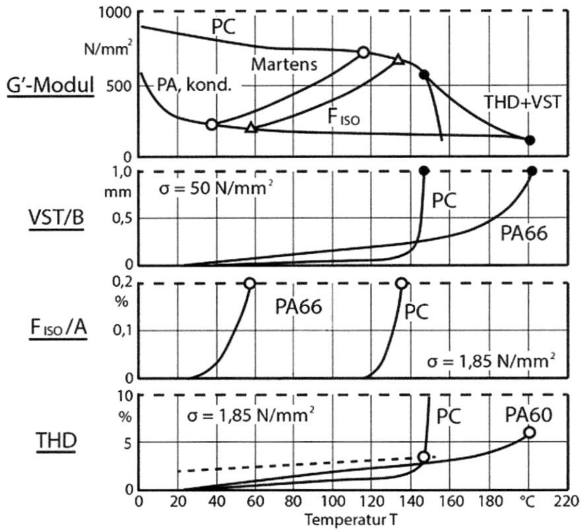

Bild 6.13 Formbeständigkeit in der Wärme nach genormten Prüfverfahren ermittelt für luftfeucht konditioniertes PA 66 und PC mit Ergebnissen für PA 66 luftfeucht zwischen 40 und 200 °C und PC zwischen 115 – 150 °C; (nach Oberbach)

6.6.2 Dynamische Prüfungen

Amorphe Thermoplaste und Duroplaste

Die dynamisch-mechanischen Untersuchungen zeigen bei dem niedrigen Belastungsniveau 1 (ε = 0,05 ± 0,02 %) die gewohnten Verläufe der DMA-Kurven. Mit steigenden Belastungen weichen diese Kennwertverläufe jedoch aufgrund der Zunahme nicht-linearer Effekte deutlich ab. Besonders ausgeprägt ist der Abfall der mechanischen Eigenschaften mit steigender dynamischer Belastung bei amorphen Werkstoffen, wie z. B. bei PC oder ABS, zu erkennen.

Die Steifigkeit liegt bei dem hohen Belastungsniveau 3 (ε = 1,00 ± 0,97 %) bereits bei Raumtemperatur deutlich unterhalb der Niedriglast-DMA-Kurve (Belastungsniveau 1) und weist im Fall des Polycarbonates schon bei 110 °C einen deutlichen Abfall auf, bei 120 °C tritt der Bruch der Probe ein. Die Glasübergangstemperatur der Niedriglast-DMA-Kurve wird hingegen bei 150 °C ermittelt und die Erweichung des Polycarbonates wird nach der 2 %-Methode bei 132 °C bestimmt, Bild 6.14.

Die Verschiebung der thermischen Einsatzgrenze nach der 2 %-Methode mit steigender Belastung ist auch am untersuchten Epoxidharz und am amorphen ™-Thermoplast Polyethersulfon (PES) zu erkennen, Bild 6.15.

Die 2 %-Methode eignet sich somit zur Festlegung thermischer Einsatzgrenzen unter kurzzeitiger dynamischer Belastung, wenn das Belastungsniveau bei der Interpretation der DMA-Kurven berücksichtigt wird. Herkömmliche Niedriglast-DMA-Kurven führen bei der Auslegung höher beanspruchter Bauteile zu überhöhten thermischen Einsatzgrenzen. Die Glasübergangstemperatur als Einsatzgrenze amorpher Thermoplaste ist in jedem Falle viel zu hoch und daher ungeeignet.

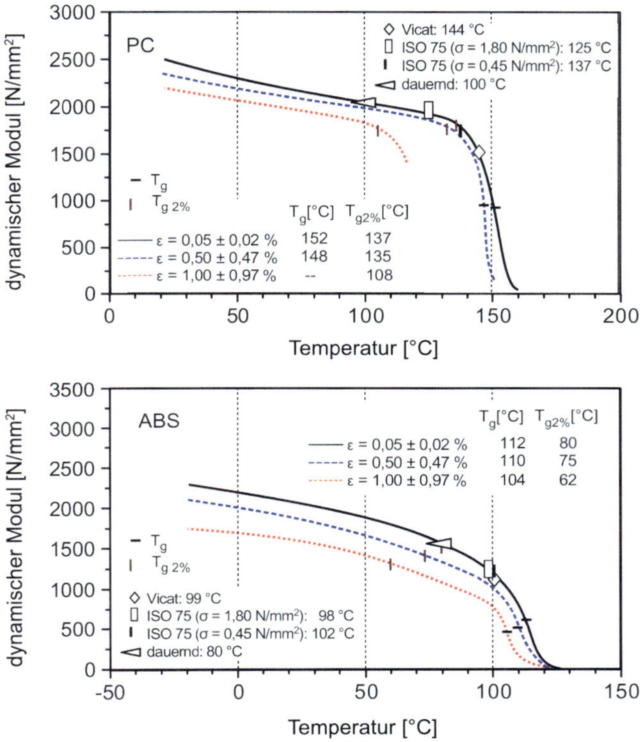

Bild 6.14 Abnahme thermo-mechanischer Kennwerte mit steigender Zug-Belastung im dehnungsgeregelten DMA-Versuch
oben: PC (®Makrolon 2805)
unten: ABS (®Terluran 877T)

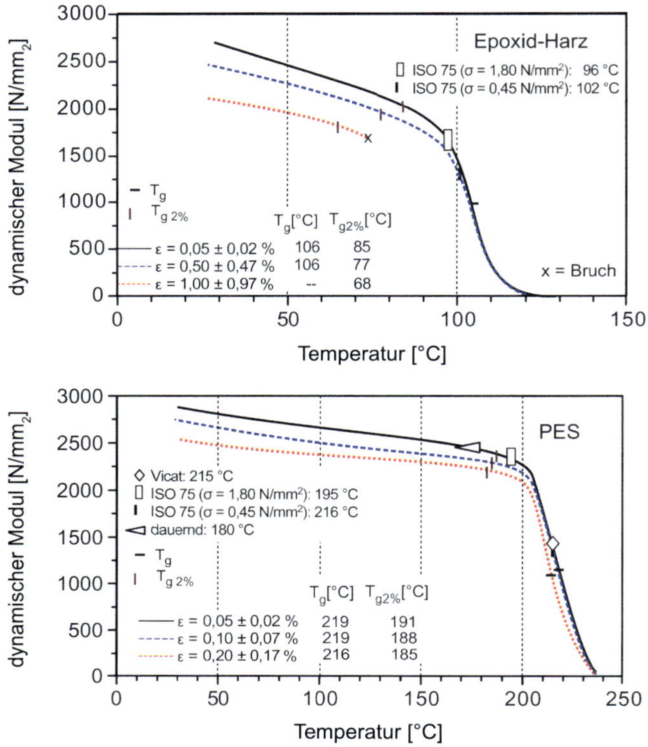

Bild 6.15 Abnahme thermo-mechanischer Kennwerte mit steigender Zug-Belastung im dehnungsgeregelten DMA-Versuch
oben: Epoxidharz (®L20-VE3261)
unten: ABS (®Ultrason 1010)

Teilkristalline Thermoplaste

Ähnliche Effekte sind an den teilkristallinen Werkstoffen PA 66 und PBT erkennbar. Mit steigender Dehnungs-Amplitude nimmt die Steifigkeit des Werkstoffes ab, und es ist insgesamt ein früherer Abfall der mechanischen Eigenschaften im Bereich der Glasübergangstemperatur zu beobachten. Der dynamische Modul zur Kennzeichnung der Steifigkeit wird vor der Glasübergangstemperatur im energieelastischen Bereich durch eine steigende Belastung stark beeinflusst, nach der Glasübergangstemperatur, wenn sich der Werkstoff im entropieelastischen Bereich befindet, jedoch kaum, Bild 6.16.

Dieser Effekt kann darauf zurückgeführt werden, dass oberhalb der Glasübergangstemperatur die Dehnungen, um den linear viskoelastischen Bereich zu überschreiten, wieder deutlich zunehmen. Dies wird durch die Unabhängigkeit der Kennwerte von der Belastungshöhe im Experiment indirekt bestätigt.

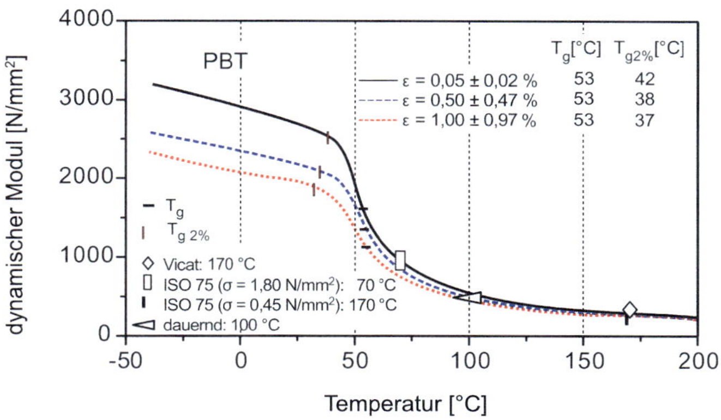

Bild 6.16 Abnahme thermo-mechanischer Kennwerte mit steigender Zug-Belastung im dehnungsgeregelten DMA-Versuch *PBT (®Pocan B1501)*

Die Untersuchungen haben gezeigt, dass der Bereich der Reststeifigkeit, der für teilkristalline Kunststoffe für technische Anwendungen oft noch konstruktiv genutzt wird, von der Höhe der Dehnungsamplitude im untersuchten Bereich nicht messbar beeinflusst wird. Damit wird die Auslegung insofern sicherer, als oberhalb der Glasübergangstemperatur die dann viel niedrigeren Werte des E-Moduls zumindest praktisch nicht mehr belastungsabhängig sind.

Dies wird auch am Beispiel des untersuchten Polyamids PA 66 deutlich. Zur Bestimmung des Einflusses der Verarbeitung bzw. der amorphen Anteile vor allem in den Randbereichen auf die mechanischen Eigenschaften wurden Probekörper, die bei einer Werkzeugwandtemperatur von 40 °C und 110 °C im Spritzgießprozess hergestellt wurden, untersucht, Bild 6.17.

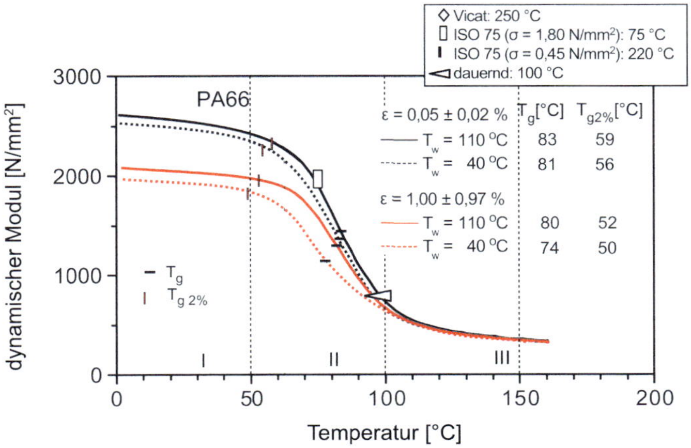

Bild 6.17 Einfluss der Werkzeugtemperatur T_w und des Belastungsniveaus auf die thermischen Einsatzgrenzen von PA 66 (®Ultramid A3K), *trocken*

Die Definition einer thermischen Einsatzgrenze als Beginn der Erweichung im Bereich der Glasübergangstemperatur ist für teilkristalline Thermoplaste wie das untersuchte Polyamid und Polybutylenterephthalat für Anwendungsfälle sinnvoll, die eine hohe Steifigkeit des Werkstoffes erfordern und wo die Reststeifigkeit nach Überschreiten der Glasübergangstemperatur für konstruktive Zwecke nicht mehr ausreicht. Die Glasübergangstemperatur einiger teilkristalliner Thermoplaste liegt deutlich außerhalb üblicher Gebrauchstemperaturen, z. T. im negativen Bereich. Für diese Werkstoffe kann keine thermische Einsatzgrenze nach der 2 %-Methode ermittelt werden. Dies wird in Bild 6.18 am Beispiel von PP dargestellt.

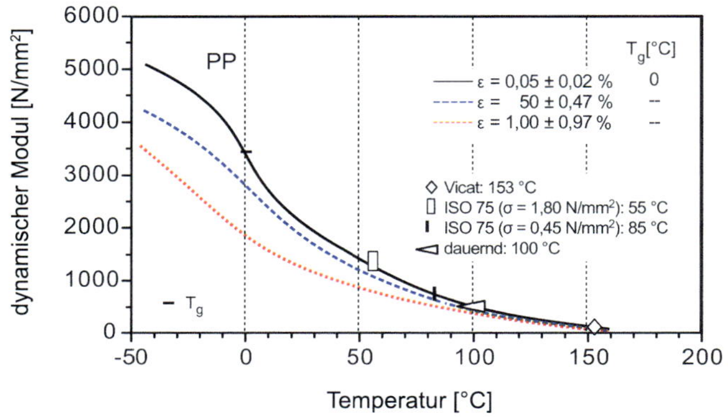

Bild 6.18 Abnahme thermo-mechanischer Kennwerte mit steigender Zug-Belastung im dehnungsgeregelten DMA-Versuch *PP (®Moplen HP500N)*

Mit zunehmender Lasthöhe ist ein deutlicher Abfall des Moduls erkennbar, eine thermische Einsatzgrenze als Beginn der Erweichung innerhalb sinnvoller Temperaturbereiche aber nicht zu ermitteln.

6.6.3 Temperatur- und Spannungsabhängigkeit

Bei gleichzeitiger Wirkung von Temperatur und Spannung sind die wechselseitigen Einflüsse zu berücksichtigen.

Auch hier wird der Einfluss der Glasübergangstemperatur auf die thermischen Einsatzgrenzen sichtbar. Im Bereich der Glasübergangstemperatur zwischen 45 bis 55 °C nimmt die Gesamtverformung stark zu, d. h. dass die zulässigen Spannungen unterhalb der Glasübergangstemperatur deutlich höher liegen können als oberhalb. Allerdings nimmt auch hier die relaxierende, d. h. zeitlich verzögerte reversible Verformung einen Großteil der Gesamtverformung ein. Die elastische Verformung verläuft analog zum E-Modul und nimmt ebenfalls am Glasübergang deutlich zu. Die viskose Verformung, d. h. der irreversible Verformungsanteil bzw. die Steigung der Kriechkurve, bleibt vom Glasübergang weitgehend unbeeinflusst.

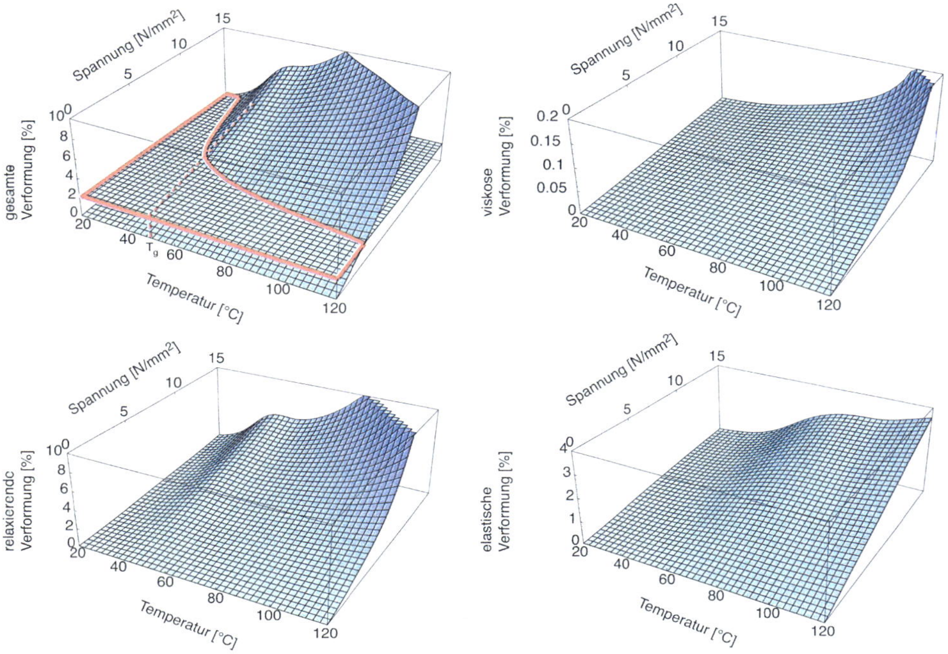

Bild 6.19 Verformung in Abhängigkeit von Spannung und Temperatur nach 5000 h Belastungszeit; PBT (©Ultradur B4500), (Dallner)
oben links: gesamte Verformung mit 2 %-Grenze
rechts: viskose Verformung
unten links: relaxierende Verformung
rechts: elastische Verformung

Die vorgestellte Methode zur Beschreibung des langzeitigen Verformungsverhaltens in Abhängigkeit von Spannung und Temperatur bis in den nicht-linear viskoelastischen Bereich in geschlossener Form eignet sich somit, thermische Einsatzgrenzen auf Grundlage einer maximal zulässigen Dehnung zu bestimmen.

6.6.4 Vergleich der Methoden zur Ermittlung thermischer Einsatzgrenzen

In Tabelle 6.2 sind verschiedene Methoden zur Ermittlung thermischer Einsatzgrenzen vergleichend gegenübergestellt. Je nach Auswertemethode und Beanspruchungsdauer resultieren teilweise deutlich abweichende Werte. Die Glasübergangstemperatur ist sowohl für teilkristalline als auch amorphe Werkstoffe ungeeignet.

Die Ermittlung der Wärmeformbeständigkeit liefert zumindest für amorphe Thermoplaste eine gute Näherung für eine kurzzeitige thermische Einsatzgrenze. Für teilkristalline Werkstoffe ist kein systematischer Zusammenhang erkennbar.

Tabelle 6.2 Vergleich verschiedener Methoden zur Ermittlung thermischer Einsatzgrenzen

	Kunststoff	T_g [°C]	$T_{g2\%}$ [°C]	ISO 75 [°C]		Vicat [°C]	Erfahrungswerte [°C]*	
				Methode A	Methode B	50 °C/h 50 N	kurzzeitig	dauernd
amorph	ABS	112	80	98	102	99	95	85
	PS	100	92	86	98	101	90	80
	PC	150	137	125	137	144	135	100
	PES	219	191	195	216	215	210	180
teilkristallin	PP	0	n. a.	55	85	153	140	100
	PBT	53	42	70	170	170	160	100
	PA 66**	81	56	75	220	250	160	100

* nach [6]; ** trocken; n. a.: nicht auswertbar

Die Ermittlung des Beginns der Erweichung nach der 2 %-Methode kann als kurzzeitige thermische Einsatzgrenze betrachtet werden und hat im Vergleich zur oft angewandten Wärmeformbeständigkeit den Vorteil, dass gezielt eine definierte Abnahme der mechanischen Eigenschaften mit steigender Temperatur zugrunde gelegt wird.

■ 6.7 Beispiele

Design-Heizkörperhalter aus ASA/PC (Bild 6.20) versagen nach einer Materialumstellung durch Spannungsrissbildung nach dem Lackieren. Die DMA-Messungen zeigen deutliche Unterschiede in der Materialzusammensetzung; Bild 6.21. Das zweite Material weist einen deutlich geringeren Kautschukanteil auf, zudem ist ein deutlich höherer Anteil an einem niedermolekulareren Polycarbonat vorhanden. Da die Design-Heizkörperhalter nach der Spritzgießfertigung mit einem lösemittelhaltigen Lack lackiert werden, sind sowohl der höhere Polycarbonat-Anteil als auch dessen niedermolekularer Aufbau nachteilig für die Spannungsrissempfindlichkeit.

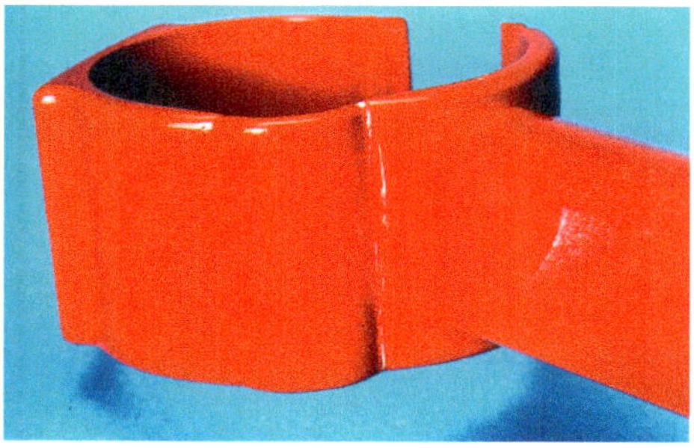

Bild 6.20
Schadensbild Design-Heizkörperhalter (LKT)

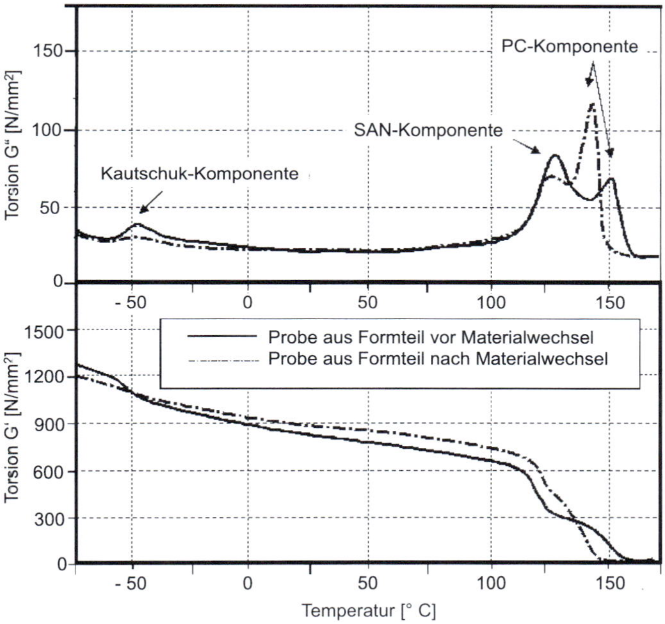

Bild 6.21
DMA-Messungen an dem ersten und zweiten Material des Design-Heizkörpers

Für ein vergleichendes Ranking der Kristallisationsgeschwindigkeit sieht Khanna in den Temperatur-Bereichen $\Delta T = T_m - T_c$ einen Indikator. Je kleiner der Bereich für ΔT ist, umso höher ist die Kristallisationsgeschwindigkeit. Die Messungen wurden mit 10 °C/min Aufheizung und Abkühlung durchgeführt, Tabelle 6.3:

Tabelle 6.3 Differenz zwischen Kristallisations- (T_c) und Schmelzpeak ™ verschiedener Kunststoffe zur Kennzeichnung der Kristallisationsgeschwindigkeit nach Khanna

Kunststoff	ΔT [°C]
PEHD	13
PELD	14
PTFE	17
POM-C	20
PA 12, PA 66, PPA	26
PA 46	28
PA 6.12, PA 6	29
PBT	30
PPS-GF	40
PET	43
PP	44
PEEK	54

Tabelle 6.4 Bestimmung physikalischer und chemischer Eigenschaften und physikalischer Umwandlungen mit dem Verfahren der Thermischen Analyse

	DSC	TG	TMA	DMA
physikalische Eigenschaften				
spezifische Wärmekapazität	XXX			
Ausdehnungskoeffizient			XXX	
E-Modul, Dämpfung				XXX
physikalische Umwandlungen				
Schmelzen / Kristallisieren	XXX		X	X
Verdampfen / Trocknen	X	XXX		
Glasübergang / Erweichung	XX		XX	XXX
chemische Eigenschaften				
Zersetzung / Pyrolyse / Oxidation	XXX	XXX		
Zusammensetzung / Gehaltsanteile	XX	XXX	X	X
Vernetzen / Vulkanisieren	XXX		XX	XX

6.8 Empirische Temperatur-Zeit-Grenzen

Die Einsatzgrenzen von Kunststoffen werden nicht nur durch das temperaturbedingte Erweichen (Formbeständigkeit in der Wärme), sondern auch durch thermischen Abbau (Temperaturbeständigkeit) bestimmt. Es werden daher neben den rein mechanischen Grenzen sogenannte Temperatur-Zeit-Grenzen ermittelt, bei denen die überwiegend chemischen Änderungen (Kettenbruch, Oxidation) Aufschluss darüber geben, ab welcher Temperatur und Einwirkungszeit sich die für die Anwendung maßgeblichen Werkstoffeigenschaften ändern. Die Änderung erfolgt nicht immer stetig. Nach einer Zeit gleichbleibenden Niveaus tritt ein Abfall ein, z.B. wenn der Wärmestabilisator verbraucht ist. Grenzwerte werden nach Lagerung bei unterschiedlicher Temperatur bei Raumtemperaturen im Kurzzeitversuch ermittelt. Im logarithmischen Maßstab, Temperatur über der Zeit, ergeben sich mit einer gewissen Streuung im Allgemeinen Geraden.

Die so ermittelten Temperatur-Zeit-Grenzwerte hängen außer vom Werkstoff stark von dem jeweiligen Eigenschaftskennwert ab. Eine 50 %-Abnahme der Schlagzähigkeit kann z.B. zehnmal schneller eintreten als bei der Zugfestigkeit, während sich die Kriechstromfestigkeit noch nicht messbar verändert hat.

Da das Beanspruchungsspektrum vielfältig ist, können oft nur mit mehr oder weniger jahrelanger Erfahrung ermittelte Grenzen bei nicht genau definierten Einsatzbedingungen das Verhalten richtig voraussagen. Ein typisches, von Praktikern erstelltes Diagramm zeigt Bild 6.22 für verschiedene Polyamide, die bei unterschiedlichen Wärmestabilisatoren und Verstärkungsfasern eine zunehmende thermische Beständigkeit zeigen.

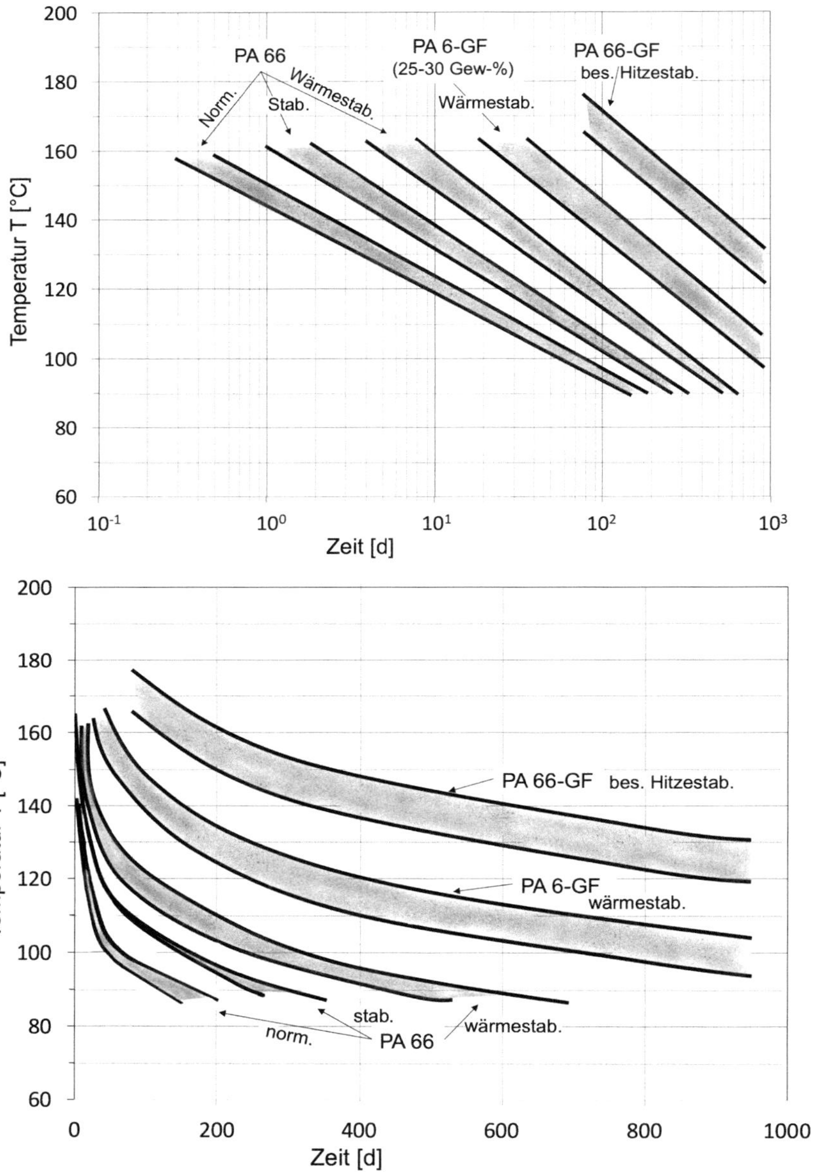

Bild 6.22 Zeit-Temperatur-Grenzen als Erfahrungswerte von Bauteilen aus PA 66 (BASF)

Derart aufwendige Diagramme liegen jedoch nur für wenige Kunststoffe vor. Man bedient sich daher meistens zulässiger Gebrauchstemperaturen, die von erfahrenen Ingenieuren zusammengetragen wurden, Tabelle 6.5. Unter „kurzzeitig" versteht man thermische Belastungen von einigen Stunden, unter „dauernd" einen mehrjährigen Einsatz, beide jedoch verbunden mit einer Eigenschaftsminderung.

Eine weitere Möglichkeit für ungefähre Temperaturgrenzen für den Langzeitgebrauch ist der Relative Temperaturindex (RTI) nach UL (Underwriters Laboratories). Dabei wird zwischen einem Wert bei mechanischer Belastung ohne Schlag, z. B. Zugfestigkeit, oder mit Schlag unterschieden. Prüfmaterialwanddicken sind 0,8; 1,6; 3,2 und 6,36 mm. Die Angaben in Tabelle 6.5 beziehen sich auf 3,2 mm Wanddicke.

Tabelle 6.5 Empirisch bestimmte thermische Belastungsgrenzen [15]

Kunststoff	Zulässige Gebrauchstemperaturen in der Wärme [°C]							
	Oberbach		Erhard		Ehrenstein		UL (3,2 mm)	
	kurzzeitig	dauernd	kurzzeitig	dauernd	kurzzeitig	dauernd	dauernd	
							ohne Schlag	mit Schlag
PS	90	80	90	60	90	80	50	50
SB	80	70	80	70	85	70	50	50
SAN	95	85	95	85	95	85	50	50
ABS	95	80	95	85	95	85	60-90	60 - 80
PVC hart	70	60	-	-	70	60	50	50
PVC weich	70 ... 100	60 ... 70	90	-	70	60	-	-
PC	135	100	135	100	135	100	125	115
PC-GF	145	<120	-	-	-	-	-	-
PMMA	-	-	90	65	96	85	50	50
PSU	-	-	-	-	185	150	155	130
PSU-G	-	-	-	-	-	-	160	140
PEI	-	-	-	-	-	170	180	170
PESU	-	-	-	-	-	180	190	190
PE LD	100	80	100	80	100	80	50	50
PE HD	125	100	110	90	100	90	-	-
PTFE	-	260	-	260	-	200	180	180
PCTFE	-	150	-	-	-	-	-	-
PP	140	100	140	90	140	100	105	105
PA 6	150	80 ... 120	180	80	160	100	115	75
PA 6-GF	200	<120	-	-	-	-	130	95

Tabelle 6.5 Empirisch bestimmte thermische Belastungsgrenzen [15] *(Fortsetzung)*

Kunststoff	Zulässige Gebrauchstemperaturen in der Wärme [°C]							
PA 66	170	80 ... 120	200	90	160	100	90 ... 110	80 ... 105
PA 66-GF	220	<120	-	-	-	-	130	115
PA 46	-	-	-	-	160	110	125	-
PA 46-GF	-	-	-	-	230	120	135	-
POM	140	80 ... 120	150	100	140	80	105	90
PBT	-	-	170	120	160	100	140	120
PBT-GF	-	-	-	-	-	-	140	130
PPS	-	-	-	-	300	200	-	-
PI	-	-	-	-	400	280	-	-
UP	180	100	-	-	180	100	-	-
Typ 31	180	100	-	-	180	100	-	-
Typ 801	180	100	-	-	-	-	-	-

Die Prüfung von Erzeugnissen der Elektrotechnik und Elektronik besonders hinsichtlich thermischer Langzeiteinsatzgrenzen und Brennbarkeit erfolgt nach Normen der IEC (Internationale Elektronische Kommission), in US und Kanada häufig nach UL. Die wichtigsten Eigenschaften müssen bei der angegebenen Temperatur über eine extrapolierte Zeit von 10 Jahren zu mehr als 50 % erhalten bleiben. Die Einstufung kann nach aufwendiger Untersuchung oder durch Vergleich erfolgen (Generetic Temperatur Index, eine Art Mindestwert, der auf alle Fälle erreicht wird).

Die Unterschiede in den Werten können auf die unterschiedliche Qualität der Wärmestabilisierung zurückzuführen sein. Bei zusätzlicher mechanischer oder elektrischer Beanspruchung muss das Zeitstandverhalten der Kunststoffe ebenfalls berücksichtigt werden. Weitere Alterungsursachen können Quellungsvorgänge und damit verbundene Extraktion von Stabilisatoren bzw. Hydrolyse der Kunststoffmatrix sein.

Die Bestimmung der allgemeinen thermischen Eigenschaften muss eine Reihe von Einflüssen berücksichtigen. Neben den zum Teil relativ großen Ungenauigkeiten der Messverfahren selbst sind vor allem die Temperaturabhängigkeit und der Einfluss der Orientierung zu berücksichtigen. Die Wärmeleitfähigkeit nimmt in Richtung der Molekülorientierung und mit zunehmendem Füllstoffgehalt zu, während die Wärmeausdehnung abnimmt. Da Orientierungen kaum vollständig zu vermeiden sind, ist mit Verzug durch unterschiedliche Schwindungen besonders bei großflächigen Bauteilen zu rechnen. Bei den meisten thermischen Kennwerten kann nur ein Bereich angegeben werden, da die verschiedenen strukturell begründeten Eigenschaftsänderungen nicht mit einem einzigen Wert hinreichend beschrieben werden können.

6.9 Normen

Dynamisch-mechanische Analyse (DMA)

DIN EN ISO 6721-1 (2011)
Kunststoffe – Bestimmung dynamisch-mechanischer Eigenschaften – Teil 1: Allgemeine Grundlagen

DIN EN ISO 6721-2 (2008)
Kunststoffe – Bestimmung dynamisch-mechanischer Eigenschaften – Teil 2: Torsionspendel-Verfahren

DIN EN ISO 6721-3 (1996)
Kunststoffe – Bestimmung dynamisch-mechanischer Eigenschaften – Teil 3: Biegeschwingung – Resonanzkurven-Verfahren

ISO 6721-4 (2008)
Kunststoffe – Bestimmung dynamisch-mechanischer Eigenschaften – Teil 4: Zugschwingung – Nicht-resonantes-Verfahren

ISO 6721-5 (2005)
Kunststoffe – Bestimmung dynamisch-mechanischer Eigenschaften – Teil 5: Biegeschwingung – Nicht-resonantes-Verfahren

ISO 6721-6 (2005)
Kunststoffe – Bestimmung dynamisch-mechanischer Eigenschaften – Teil 6: Scherschwingung – Nicht-resonantes-Verfahren

ISO 6721-7 (2005)
Kunststoffe – Bestimmung dynamisch-mechanischer Eigenschaften –Teil 7: Torsionsschwingung – Nicht-resonantes-Verfahren

DIN 65583 (1999)
Luft- und Raumfahrt – Faserverstärkte Kunststoffe – Bestimmung des Glasübergangs von Faserverbundwerkstoffen unter dynamischer Belastung

DIN 29971 (1991)
Luft- und Raumfahrt – Unidirektionalgelege-Prepreg aus Kohlenstofffasern und Epoxidharz, Technische Lieferbedingungen

DIN EN ISO 53440-1 (1984)
(Zurückgezogen)
Prüfung von Kunststoffen und von schwingungsgedämpften geschichteten Systemen; Biegeschwingungsversuch, Allgemeine Grundlagen zur Bestimmung der dynamisch-elastischen Eigenschaften stab- oder streifenförmiger Probekörper

ASTM –D 4065 (2006)
Standard Practice for Plastics – Dynamic Mechanical Properties – Determination and Report of Procedures

ASTM –D 4092 (2013)
Standard Terminology for Plastics – Dynamic Mechanical Properties

Verwendete Literatur

[1] Ehrenstein, G. W.; Polymerwerkstoffe, 3.Aufl., Carl Hanser Verlag, München, 2011

[2] Ehrenstein, G. W.; Kunststoff-Schadensanalyse, Carl Hanser Verlag, München, 1992

[3] Saechtling, H.; Oberbach, K.; Kunststoffhandbuch, 28. Auflage, Carl Hanser Verlag, München, 2001

[4] Domininghaus, H.; Die Kunststoffe und ihre Eigenschaften, VDI Verlag GmbH, Düsseldorf, 1999

[5] Widmann, G.; Riesen, R.; Thermoanalyse, Hüthig Verlag, Heidelberg, 1984

[6] Turi, E. A.; Thermal Characterization of Polymeric Materials, Academic Press, Orlando, 1981

[7] Hemminger, W. F.; Cammenga, H. K.; Methoden der Thermischen Analyse, Springer Verlag, Heidelberg, 1989

[8] Ehrenstein, G. W.; Riedel, G.; Trawiel, P.; Praxis der Thermischen Analyse von Kunststoffen, 2. Aufl., Carl Hanser Verlag, München, 2003

[9] Dallner, C.; Thermo-mechanische Einsatzgrenzen von Kunststoffen, Dissertation, Universität Erlangen, 2008, *www.kunststoffe.de/Dissertationen*

[10] Dallner, C.; Ehrenstein, G. W.; Thermische Einsatzgrenzen von Kunststoffen, Teil 1: Kriechverhalten unter statischer Belastung, Teil 2: Dynamisch-mechanische Analyse unter Last, Zeitschrift Kunststofftechnik, 2 (2006) 3 und 4

[11] Rieger, J.; The glass transition temperature Tg of polymers, Comparison of the values from differential thermal analysis (DTA,DSC) and dynamic mechanical measurements (torsion pendulum) Polymer Testing 20 (2001) 199 – 204

[12] Rieger, J.; Bestimmung der Glastemperatur mittels DSC, Zeitschrift Kunststoffe 85 (1995) 4 S. 528 – 530

[13] Gallagher, P. K.; Turi, E.; Dynamic Mechanical Analysis (DMA) Thermal Characterization of Polymeric Materials, Second Edition, Academic Press Inc., San Diego, 1997

[14] Chartoff, R. P.; Turi, E.; Thermoplastic Polymers, Thermal Characterization of Polymeric Materials, Second Edition, Academic Press Inc., San Diego, 1997

[15] Ehrenstein, G. W.; Mit Kunststoffen konstruieren, 3. Aufl., Carl Hanser Verlag, München, 2007

- Persönliche Gespräche mit Prof. Dr. Gunter Erhard und Dr. Karl Oberbach
- Kämpf, G.; Industrielle Methoden der Kunststoff-Charakterisierung, Carl Hanser Verlag, München, 1996
- Oberbach, K.; Kunststoff-Kennwerte für Konstrukteure, Carl Hanser Verlag, 1980

7 Thermomechanische Analyse (TMA)

7.1 Grundlagen

Mittels Thermomechanischer Analyse wird das Ausdehnungsverhalten von Werkstoffen in Abhängigkeit von der Temperatur bestimmt. Dabei wird eine Probe in einer speziellen Halterung platziert und einem definierten Temperaturprogramm folgend aufgeheizt.

Im Gegensatz zum klassischen Verfahren, bei dem der Messaufbau möglichst kraftfrei gehalten wird, wirkt bei der Thermomechanischen Analyse eine über einen Messstempel aufgebrachte, geringe Auflast auf die Probekörperoberfläche. Aus der gemessenen Ausdehnung der Probe kann der thermische Längenausdehnungskoeffizient α berechnet werden.

Bei der TMA unter Last stellt die gemessene Ausdehnungskurve immer eine Summe der unterschiedlichen Verformungsanteile dar, wie thermische Längenausdehnung und die belastungsabhängige Verformung (Kraft, Stempelgeometrie, temperaturabhängiger Modul).

> Thermischer Längenausdehnungskoeffizient als Materialkennwert nur bei reversiblem Materialverhalten

Der thermische Längenausdehnungskoeffizient kann als mittlerer $\bar{\alpha}(\Delta T)$ oder differentieller $\alpha(T)$ Wert angegeben werden, und wird nach DIN 53 752 berechnet. Der mittlere thermische Längenausdehnungskoeffizient $\bar{\alpha}(\Delta T)$ folgt aus:

$$\bar{\alpha}(\Delta T) = \frac{1}{l_0} \cdot \frac{l_2 - l_1}{T_2 - T_1} = \frac{l}{l_0} \cdot \frac{\Delta l_{th}}{\Delta T} \quad \left[\frac{\mu m}{m°C}\right] \tag{7.1}$$

$\alpha(T)$ ist als Messwert jeweils von dem individuellen Temperaturmessbereich abhängig und daher als allgemeiner Kennwert oder Berechnungswert nicht geeignet, sondern jeweils für einen bestimmten Anwendungsfall vorgesehen.

Die temperaturabhängige Längenänderung ist die fortlaufende Änderung der Länge bezogen auf die Ausgangslänge/Bezugslänge l_0. Sie stellt ein relatives Maß für die Längenausdehnung dar, das bei Versuchsbeginn bei der Bezugstemperatur T_0 immer den Wert 0 aufweist. Der differentielle (oder lokale) thermische Längenausdehnungskoeffizient $\alpha(T)$ folgt aus:

$$\bar{\alpha}(T) = \frac{1}{l_0} \cdot \frac{dl_{th}}{dT} \quad \left[\frac{\mu m}{m°C}\right] \tag{7.2}$$

Die Werte können auch mit der Dimension [10^{-6} °C^{-1}] bzw. [K^{-1}] angegeben werden, DIN 53 752 empfiehlt die Angabe von [10^{-4} °C^{-1}] bzw. [K^{-1}]; im Weiteren wird jedoch die Einheit [µm/m °C] verwendet, da diese erfahrungsgemäß eine gute Vorstellung der Größen vermittelt.

Längenausdehnungskoeffizienten werden in Abhängigkeit von der Temperatur in Bild 7.1 für teilkristalline Thermoplaste und für amorphe Thermoplaste dargestellt.

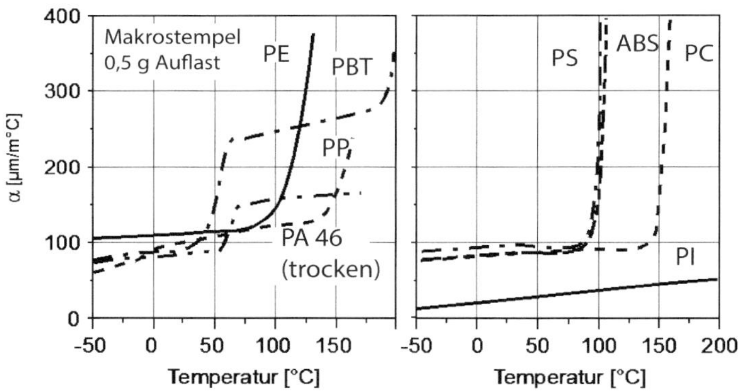

Bild 7.1 Exemplarischer Verlauf thermischer Längenausdehnungskoeffizienten von teilkristallinen (links) und amorphen (rechts) Thermoplasten (LKT)
Makrostempel, Probenquerschnitt ca. 6 x 6 mm, Auflast 0,5 g, Heizrate 3 °C/min

Im Glasübergangsbereich ändert sich in amorphen Kunststoffen oder in den amorphen Bereichen bei teilkristallinen Thermoplasten eine Vielzahl physikalischer Eigenschaften stufenförmig um Größenordnungen – so auch der thermische Längenausdehnungskoeffizient. Somit kann anhand von TMA-Messungen auch der Glasübergang als charakteristische Kenngröße zur Werkstoffidentifizierung bestimmt werden.

Kennwerte sind abhängig vom Temperaturbereich

Zur Beurteilung des Ausdehnungsverhaltens über einen großen Temperaturbereich ist es ratsam, die gesamte Kurve zu betrachten.

7.2 Einsatzgebiete

Die TMA liefert vor allem in den Bereichen wichtige Kenngrößen, wo es um die thermische Ausdehnung verschiedener Materialien und deren Zusammenspiel unter Temperaturbelastung geht.

Tabelle 7.1 Beispiele für praktische Anwendungen von TMA-Messungen bei Kunststoffen

Anwendung	Kennwert	Beispiel
Temperaturverlauf für Bauteilauslegung	α, β	Maßhaltigkeit (konstanter Ausdehnungskoeffizient)
Ausdehnungsverhalten in verschiedenen Richtungen	α	Anisotropie; längs und quer zur Verarbeitungsrichtung
Orientierung	α	Schwindung bei Entorientierung > T_g
Einfluss von Verstärkungsstoffen	α, β	Veränderte Ausdehnung
Bestimmung von Glasübergangstemperaturen	T_g	Änderung des Ausdehnungsverlaufs
Werkstoffverbund	$\alpha_1 \neq \alpha_2$	Klebefolie auf Trägerwerkstoff, Mehrkomponentenspritzguss, Kunststoff-Metall-Hybride
Aushärtegrad bei Duroplasten	T_g	Bestimmung der Glasübergangstemperatur; Überlagerung von Schwindung (durch Nachhärtung und Ausdehnung)
Physikalische Alterung	T_g	Verschieben von T_g zu höheren Temperaturen aufgrund verringerten Leerstellenvolumens in amorphen Bereichen

Kunststoffe ändern ihre Dimension (Länge, Breite, Dicke, Volumen) bei Temperaturänderung beträchtlich. Die Kenntnis des **materialspezifischen Ausdehnungsverhaltens** unter Temperatureinwirkung ist somit vor allem für die Bauteilauslegung von größter Wichtigkeit. Dabei ermöglicht die TMA richtungsabhängige

Messungen, die im Besonderen Aussagen über Anisotropien zulassen. Natürlich ist es für einen Konstrukteur notwendig, Werkstoffkennwerte in Verarbeitungsrichtung oder quer dazu zu kennen. Auch faserverstärkte Werte zeigen abhängig von der Messrichtung erhebliche Unterschiede im Ausdehnungsverhalten.

Für verarbeitungsrelevante Probleme ist der **Schrumpf** eines Formteils von großer Bedeutung. Anhand einer negativen Ausdehnung, also dem Zusammenziehen einer Probe, können auch thermische Effekte der **Vorgeschichte** detektiert werden. Bei einer Rekristallisation wird die Ausdehnung einer Probe aufgrund des durch die Rekristallisation bedingten Schrumpfens überlagert.

Aus dem Verlauf der Ausdehnungskurven lässt sich der **Längenausdehnungskoeffizient** bezogen auf die Ausgangslänge berechnen und graphisch als Funktion der Temperatur darstellen. Bestimmte Versuchsanordnungen erlauben die Messung des Volumenausdehnungskoeffizienten. Hierbei wird das Ausgangsvolumen durch Dichte und Masse berechnet.

Die TMA eignet sich auch zur Bestimmung von **Erweichungstemperaturen**. Grundsätzlich verschiebt sich der Ausdehnungskoeffizient nach Überschreitung des Glasübergangs zu höheren Werten. Bei amorphen Thermoplasten dringt der Messstempel aufgrund der extremen Erweichung in die Probe ein; der Ausdehnungskoeffizient steigt nicht, sondern das Material wird deformiert.

7.3 Messprinzip

Zur Bestimmung des Längenausdehnungskoeffizienten wird im Normalfall eine Probe mit planparallelen Seiten benötigt. Den schematischen Aufbau eines TMA-Gerätes zeigt das folgende Bild 7.2. Im linken Bild befinden sich das Längenmesssystem und der Ofen oberhalb der Probe. Im rechten Bild liegt das Messsystem unterhalb des Probekörpers, zum Heizen wird der Ofen von oben auf den Messaufbau aufgesetzt.

Eine zylindrische oder quaderförmige Probe mit einem Durchmesser oder einer Kantenlänge von ca. 2 bis 6 mm und einer Höhe von meist 2 bis 10 mm wird über einen vertikal beweglichen Quarzglasstempel mit einer geringen Auflast (ca. 0,1 bis 5 g) belastet. Der Quarzglasstempel ist in einen induktiven Wegaufnehmer integriert. Das System wird mit geringer Heizrate aufgeheizt. Dehnt sich die Probe aus oder zieht sie sich zusammen, verschiebt sie damit den Quarzglasstempel. Mit Hilfe eines in unmittelbarer Nähe der Probe angebrachten Thermoelementes wird die Temperatur gemessen.

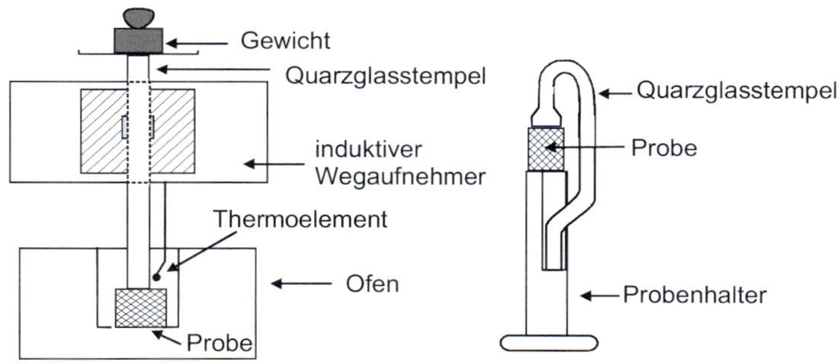

Bild 7.2 Schematische Darstellung von TMA-Apparaturen
links: *Messaufbau befindet sich über der Probe,*
rechts: *Messaufbau befindet sich unterhalb der Probe*

Bild 7.3 zeigt schematisch den Aufbau verschiedener Messanordnungen und Messstempel.

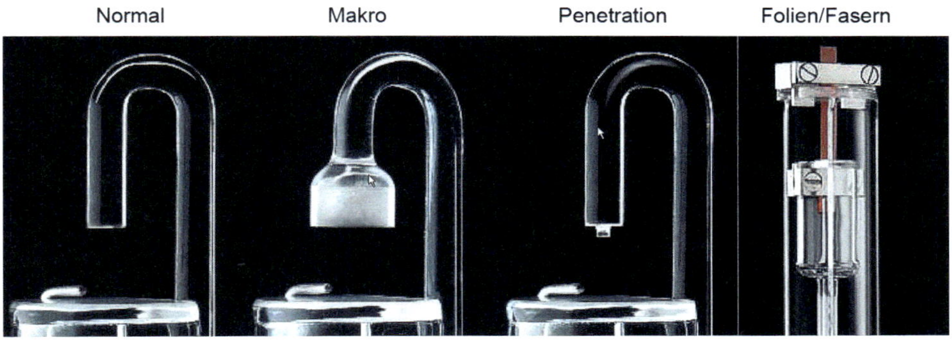

Bild 7.3 Unterschiedliche TMA-Messstempelformen

Mit Hilfe unterschiedlicher Stempelformen kann eine spezielle Anpassung an Probengeometrien (Folien, Fasern, unterschiedliche Querschnitte) und bestimmte Fragestellungen (Ausdehnungsverhalten oder Messung der Glasübergangstemperatur) erfolgen. Bei der TMA unter Last stellt die gemessene Ausdehnungskurve immer eine Summe der unterschiedlichen Verformungsanteile unterschiedliche Stempelformen der TMA dar.

Längenausdehnung resultiert aus thermischer Längenausdehnung und belastungsabhängiger Stauchung

Die Wahl des Stempels ist abhängig von der Probengeometrie. Zur möglichst exakten Bestimmung des thermischen Längenausdehnungskoeffizienten werden bevorzugt Stempel mit relativ großer Auflagefläche herangezogen. Sofern es die Größe der Probe zulässt, wird ein **Makrostempel** mit einer Auflagefläche von ca. 28 mm^2 eingesetzt, handelt es sich um kleinere Proben, z. B. Kantenlänge < 6 mm, ein **Normalstempel** mit einer Auflagefläche von ca. 5 mm^2. **Penetrationsstempel** mit einer geringen Auflagefläche von nur ca. 0,8 mm^2 eignen sich zur Bestimmung von Glasübergangstemperaturen, siehe Bild 7.5. Vor allem bei amorphen Kunststoffen erhält man durch das Eindringen des Stempels beim Erweichen der Probe ein gut auswertbares Signal. Aufgrund der kleinen Auflagefläche ergibt sich selbst bei geringer Auflast eine ungleichmäßige, hohe Druckspannung, die keine korrekte Erfassung und Auswertung des Ausdehnungsverhaltens und damit keine genaue Bestimmung des Längenausdehnungskoeffizienten zulässt. Spezielle Halterungen erlauben die Messung von dünnen **Folien oder Fasern**. Dabei wird die Probe zunächst zwischen zwei Klemmen fixiert und in die Messvorrichtung eingehängt. Um ein Verdrehen oder Einrollen der dünnen Probe zu verhindern, wird mit einer geringen Zugkraft belastet.

7.4 Messablauf

Im Folgenden wird der Messablauf kurz dargestellt:

1. Probenvorbereitung
2. Probengeometrie
3. Messstempel
4. Auflast
5. Auswertung
6. Interpretation

Probenvorbereitung:

Eine gute TMA-Messung hängt in erster Linie von einer optimalen Probenpräparation ab. Die Probe muss planparallele Seiten besitzen, die man am besten mittels einer wassergekühlten Diamantsäge erhält. Durch die Probenherstellung dürfen keine äußeren Effekte, wie z. B. durch übermäßige Wärmeeinwirkung, geschaffen werden.

Probengeometrie:

Im Normalfall handelt es sich meist um zylindrische und quaderförmige Proben mit einem Durchmesser bzw. einer Kantenlänge von ca. 2 bis 6 mm und einer Höhe von ca. 2 bis 10 mm. Spezielle Vorrichtungen erlauben die Messung von Folien und Fasern.

Als wesentlicher Schritt erfolgt die Messung der Ausgangslänge, die als Berechnungsgrundlage für den Ausdehnungskoeffizienten herangezogen wird. Die Messung sollte mit einer Mikrometerschraube auf hundertstel Millimeter genau durchgeführt werden; oder sie wird im Gerät direkt erfasst.

Messstempel:

Bei der Bestimmung des Längenausdehnungskoeffizienten werden Normal- bzw. Makrostempel mit einem Durchmesser von 2 bis 6 mm eingesetzt. Zur Messung von Glasübergangstemperaturen kommen besonders bei amorphen Thermoplasten Penetrationsstempel zum Einsatz. Messstempel und Probenvorrichtungen sind üblicherweise aus Quarzglas.

Auflast:

Die Auflast wird entweder durch ein geringes Gewicht (0,1 bis 5 g) oder elektromechanisch aufgebracht. Die Auflast dient zur sicheren Auflage des Stempels oder zur gezielten Belastung der Probe; sie beeinflusst das Messergebnis.

Messstempel und Auflast dem Messproblem und der Probengeometrie anpassen

Das Messprogramm beinhaltet Starttemperatur, Heizrate und Endtemperatur. Die Heizrate beträgt 1 bis max. 5 °C/min. Die Starttemperatur liegt mind. 30 °C unter dem interessierenden Temperaturbereich. Die Endtemperatur darf nicht zu hoch liegen, um eine Deformation der Probe zu vermeiden.

Vor dem Messstart erfolgt wie gewohnt die Eingabe der Messparameter. Bei der Wahl der Starttemperatur muss eine ausreichende Anpassungszeit gewährleistet sein. Die Heizrate beträgt bei der TMA maximal 5 °C/min. Üblich sind Heizraten zwischen 2 und 5 °C/min. Die Endtemperatur richtet sich nach dem gewünschten Messbereich, wird aber meistens durch starkes Erweichen oder Schmelzen der Probe begrenzt.

Gemessen wird die Längenänderung der Probe, berechnet der mittlere oder differentielle Längenausdehnungskoeffizient. Erkennbar sind Umwandlungen (Glasübergang, Kristallisation, Nachhärtung etc.).

Interpretation:

Auch mit Hilfe der TMA ist es möglich, Rückschlüsse über die thermische Vorgeschichte eines Materials zu ziehen.

1. Aufheizen liefert Informationen über die thermische Vorgeschichte
2. Aufheizen liefert Materialkennwerte

Deshalb sollten Materialkennwerte auch bei diesem Verfahren dem 2. Aufheizen entnommen werden.

Das 1. Aufheizen liefert Informationen über den Ist-Zustand der Probe, einschließlich der thermischen und mechanischen Vorgeschichte. Bei Erweichung der Thermoplaste, besonders oberhalb des Glasübergangs, können sich einerseits Orientierungen und Spannungen lösen, somit Nach- und Umkristallisationsprozesse erfolgen. Andererseits kann sich die Probe unter dem Einfluss der Prüflast aber auch verformen. Die Bestimmung des Ausdehnungskoeffizienten als Materialkennwert ist nur ohne Auftreten irreversibler Werkstoffänderungen, wie Nachkristallisation, Nachpolymerisation, Abbau von Orientierungen und Eigenspannungen usw. in einem 2. Aufheizen nach vorheriger kontrollierter Abkühlung möglich. Ferner muss die Anisotropie des Formteils berücksichtigt werden; Messungen in x-, y- und z-Richtung sind empfehlenswert.

7.5 Auswertung

7.5.1 Längenausdehnungskoeffizient

Aus der Längenänderung der Probe kann der mittlere thermische Längenausdehnungskoeffizient $\overline{\alpha}(\Delta T)$ für einen bestimmten Temperaturbereich oder der differentielle thermische Längenausdehnungskoeffizient $\alpha(T)$ bei einer bestimmten Temperatur berechnet werden. Bild 7.4 verdeutlicht den Unterschied beider Kennwerte. Während $\alpha(T)$ die jeweilige Tangentensteigung bei einer bestimmten Temperatur darstellt, ist $\overline{\alpha}(\Delta T)$ die Steigung einer Sekante in einem Temperaturbereich. Daher kann $\alpha(T)$ sinnvoll in Abhängigkeit von der Temperatur dargestellt werden.

mittlerer thermischer Längenausdehnungskoeffizient - $\overline{\alpha}$ (ΔT)
differentieller thermischer Längenausdehnungskoeffizient - α (T)

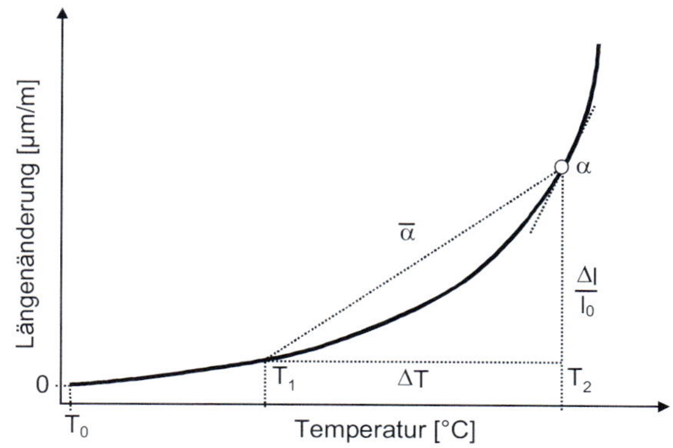

Bild 7.4 Auswertung des mittleren $\overline{\alpha}(\Delta T)$ und differentiellen $\alpha(T)$ thermischen Längenausdehnungskoeffizienten
$\alpha(T)$ *differentieller thermischer Längenausdehnungskoeffizient:* Tangente bei einer Temperatur (T_2), Steigung in einem Punkt
$\overline{\alpha}(\Delta T)$ *mittlerer thermischer Längenausdehnungskoeffizient:* Steigung in einem Temperaturbereich (ΔT)
$\Delta l / l_0$ *Längenänderung:* Längenänderung in einem Temperaturbereich bezogen auf die Ausgangslänge l_0
ΔT *Temperaturänderung:* Differenz zweier Temperaturen ($T_2 - T_1$)

7.5.2 Glasübergangstemperatur

Im Glasübergangsbereich ändert sich bei amorphen Kunststoffen oder den amorphen Bereichen teilkristalliner Thermoplaste eine Vielzahl physikalischer Eigenschaften um Größenordnungen, so auch der thermische Längenausdehnungskoeffizient.

Bild 7.5 zeigt den belastungsabhängigen Verlauf der Längenausdehnung und des differentiellen Längenausdehnungskoeffizienten von Kunststoffen im Glasübergangsbereich. Je nach Ausdehnung, Stempelfläche, Auflast und temperaturabhängigem E-Modul überwiegt oberhalb des Glasübergangs Ausdehnung (Kurvenanstieg) oder Penetration (Kurvenabfall). Grundsätzlich ist der thermische Längenausdehnungskoeffizient von unverstärkten Kunststoffen aufgrund der größeren Segmentbeweglichkeit der amorphen Bereiche über T_g in der Regel höher als unterhalb.

$\alpha(T)$ ist bei unverstärkten Kunststoffen oberhalb der T_g deutlich größer als unterhalb

Bild 7.5 links zeigt für den Fall einer geringen Belastung und eines noch relativ hohen E-Moduls auch oberhalb von T_g, z. B. bei teilkristallinen Thermoplasten oder Duroplasten, dass die Ausdehnungskurve über T_g eine höhere Steigung und gleichzeitig eine Stufe im α-Verlauf aufweist.

Ändert sich der E-Modul oberhalb von T_g stark, z. B. bei amorphen Thermoplasten oder bei Elastomeren, so kann der Messstempel bereits bei einer geringen Belastung in die Probe eindringen oder die Ausdehnung zumindest überlagern, Bild 7.5 rechts. Das reale Ausdehnungsverhalten kann dann nicht mehr eindeutig gemessen werden.

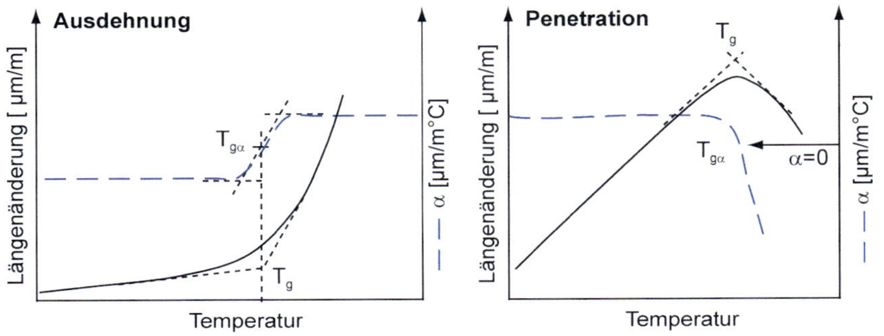

Bild 7.5 Ausdehnungsverhalten im Bereich des Glasübergangs
links: Ausdehnung,
rechts: Penetration
T_g *Glasübergangstemperatur aus Längenausdehnung*: *Ausdehnung*: Die Temperatur des Schnittpunktes der extrapolierten Tangenten vor und nach dem Glasübergang (Ausdehnungskurve)
Penetration: Die Temperatur des Schnittpunkts der extrapolierten Tangenten; Kurvenmaximum der Ausdehnungskurve
$T_{g\alpha}$ *Glasübergangstemperatur aus α: Ausdehnung*: Wendepunkt der Stufe (α-Kurve)
Penetration: Das Maximum der Ausdehnungskurve kann auch durch die Temperatur gekennzeichnet werden, bei der α den Wert 0 annimmt.

T_g-Auswertung anhand der Ausdehnungskurve

In der Literatur erfolgt die T_g-Auswertung anhand der Ausdehnungskurve durch die Ermittlung des Schnittpunktes der extrapolierten Linien vor und nach dem Glasübergang. In „Praxis der Thermischen Analyse“/Ehrenstein/Carl Hanser Verlag/2003 wird der Schnittpunkt der extrapolierten Linien bei Penetration als T_S „softening temperature“ bezeichnet.

T_g-Auswertung anhand der α-Kurve

$T_{g\alpha}$ ergibt sich aus dem Verlauf des differentiellen Längenausdehnungskoeffizienten bei Ausdehnung durch den Wendepunkt der Stufe. Bei Penetration kann die Temperatur, bei der α = 0 µm/m °C ist, herangezogen werden, da dadurch das Maximum der Ausdehnungskurve gekennzeichnet ist.

Der Längenausdehnungskoeffizient α wird als Steigung der registrierten Ausdehnungskurve, bezogen auf die Ausgangslänge, bestimmt. Glasübergänge werden entweder als Schnittpunkt zweier Tangenten aus der Ausdehnungskurve oder direkt aus dem Verlauf von α ermittelt.

7.6 Kalibrierung

Die Kalibrierung des Ausdehnungskoeffizienten wird mit einer zylindrischen Aluminiumprobe durchgeführt, deren Ausdehnungskoeffizient in jedem Temperaturbereich bekannt ist. Es wird ein Kalibrierfaktor eingeführt, der den gemessenen Wert in Abhängigkeit von der Temperatur korrigiert. Mit hochreinen Metallen kann auch im Falle der TMA eine Temperaturkalibrierung vollzogen werden.

7.7 Anwendungen

Wie sehr die thermische Ausdehnung von der Struktur und den Umwandlungspunkten der einzelnen Kunststoffarten sowie unterschiedlichen Verstärkungsarten abhängt, zeigen Bild 7.6 bis Bild 7.10. Beim **amorphen** Thermoplasten, der bis zu diesem Zeitpunkt eine gleichmäßige stetige Längenänderung mit konstanten Ausdehnungskoeffizienten zeigte, tritt bei der Glasübergangstemperatur eine starke Veränderung der thermischen Ausdehnung des ABS ein, Bild 7.6.

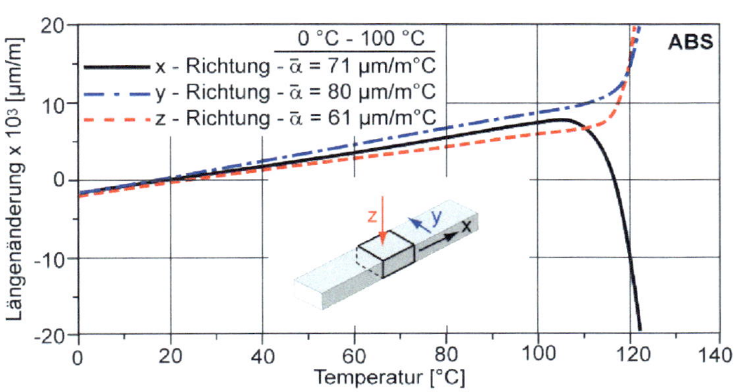

Bild 7.6 Thermische Ausdehnung von ABS in allen drei Dimensionen, geringe Anisotropie

Wegen der makromolekularen, fadenförmigen Struktur der Thermoplaste ergeben sich durch den Fließvorgang besonders im schmelzflüssigen Zustand Orientierungen, die zu unterschiedlichen Ausdehnungen unter Wärme- oder Belastungseinwirkung führen. Somit gibt es eine unterschiedliche Ausdehnung in den verschiedenen Richtungen. Während bei reinen Thermoplasten Zustände von völlig isotrop bis anisotrop möglich sind. Bei der anisotropen Struktur gibt es unterschiedliche Ausdehnungen in den 3 Koordinatenrichtungen, ein anisotropes Ausdehnungsverhalten.

Ein **duroplastisches Reaktionsharz** zeigt im Bereich der Nachhärtung große Maßschwankungen, Bild 7.7. Vor und nach dem Nachhärtungseffekt ist der thermische Ausdehnungskoeffizient α erstaunlich stabil, und das sowohl im Ausgangszustand mit einer Härtung bei 23 °C/16 h wie auch nach einer Nachhärtung 60 °C/2 h.

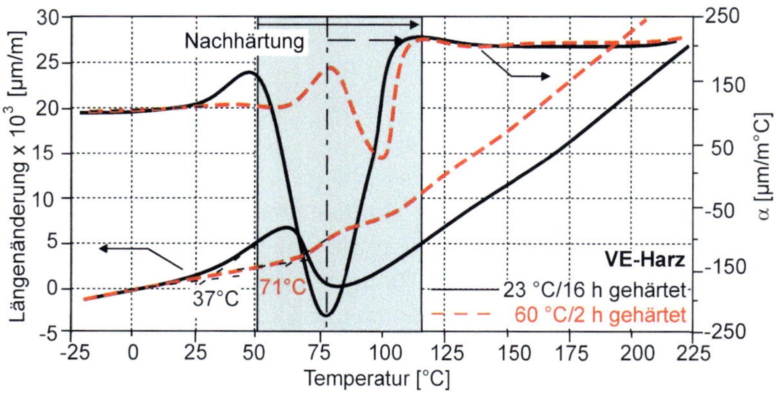

Bild 7.7 Thermische Ausdehnung eines VE-Duroplasten

Bei teilkristallinen Thermoplasten tritt normalerweise eine **Nachkristallisation** verbunden mit einer **Schwindung** ein, Bild 7.8. Dieser Effekt kann durch eine Temperung reduziert werden. Auffallend ist jedoch, dass selbst bei einer Temper-Temperatur von 200 °C/3 h offensichtlich noch keine vollständige Stabilität der Ausdehnung erreicht ist, was aber auch daran liegen kann, dass die Probe schon in den Bereich der ersten Auflösung bestimmter kristalliner Strukturen kommt.

Das erste Aufheizen einer TMA-Messung lässt – wie bei der DSC – Rückschlüsse auf die thermische und mechanische Vorgeschichte zu. In der ersten Aufheizkurve ist der Verlauf der Längenausdehnung durch überlagerte Effekte, z. B. Entorientierung von Eigenspannungen, Kaltkristallisation etc., beeinflusst. Nach kontrollierter Abkühlung mit konstanter Kühlrate wird in der zweiten Aufheizkurve das materialspezifische Verhalten mit einem ungestörten Glasübergang gemessen.

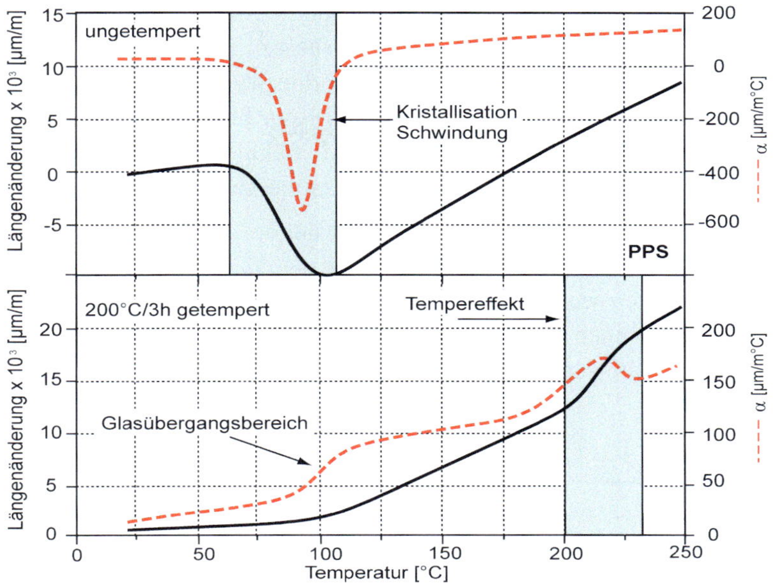

Bild 7.8 Thermische Ausdehnung eines teilkristallinen PPS mit Nachkristallisation und Temper-Effekt

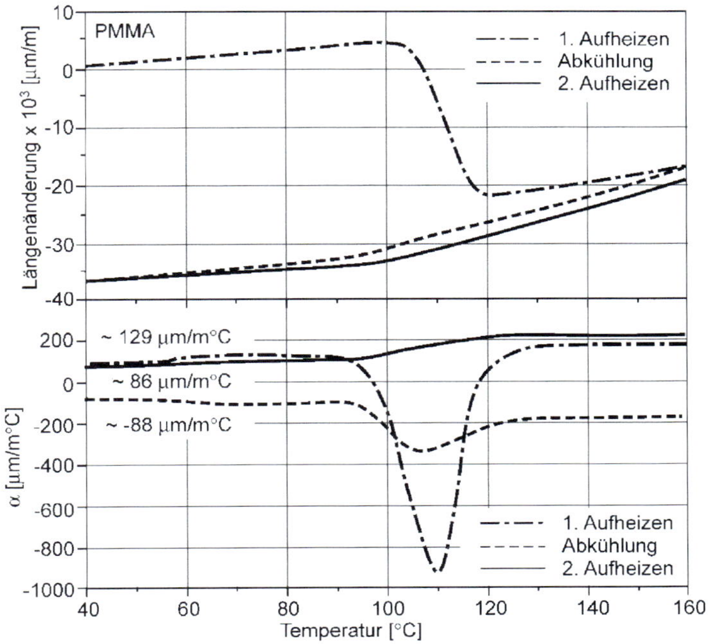

Bild 7.9 TMA: Verlauf der Längenänderung und des Längenausdehnungskoeffizienten einer PMMA-Probe beim definierten ersten und zweiten Aufheizen.
Makrostempel, l_0 = 8,3 mm, Probenquerschnitt ca. 6 x 6 mm, Auflast 2 g, Heiz- bzw. Kühlrate 3 °C/min

Bild 7.10 zeigt anhand einer PMMA-Probe den Einfluss der thermischen und mechanischen Vorgeschichte. Beim ersten Aufheizen beginnt die Probe bei Erreichen des Glasübergangs, um 100 °C, zu schwinden; ab 120 °C setzt sich die Längenänderungskurve mit erhöhter Steigung fort. Dieser Effekt lässt sich beim Abkühlen und auch beim zweiten Aufheizen nicht mehr finden. Hier resultiert wie gewohnt eine Kurve mit leichtem Knick im Glasübergangsbereich.

Kompliziert wird die thermische Ausdehnung bei der Zugabe von **Füll- bzw. Verstärkungsstoffen** mit geringem Ausdehnungskoeffizienten. Während globuläre Füllstoffe durch die zwischen den Füllkörpern befindliche Matrix in ihrem Ausdehnungsverhalten noch stark von der Matrix bestimmt werden, hemmen Glasfasern wegen ihrer Längsorientierung die Ausdehnung besonders in Faserrichtung, Bild 7.10.

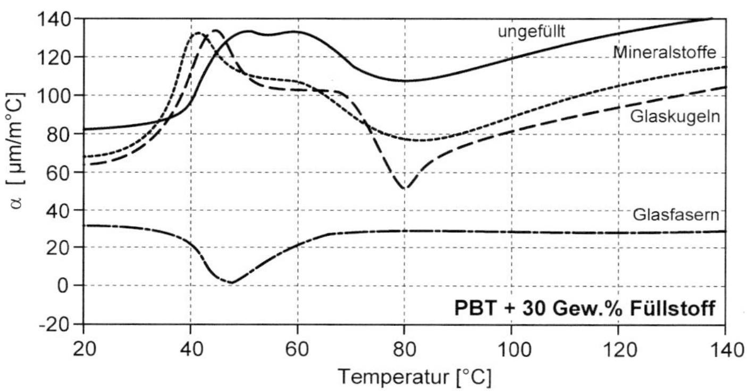

Bild 7.10 Thermischer Ausdehnungskoeffizient von PBT mit 30 Gew.-% unterschiedlichem Füllstoffgehalt und Glasfaserverstärkung

Die TMA-Messung faserverstärkter Proben gestaltet sich aufgrund deren Anisotropie und der Probeninhomogenität schwierig. Während sich Glasübergangstemperaturen relativ sicher auswerten lassen, ist eine zuverlässige Angabe von Längenausdehnungskoeffizienten häufig nicht möglich. Diese Problematik zeigt Bild 7.11 am Beispiel eines glasfaserverstärkten PA GF30, das senkrecht und parallel zur Verstärkungsrichtung untersucht wurde. Senkrecht zur Verstärkungsrichtung findet man einen für teilkristallines PA üblichen Kurvenverlauf der Längenausdehnung mit einem Knick im Glasübergangsbereich. Die Längenausdehnungskoeffizienten unterhalb bzw. oberhalb T_g liegen mit ~80 und ~168 µm/m °C für verstärktes Material vergleichsweise hoch und entsprechen nahezu dem Verlauf eines unverstärkten PA, d. h. hier dominiert die Polymermatrix.

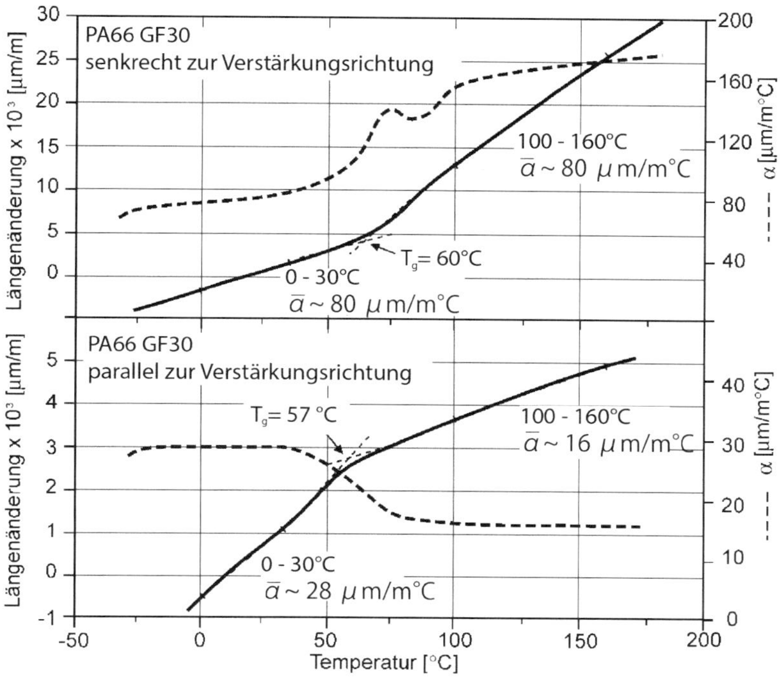

Bild 7.11 TMA: Längenausdehnung und Längenausdehnungskoeffizient von PA 66-GF30 senkrecht und parallel zur Spritzrichtung
Abkühlen auf Starttemperatur, 1. Aufheizen, Normalstempel, Probenquerschnitt ca. 4 x 4 mm, l_0 *= 9,2 bis 10,1 mm, Auflast 5 g, Heizrate 5 °C/min*

Demgegenüber findet man parallel zur Verstärkungsrichtung einen ungewohnten Verlauf der Längenausdehnung. Unterhalb der T_g besitzt die Probe einen erwarteten Längenausdehnungskoeffizienten von ~28 µm/m°C, der jedoch nach Überschreiten des Glasübergangs einen noch geringeren Wert annimmt. Dieses Verhalten wird häufig bei verstärkten und gefüllten Kunststoffen beobachtet und basiert auf der Wechselwirkung der Verstärkungsstoffe und der daran anhaftenden Polymermatrix.

Oberhalb der T_g ist der E-Modul der Matrix deutlich geringer als unterhalb und kann daher nur weniger zur Ausdehnung beitragen bzw. wird in der Ausdehnung leichter durch die in gleicher Richtung wirkenden steiferen Fasern zurückgehalten. Dennoch lässt sich auch hier die Glasübergangstemperatur durch Tangentenschnittpunkte auswerten.

7.8 Beispiele

7.8.1 Rissbildung einer Blende

Blenden aus PMMA zeigen nach längerer Einsatzdauer eine Rissbildung. Die Blenden unterliegen im Einsatz einer Temperatur-Wechsel-Belastung.

Im ersten Aufheizen der TMA-Messung zeigt sich an den Neuteilen, dass sich diese nicht entsprechend ihrem Materialverhalten ausdehnen, sondern das Ausdehnungsverhalten deutlich vom Ausdehnungsverhalten im zweiten Aufheizen abweicht. Erst im zweiten Aufheizen liegt das materialbedingte Ausdehnungsverhalten vor. Im ersten Aufheizen ist die festgestellte Längenänderung über einen Temperaturbereich von 30 bis 90 °C nur 0,4 µm; im zweiten Aufheizen beträgt die Längenänderung 6 µm.

Dem materialbedingten Ausdehnungsverhalten ist im ersten Aufheizen ein Schrumpfen des Bauteils durch fertigungsbedingte Eigenspannungen überlagert.

Die ausgefallenen Blenden zeigen bereits im ersten Aufheizen das materialbedingte Ausdehnungsverhalten. Dort hat das Schrumpfen bereits durch die Erwärmung in der Anwendung stattgefunden, das anschließende Abkühlen führte dann zur Rissbildung.

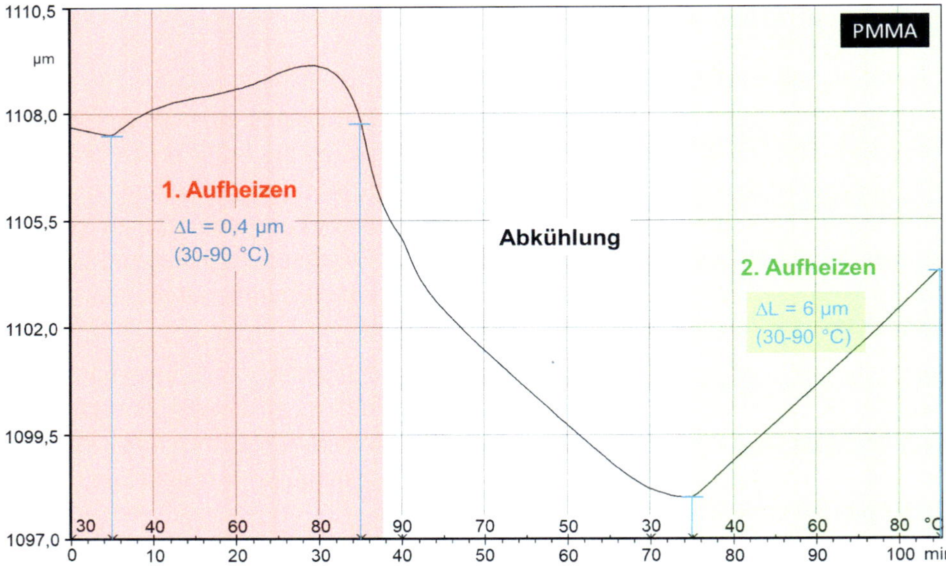

Bild 7.12 Längenänderung (im 1. und 2. Aufheizen) einer neuen Blende aus PMMA (Quelle: Volkswagen AG)

7.8.2 Rissbildung im Hardcoating eines Bauteils

Bauteile aus Polycarbonat werden mit einem Hardcoating beschichtet. Im Einsatz entstehen durch das unterschiedliche Ausdehnungsverhalten von Polycarbonat und Hardcoating Risse im Hardcoating.

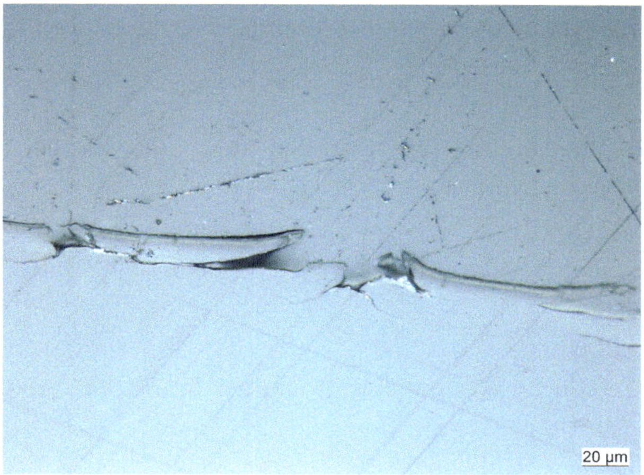

Bild 7.13 Risse im Hardcoating eines Bauteils (Quelle: Volkswagen AG)

7.9 Normen

DIN 53762:1980-12 [zurückgezogen]
Prüfung von Kunststoffen; Bestimmung des thermischen Ausdehnungskoeffizienten

ISO 11359-1:1999 [zurückgezogen]
Kunststoffe - Thermomechanische Analyse (TMA) - Teil 1: Allgemeine Grundlagen

DIN EN ISO 11359-1 (1999) [zurückgezogen]
Kunststoffe - Thermomechanische Analyse (TMA) - Teil 1: Allgemeine Grundlagen

DIN EN ISO 11359-2 (1999) [zurückgezogen]
Kunststoffe - Thermomechanische Analyse (TMA) - Teil 2: Bestimmung des linearen thermischen Ausdehnungskoeffizienten und der Glasübergangstemperatur

DIN EN ISO 11359-3 (2002) [zurückgezogen]
Kunststoffe - Thermomechanische Analyse (TMA) - Teil 3: Bestimmung der Penetrationstemperatur

DIN 51045-1 (2005)
Bestimmung der thermischen Längenänderung fester Körper – Teil 1: Grundlagen

DIN 51045-2 (2009)
Bestimmung der Längenänderung fester Körper unter Wärmeeinwirkung nach dem Dilatometerverfahren

DIN 51909 (2009)
Prüfung von Kohlenstoffmaterialien - Bestimmung des linearen thermischen Ausdehnungskoeffizienten – Feststoffe

ASTM-D 5418 (2007)
Standard Test Method for Plastics: Dynamic Mechanical Properties: In Flexure (Dual Cantilever Beam)

ASTM-E 831 (2006)
Standard Test Method for Linear Thermal Expansion of Solid Materials by Thermomechanical Analysis

ASTM-E 1824 (2008)
Standard Test Method for Assignment of a Glass Transition Temperature Using Thermomechanical Analysis

Verwendete Literatur

- Turi, E. A.; Thermal Characterisation of Polymeric Materials. Academic Press, Orlando, 1981
- Kämpf, G.; Industrielle Methoden der Kunststoffcharakterisierung. Carl Hanser Verlag, München, 1996
- Ehrenstein, G. W.; Kunststoff-Schadensanalyse. Carl Hanser Verlag, München, 1992
- Rieger, J.; The glass transition temperature Tg of polymers – Comparison of the values from differential thermal analysis (DTA, DSC) and dynamic mechanical measurements (torsion pendulum). Polymer Testing 20 (2001), P. 199 – 204
- Schwarzl, F. R.; Polymermechanik. Springer Verlag, Berlin, 1990
- Wutzler, A.; Grundlagen und Anwendungen der dynamisch-mechanisch-thermischen Analyse. Vortrag Geesthachter Polymertage 8.11.16

8 Thermische Analyse – Vergleich Messmethoden

Die folgenden Beispiele sollen einen Überblick über die Möglichkeiten der Verfahren der Thermischen Analyse zur Schadensaufklärung liefern. Dabei unterscheiden sich die Aussagemöglichkeiten der verschiedenen Verfahren je nach Kunststoffklasse und werden dementsprechend mehr oder weniger bevorzugt eingesetzt. Daher sind die Beispiele für die einzelnen Kunststoffklassen, mit den möglichen Aussagen hinsichtlich des Werkstoffs an sich (Identifizierung, Zusammensetzung), der Beeinflussung durch den Verarbeitungsprozess und dem nachfolgenden Gebrauch aufgeführt.

- Bewertung der Materialspezifikation (Identifizierung): DSC
- Erkennen von Verunreinigungen: DSC
- Kristallisationsgradbestimmung: DSC
- Bestimmung der thermischen Vorgeschichte (Verarbeitungsbedingungen, Einsatzbedingungen): DSC
- Ermittlung des Gehalts von Füll-und Verstärkungsstoffen, Rußgehalt: TGA
- Bewertung der Alterung: TGA
- Bewertung des Ausdehnungsverhaltens: TMA
- Erkennen von Orientierungen und Spannungen: TMA
- Bewertung des dynamisch-mechanischen Verhaltens: DMA
- Erkennen von Einsatz-und Erweichungstemperaturen: DMA

Siehe Tabelle 8.1 „Einsatz von Methoden der Thermischen Analyse in der Schadensanalyse".

Die Kunststoffverarbeitung hat aufgrund der eingesetzten Verfahren (Spritzgießen, Extrudieren, Blasformen etc.) und deren erforderlicher Parameter (Schmelze-, Werkzeugtemperaturen, Drücke etc.) einen außerordentlichen Einfluss auf das entstehende Bauteil. Dabei ist eine direkte Zuordnung, beispielsweise von Kristallinität und Massetemperatur oder Werkzeugtemperatur, kaum möglich. Jedoch können Vergleiche ermittelt und somit Tendenzen angegeben werden.

Die Vorgeschichte eines Bauteils ist durch die Verarbeitung und den Gebrauch bestimmt. Verschiedene Methoden liefern Hinweise auf die Vorgeschichte, eine exakte Trennung der Ursachen ist nicht immer möglich und erfordert meist vergleichende Untersuchungen sowie gezielte Nachstellversuche.

8.1 Effekte und Einsatz von DSC, TMDSC, OIT, TMA und DMA

Der Begriff Thermische Analyse vereint Methoden, die physikalische oder chemische Eigenschaften eines Materials in Abhängigkeit von der Temperatur beschreiben. Die Proben werden dabei meist einem definierten Temperaturprogramm unterworfen, wobei Enthalpieänderungen (DDK, DSC), Ausdehnungsverhalten (TMA), Zersetzungsverhalten (TG) oder dynamisch-mechanisches Verhalten unter definierter Belastung (DMA) gemessen werden. Für alle Messverfahren gelten einige grundlegende Hinweise für die Auswahl und Vorbereitung der Proben zur Messung physikalischer und chemischer Eigenschaften sowie physikalischer Umwandlungen, Tabelle 8.1.

Tabelle 8.1 Bestimmung physikalischer und chemischer Eigenschaften und physikalischer Umwandlungen mit den Verfahren der Thermischen Analyse

	DSC	TG	TMA	DMA
Physikalische Eigenschaften				
Spezifische Wärmekapazität	XXX			
Ausdehnungskoeffizient			XXX	
E-Modul, Dämpfung, Zustandsbereiche				XXX
Physikalische Umwandlungen				
Schmelzen / Kristallisieren	XXX		X	X
Verdampfen / Trocknen	X	XXX		
Glasübergang / Erweichung / Zustandsbereiche	XX		XX	XXX
Chemische Eigenschaften				
Zersetzung / Pyrolyse / Oxidation	XXX	XXX		
Zusammensetzung / Gehaltsanteile	XX	XXX	X	X
Vernetzen / Vulkanisieren	XXX		XX	XX

Da bei der Schadensanalyse oft nur wenige Proben vorhanden sein können und nach der Probenpräparation die Formteile u. U. nicht mehr genau zuordenbar sind, ist die genaue Dokumentation und Beschriftung der Proben erste Voraussetzung für die spätere Interpretation der Messergebnisse. Vorrangiges Ziel der Probenvorbereitung in der Schadensanalyse ist es, durch gezielte Probenentnahme im Sinne der Schadenshypothese, oder aber auch durch eine Probenbeeinflussung, wie z. B. Tempern, Konditionieren, einen schadensrelevanten Vergleich zu ermöglichen.

Die Verfahren der Thermischen Analyse müssen bezüglich der Probenvorbereitung in zwei Gruppen unterteilt werden, Tabelle 8.2.

- DSC, OIT, TG: besondere Aufmerksamkeit sollte aufgrund der kleinen Probenmengen auf der gezielten Wahl der Entnahmestelle liegen, die Einhaltung einer bestimmten Geometrie ist nicht erforderlich;
- TMA, DMA: erfordern eine genaue Präparation der Geometrie, Fehler sind bei unregelmäßigen und inhomogenen Proben bzw. richtungsabhängigen Messungen möglich.

Tabelle 8.2 Probenauswahl und -vorbereitung für Verfahren der Thermischen Analyse

<table>
<tr><th>DSC</th><th>OIT</th><th>TGA</th><th>TMA</th><th>DMA</th></tr>
<tr><td colspan="5">Probenvorbereitung: schonende Probenentnahme, keine Temperatureinwirkung, keine mechanische Belastung (z. B. Quetschung durch Schraubstock, Seitenschneider usw.), Vorsicht bei Medieneinfluss (z. B. Bohrmilch, Reinigungsmittel), Informationen über mögliche Vorbehandlung im Vorfeld einholen, ggf. Konditionierung oder Trocknung für Vergleichbarkeit.</td></tr>
<tr><td colspan="2">Wahl der Entnahmestelle!
Oberfläche / Kern
angussnah /-fern
an schadensrelevanten Stellen (z. B. Bindenaht, Auflageflächen)
an geometrisch kritischen Stellen z. B. bezüglich Fließfronten, spitzen Ecken, scharfen Kanten, großen Querschnittsänderungen im Bauteil</td><td colspan="3">Genaue Probengeometrie!
Planparallele Seitenkanten
Fehler durch Fehlstellen (z. B. Lunker, Vakuolen, Agglomerate)
richtungsabhängige Ergebnisse (z. B. durch Füllstoffe, Orientierung, Verstreckung der Probe) durch gezielte Messrichtung möglich</td></tr>
</table>

Es sind dabei verschiedene Effekte und Einsatzgebiete der verschiedenen Messmethoden auch unter Berücksichtigung der verschiedenen Werkstoffe, amorphe und teilkristalline Thermoplaste, Duroplaste und ggf. Zusatzstoffe zu unterscheiden.

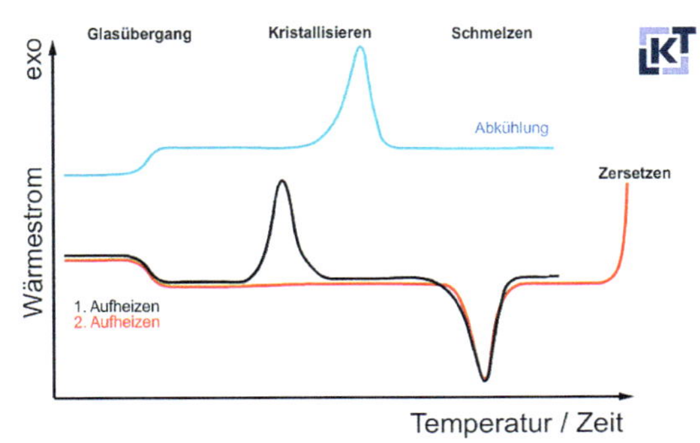

Bild 8.1 DSC - Effekte und Einsatzgebiete: Werkstoffidentifizierung, Verunreinigung, Kristallinitätsbestimmung, Thermische Vorgeschichte, Kennwerte, Aushärtezustand, c_p-Bestimmung, OIT-Messung, Trennung überlagerter Effekte

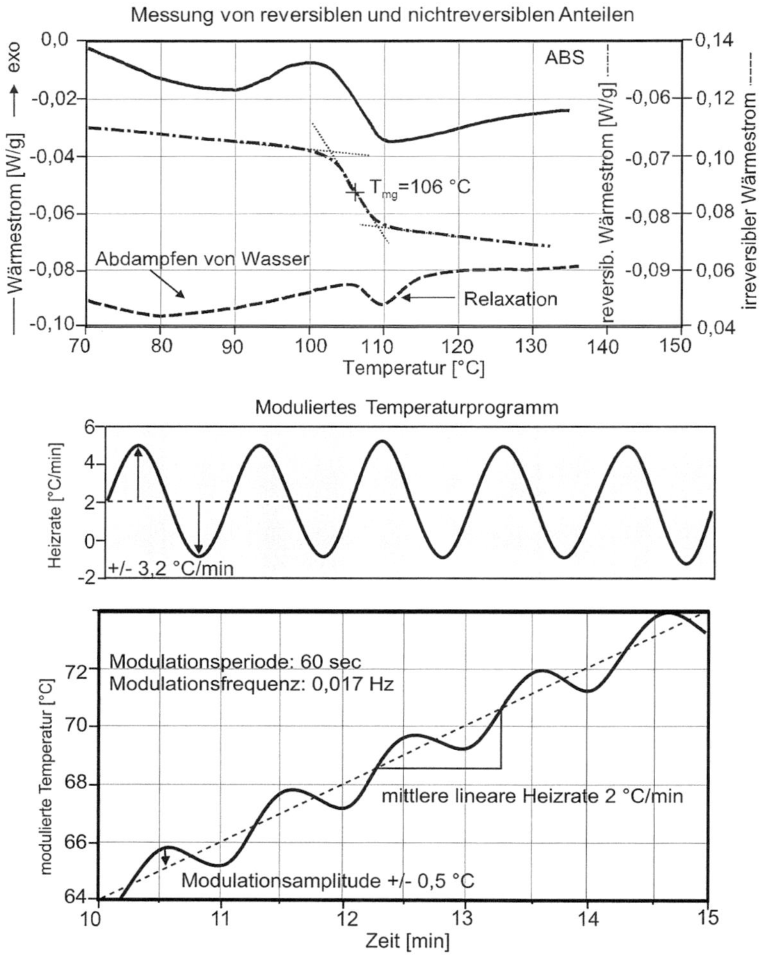

Bild 8.2 TMDSC – Effekte und Einsatzgebiete

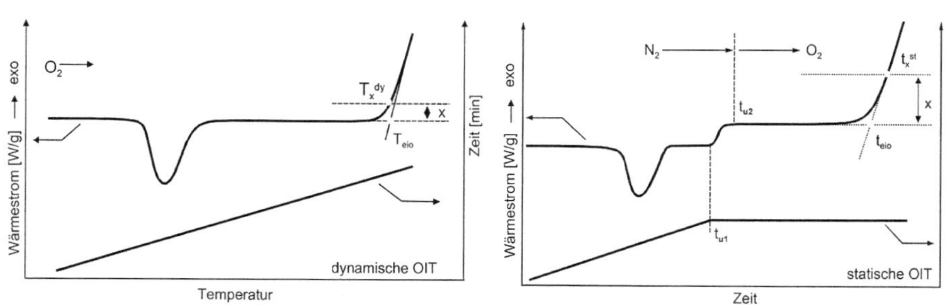

- OIT-Temperaturen (dynamisch), OIT-Zeiten (statisch)
- Schnellmethode zur Bestimmung der Stabilisatorwirkung
- vergleichende Messung - gleiche Stabilisatoren!

Bild 8.3 OIT – Effekte und Einsatzgebiete

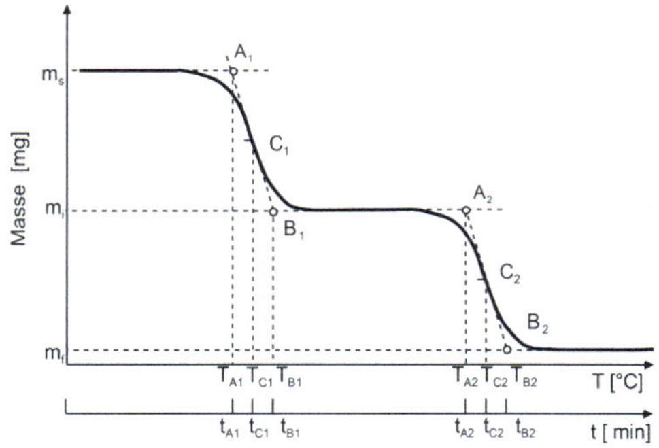

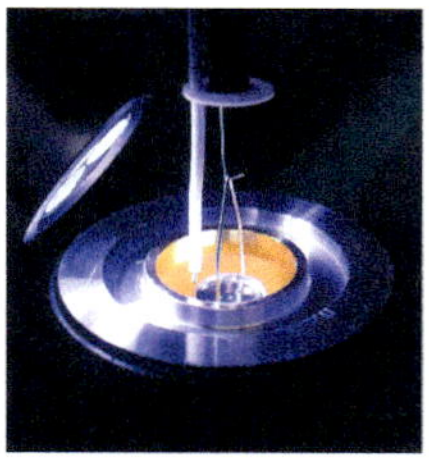

- Gewichtsverlust bei Zersetzung
- Rußgehalt
- Fasergehalt kleiner Proben
- Alterung
- Wirksamkeit thermischer Stabilisatoren
- Zersetzungskinetik
- Kopplungsmöglichkeit zur Gasanalyse mit FTIR, GC, MS

Bild 8.4
Thermo-Gravimetrie – Effekte und Einsatzgebiete

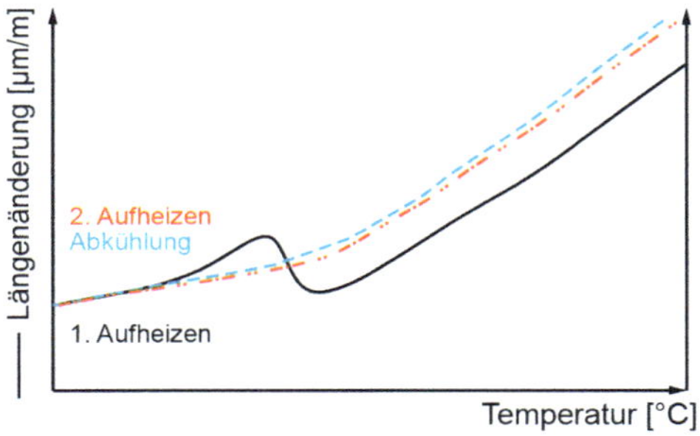

- Ausdehnungsverhalten
- Glasübergangstemperaturen
- Orientierungen
- Einfluss von Verstärkungsstoffen

Bild 8.5
TMA – Effekte und Einsatzgebiete

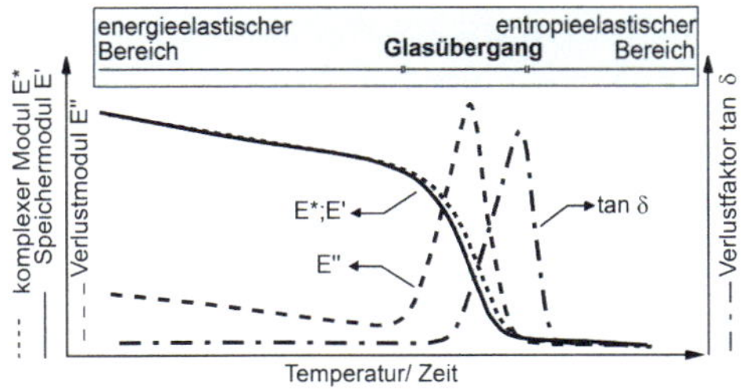

- Dynamisch mechanisches Verhalten
- Elastische/nichtelastische Anteile
- Dämpfungsverhalten
- Einsatztemperaturen/Erweichungstemperaturen
- Frequenzabhängigkeit
- Faserverstärkung
- α β γ – Übergänge

Bild 8.6
DMA – Effekte und Einsatzgebiete

Wie sehr die Proben bei den Messungen beansprucht werden, zeigt Bild 8.7.

DSC-Tiegel

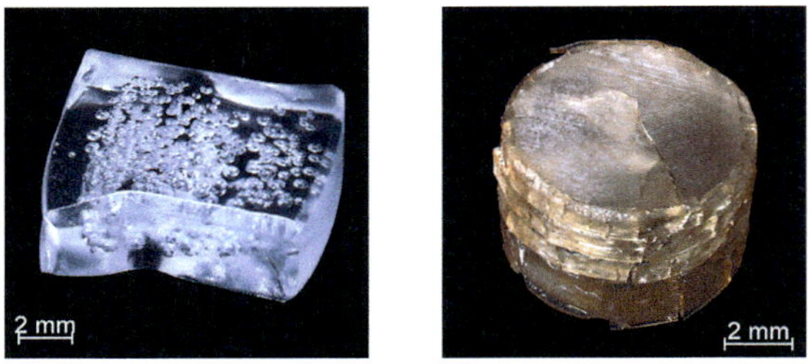

TMA-Proben

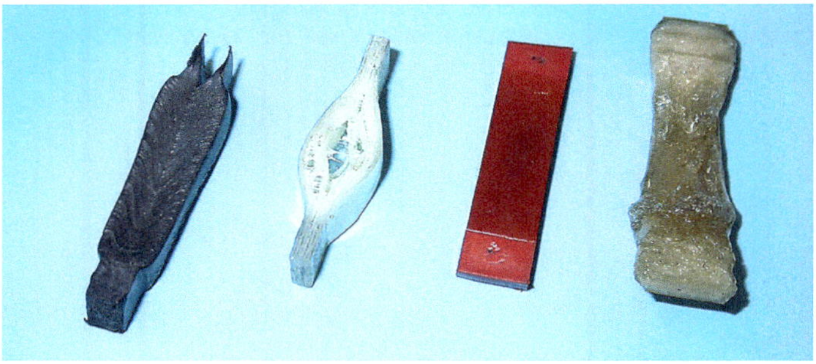

DMA-Proben

Bild 8.7 Proben nach der Messung mit verschiedenen Verfahren

■ 8.2 Einsatz von Messmethoden bei verschiedenen Werkstoffen

Auch wenn Kunststoffe viele Gemeinsamkeiten haben, so werden doch sehr unterschiedliche Messmethoden eingesetzt, um bestimmte Eigenschaften zu ermitteln.

Zudem ergibt sich ein starker Einfluss durch die Verarbeitung und die Konstruktion, so dass nur wenige Prüfverfahren allgemeine Eigenschaften bestimmen können, Tabelle 8.3.

Tabelle 8.3 Effekte, die mit verschiedenen thermischen Analysetechniken untersucht werden können

Effekt / Technik	DSC	TGA	TMA	DMA
Glasübergang	X		X	XX
Zusammensetzung	(X)	X		
Thermische Stabilität / Zusammensetzung	X (OIT)	X		
Füllstoffe und Additive	X	X		
Elastizitätsmodul				X
Schmelzen und Kristallisation	XX			X

8.2.1 Amorphe Thermoplaste

Amorphe Thermoplaste werden mit den Methoden der Thermischen Analyse in erster Linie über die Glasübergangstemperaturen T_g charakterisiert. Die Einsatzmöglichkeiten der einzelnen Verfahren, Fragestellungen einer Schadensuntersuchung bei amorphen Thermoplasten zu beantworten, sind in folgender Tabelle 8.4 zusammengefasst und werden durch einige Beispielkurven verdeutlicht.

Tabelle 8.4 Verwendung der verschiedenen thermoanalytischen Analyseverfahren für amorphe Thermoplaste

Fragestellung	DSC	OIT	TG	TMA	DMA
Werkstoff					
Identifizierung	**x**				x
Modifikationen, Zusatzstoffe	x		x		x
Stabilisierung		x	x		
Verarbeitung					
Verarbeitungstemperaturen	x				
Abkühlbedingungen	x				
Orientierungen	x			**x**	
Einsatz/Gebrauch					
physikalische Alterung/Medien	x		x		
physikalische Alterung/Tempern	x			x	
chemische Alterung/Abbau	x	x	x		x
chemische Alterung/Vernetzung	x				x

Parallele Beispiele für Messungen an verschiedenen Kunststofftypen zeigen typische Erscheinungen. Die verschiedenen TA-Messmethoden erlauben Aussagen zum Werkstoff, zur Verarbeitung und zum Einsatz. Eine Besonderheit ist, dass mittels der TA-Messverfahren an amorphen Thermoplasten keine Schmelztemperatur gemessen werden kann, Bild 8.8 und Bild 8.9.

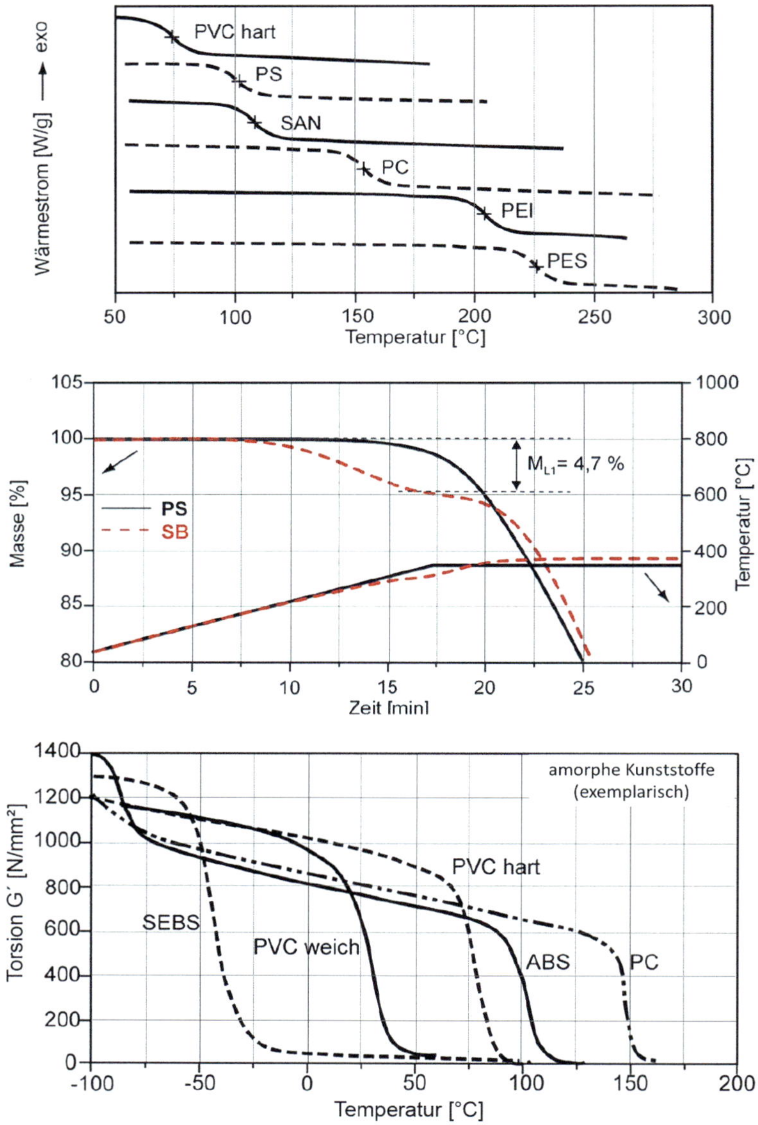

Bild 8.8 Amorphe Thermoplaste gemessen mit DSC, TG und DMA; *unterschiedliches Materialverhalten*

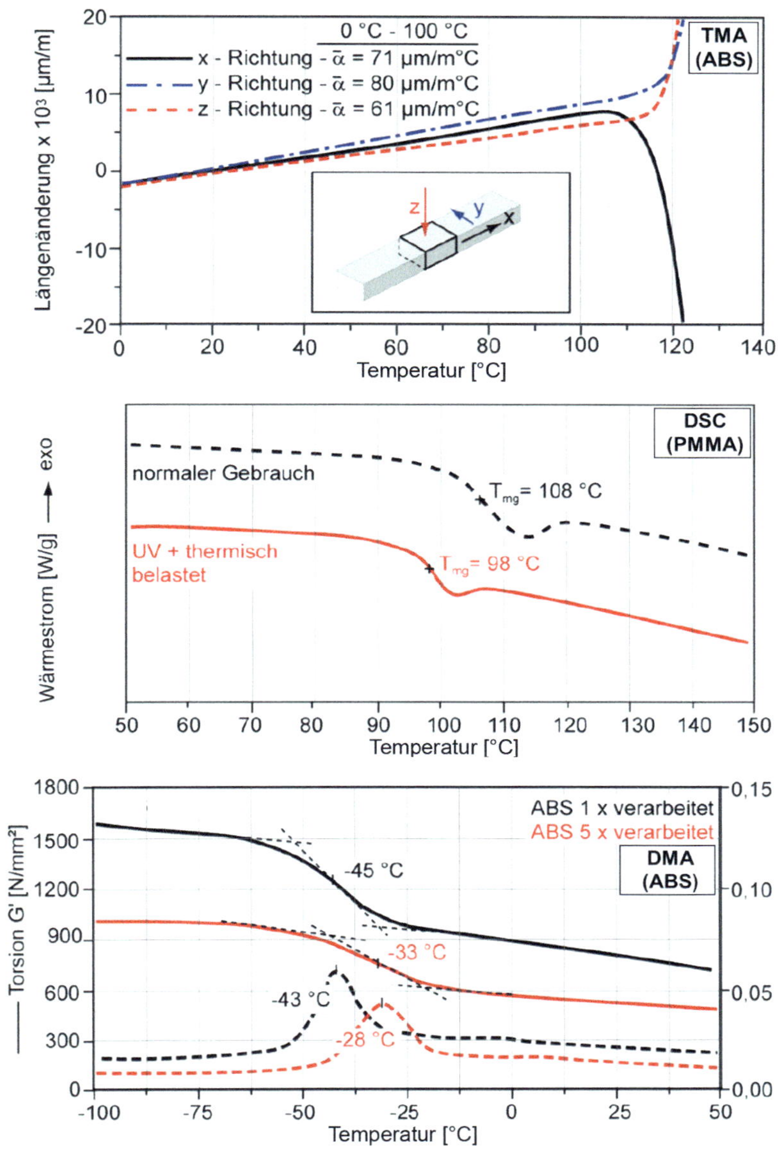

Bild 8.9 Amorphe Thermoplaste gemessen mit DSC, TMA und DMA; *Einfluss Verarbeitung und Orientierung*

Zu den unverständlichen Besonderheiten in der Kunststofftechnik gehört der Fakt, dass keine Schmelz- oder Fließtemperatur für amorphe Thermoplaste definiert ist, obwohl nahezu alle amorphen Thermoplaste über den schmelzflüssigen Zustand verarbeitet werden, d. h. das Material wird im Zylinder bis in den schmelzflüssigen Zustand erwärmt, ins Werkzeug gedrückt und dort in den festen Zustand abgekühlt.

8.2.2 Teilkristalline Kunststoffe

Thermoanalytische Analyseverfahren ermöglichen eine Reihe von Aussagen zu speziellen Fragestellungen, Tabelle 8.5, wobei besonders DSC-Messungen speziell bei teilkristallinen Thermoplasten eine Vielzahl an Aussagen ermöglichen, die allerdings häufig einer fachkundigen Interpretation bedürfen. Neben der Identifizierung anhand von Schmelz- und Kristallisationstemperaturen liefern DSC-Messungen Informationen über die in einem Bauteil erreichte Kristallinität, hierfür wird das 1. Aufheizen herangezogen. Ein möglicher Kettenabbau oder eine Vernetzung während der Verarbeitung kann ebenso mittels DSC-Messungen, aber auch mit OIT- und TG-Messungen, betrachtet werden. Hierfür sind bei der DSC-Messung der Vergleich des 1. und 2. Aufheizens und insbesondere die Betrachtung der Abkühlkurven relevant.

Ein Rückschluss auf Orientierungen kann in erster Linie mittels TMA getroffen werden. Analog zu den genannten Möglichkeiten der DMA-Messungen werden diese auch bei teilkristallinen Thermoplasten in erster Linie zur Betrachtung des temperaturabhängigen Modulverlaufs herangezogen.

Tabelle 8.5 Verwendung der verschiedenen thermoanalytischen Analyseverfahren für teilkristalline Thermoplaste

Fragestellung	DSC	OIT	TG	TMA	DMA
Werkstoff					
Identifizierung	**x**				
Modifikationen, Zusatzstoffe	x		x		x
Stabilisierung		x	x		
Verarbeitung					
Verarbeitungstemperaturen	**x**				
Abkühlbedingungen	**x**				
Orientierungen	x			**x**	
Einsatz/Gebrauch					
physikalische Alterung/Medien	x		**x**		
phys. Alterung/Tempern	**x**			x	
chemische Alterung/Abbau	**x**	**x**	**x**		
chemische Alterung/Vernetzung	**x**				x

Teilkristalline Thermoplaste weisen 2 sehr unterschiedliche Strukturen auf, die kristallinen Lamellen und die sie verbindenden amorphen Bereiche. Beide zeigen in Abhängigkeit von der Temperatur, aber auch in wesentlich geringerem Maße von der mechanischen Belastung ein sehr unterschiedliches, aber jeweils typisches Verhalten. Die einzelnen Strukturen können sich in unterschiedlichen Zuständen befinden und somit die Gesamterscheinung unterschiedlich beeinflussen, Bild 8.10 bis Bild 8.13.

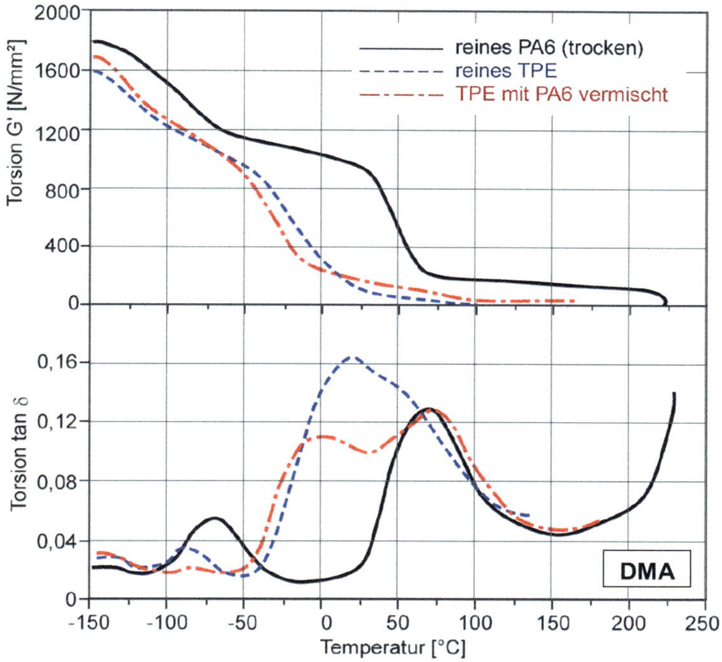

Bild 8.10 Unterschiedliches Materialverhalten bei Modifizierung von PA6 durch Mischungen mit Weichkomponente (PA6 mit TPE)

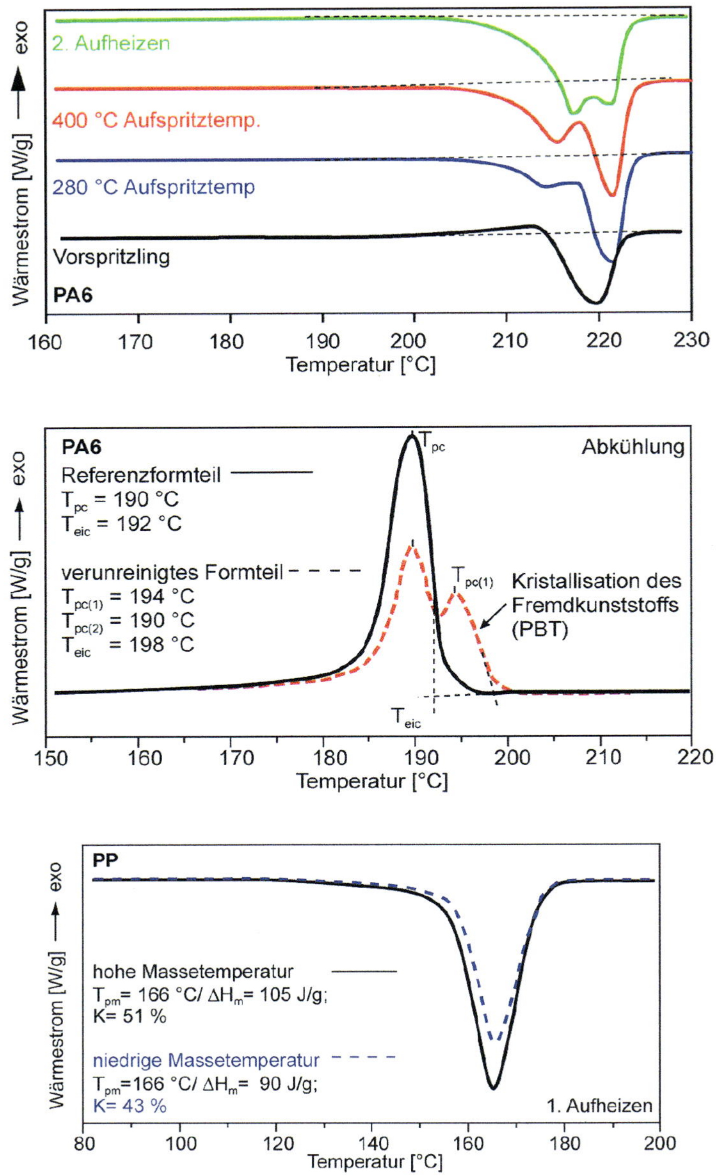

DSC

Bild 8.11 Teilkristalline Thermoplaste gemessen mit DSC; *Einfluss der Verarbeitung*

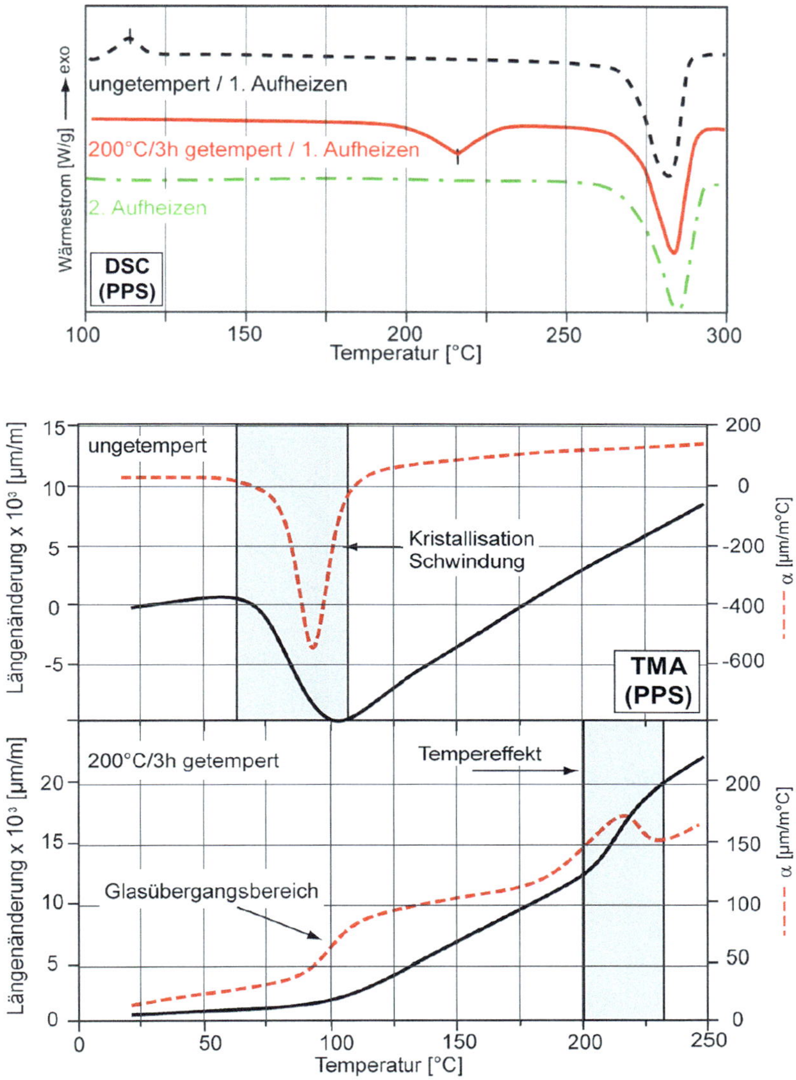

Bild 8.12 Teilkristalline Thermoplaste PPS gemessen mit DSC und TMA; *Materialverhalten und Einsatz*

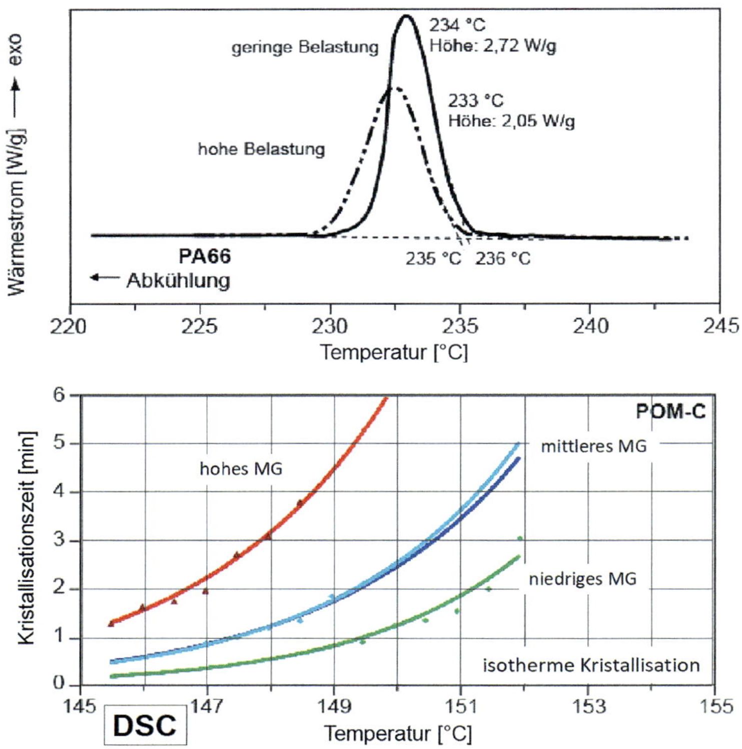

Bild 8.13 Teilkristalline Thermoplaste gemessen mit DSC, TG; *Einfluss von Verarbeitung und Einsatz*

8.2.3 Duroplaste

Zur Schadensbeurteilung ist neben der Kenntnis des Reaktionssystems die Information über die Höhe des momentanen und des möglichen Aushärtezustandes notwendig.

Eine Identifizierung von Reaktionsharzen ist mit Hilfe der Thermischen Analyse nicht möglich, anhand der Temperatur des Glasübergangsbereiches kann aber beurteilt werden, ob es sich um ein kalt- oder warmhärtendes System handelt. Mittels DSC können Aussagen zur Reaktionskinetik, insbesondere auch durch isotherme Messungen, getroffen werden.

Der Aushärtezustand kann, je nach Reaktionsharz, bis zu einem Aushärtegrad von ca. 95 % mittels DSC bestimmt werden. Eine weitere Beurteilung höherer Aushärtegrade erfolgt durch die Betrachtung der Glasübergangstemperatur. Hierbei kommen neben der DSC-Messung vor allem bei hochgefüllten Systemen oder Phenolharzen DMA-Messungen zum Einsatz. TMA-Messungen liefern Informationen über Nachhärtungseffekte, die mit einer Schwindung einhergehen.

Auch für diese Werkstoffgruppe sind die Einsatzmöglichkeiten der einzelnen Verfahren zusammengefasst, Tabelle 8.6.

Tabelle 8.6 Einsatzmöglichkeiten thermoanalytischer Messmethoden für die Duroplaste

Fragestellung	DSC	OIT	TG	TMA	DMA
Identifizierung anhand der Lage von T_g	x			x	x
Reaktionskinetik	**x**				
Verarbeitung/Härtung					
Härtungstemperatur					
Härtungszeit					
Nachhärtung	x			**x**	x
Einsatz/Gebrauch					
Nachhärtung					
Feuchtigkeit					
Medien					

Bei den Duroplasten muss unterschieden werden, ob es sich um eine reine Materialbeurteilung handelt oder um den Verarbeitungsvorgang, wobei Phänomene ineinandergreifen können, Bild 8.14 bis Bild 8.16.

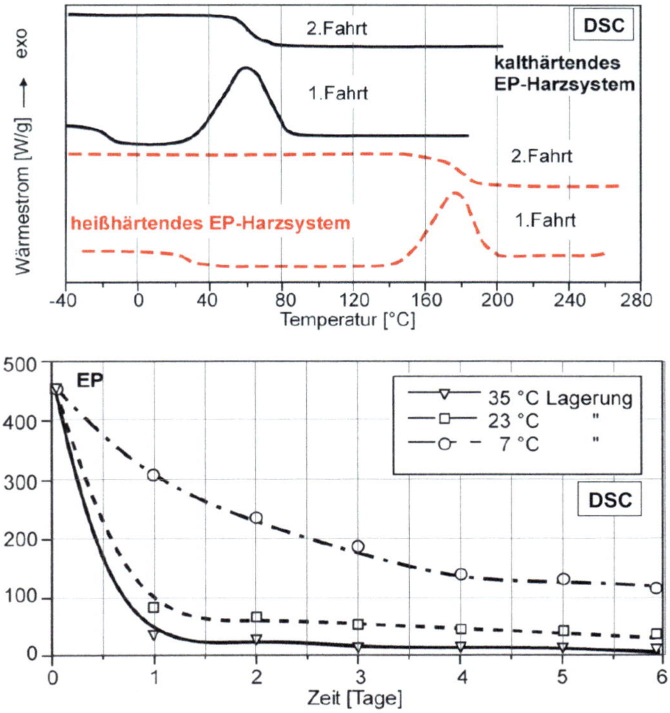

Bild 8.14 Duroplastische EP-Reaktionsharze gemessen mit DSC

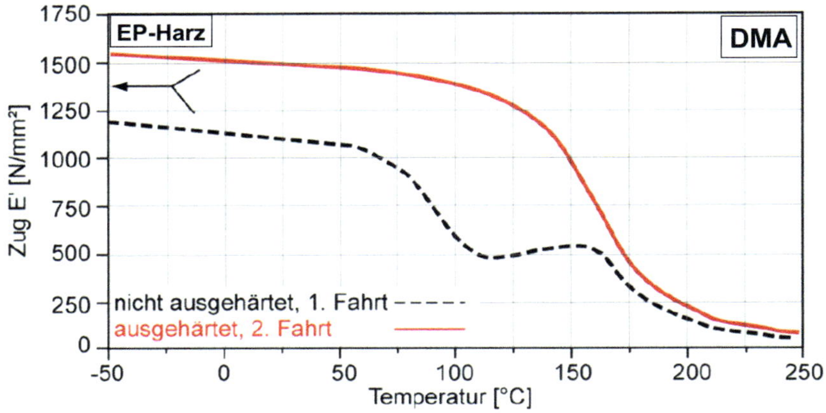

Bild 8.15 Duroplastische EP-Reaktionsharze gemessen mit DMA

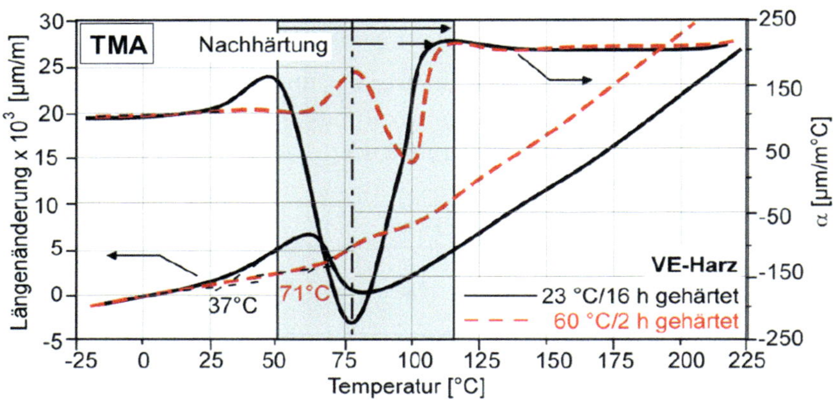

Bild 8.16 Duroplastische VE-Reaktionsharze gemessen mit TMA; Füll- und Zusatzstoffe

Die Betrachtung von Füll- und Zusatzstoffen erfolgt im Bereich der Thermischen Analyse mit Hilfe der Thermogravimetrie in erster Linie rein quantitativ. Identifiziert werden können verbleibende Rückstände makroskopisch oder unter Zuhilfenahme weiterer Verfahren, wie der EDX-Analyse oder der Massenspektroskopie. Eine Kombination von TG mit GC oder MS ermöglicht die Identifizierung von Zersetzungsprodukten, die Rückschlüsse auf die Ausgangssubstanzen erlauben.

DSC-Messungen erlauben eine Identifizierung von teilkristallinen Zusatzstoffen, wie z. B. PTFE, mit dem Werkstoffe häufig zur Verbesserung tribologischer Eigenschaften modifiziert werden.

TMA- und DMA-Messungen zeigen den Einfluss der Zusatzstoffe auf das temperaturabhängige Verhalten, je nach Belastungsart und Messrichtung.

Kunststoffe enthalten häufig Zusätze der verschiedensten Art. Das können Füll- und Verstärkungsstoffe, aber auch Zusatzstoffe, Mischungen und Additive sein, die sich durchaus thermisch unterschiedlich verhalten, weshalb die Thermogravimetrie häufig angewandt wird, Bild 8.17 und Bild 8.18.

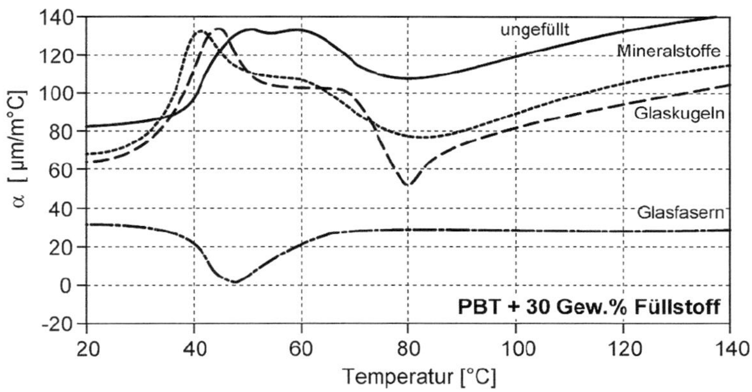

Bild 8.17 PBT-30GF Thermoplast, Füll- und Verstärkungsstoffe, Zusätze gemessen in TMA

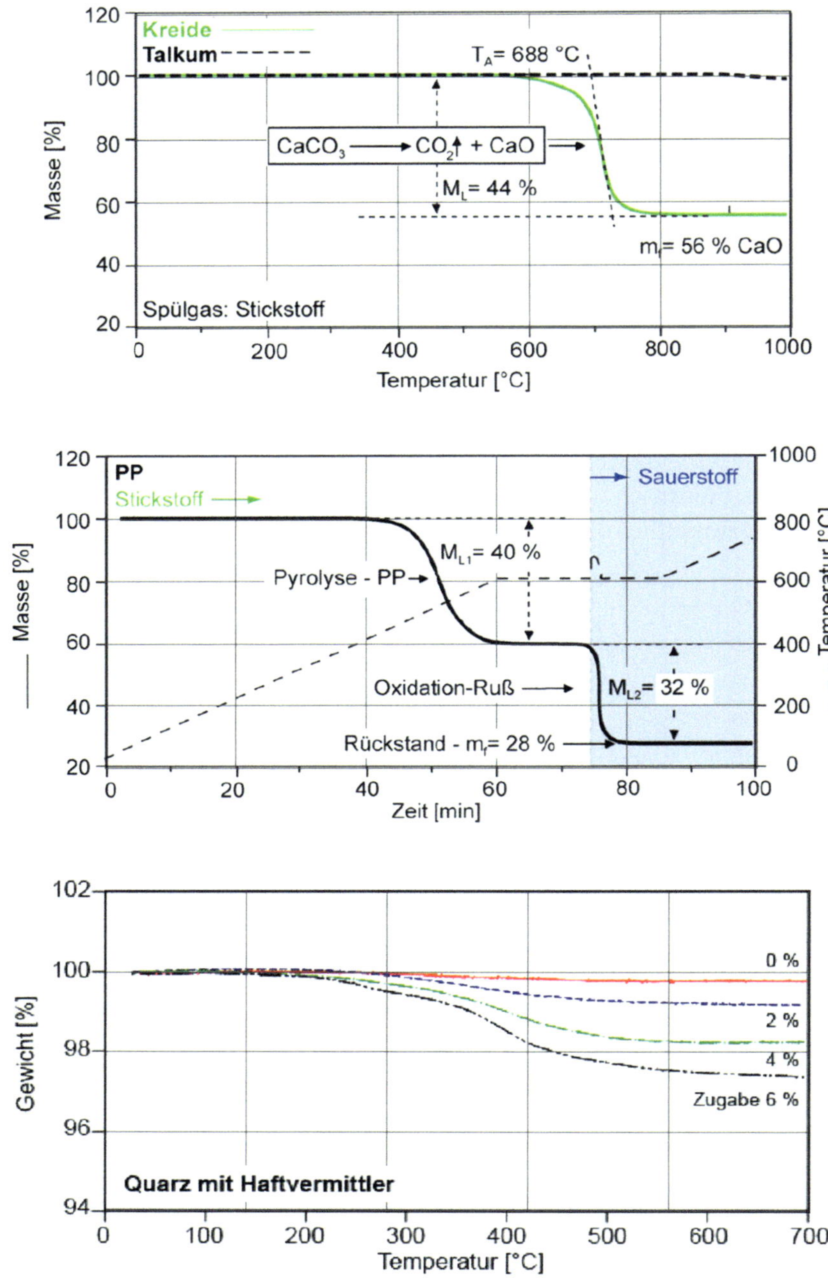

Bild 8.18 Thermoplaste, Füll- und Verstärkungsstoffe (Quarz, Kreide, Talkum), Zusätze gemessen in Thermogravimetrie

8.2.4 Temperatur- und Druckabhängigkeit der Dichte von Polymeren

Eine der Besonderheiten von Kunststoffen ist die starke Abhängigkeit der Eigenschaften von Druck und Temperatur, und das in allen 3 Zustandsbereichen, in denen die Parameter sich unterschiedlich auswirken. Als Eigenschaftskriterium wird gerne die Dichte genommen. Da besonders bei der maschinellen Verarbeitung diese unterschiedlichen Zustände auftreten - einschließlich der Beanspruchungsparameter von Druck, Temperatur und der sich ergebenden Volumenänderung gekennzeichnet durch die Dichte -, ergeben sich dadurch elementare Hinweise auf das Werkstoffverhalten bei unterschiedlichen Bedingungen, wie sie in der maschinellen Verarbeitungstechnik auftreten.

Dabei sind besonders zwei Verfahren zu unterscheiden. Zum einen handelt es sich um ein temperierbares Kolbengerät, bei dem der Druck über einen Kolben auf eine zylindrisch vorgefertigte Probe aufgebracht wird, zum anderen um ein Gerät, in dem die vielgestaltige Probe in einem Quecksilberbad eingebettet temperiert und unter Druck gesetzt wird. Eingestellt werden können Drücke bis 2000 bar, wobei beim Kolbengerät ein Mindestdruck eine gleichmäßige Anpassung des einwirkenden Kolbens sicherstellen sollte. Als Temperatur werden 300 - 400 °C genannt. Das Kolbengerät ist deutlich einfacher in der Handhabung, besonders wegen der Giftigkeit des Quecksilbers beim Gnomixgerät. Dagegen dürfte das Quecksilbergerät leichter differenzierte isotherme, isobare und isochore Messungen ermöglichen.

Während sich bei einem ataktischen Polystyrol ein sehr gleichmäßiges spez. Volumen mit der temperatur- und druckabhängigen Glasübergangstemperatur A- C, Bild 8.19 unten, zeigt, sind die Verhältnisse beim isotaktischen Polypropylen deutlich komplizierter, rechts. Oberhalb des Glasübergangs ergibt sich bei allen Drücken eine deutliche Zunahme des spezifischen Volumens, hervorgerufen durch das Schmelzen. Andererseits bewirkt hoher Druck nur eine Steigerung des spez. Volumens in der Größenordnung teilkristalliner Strukturen, so dass druckinduzierte Kristallisationsprozesse anzunehmen sind.

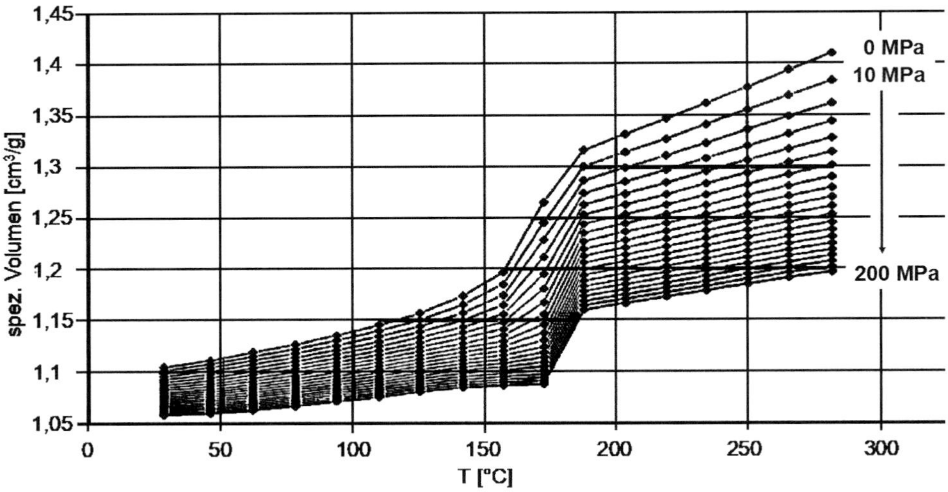

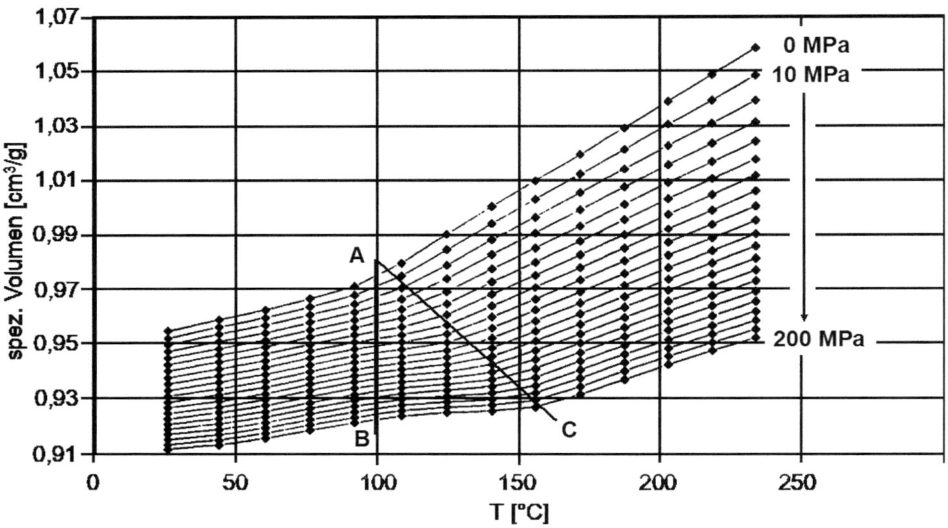

Bild 8.19 Darstellung der Druck- und Temperaturabhängigkeit des spezifischen Volumens
oben: ataktisches Polystyrol
unten: isotaktisches Polypropylen
Daten im isothermen Modus aufgenommen

Teilkristalline Thermoplaste, hier PP, zeigen bei den Übergängen im Erweichungs- und im Schmelzbereich erhebliche Hysteresen um etwa 30 °C je 1000 bar. Praktisch heißt das, dass die Schmelztemperatur bei einem Druck von 1000 bar etwa 30 °C höher, die Kristallisationstemperatur aber ca. 30 °C niedriger liegt, Bild 8.20.

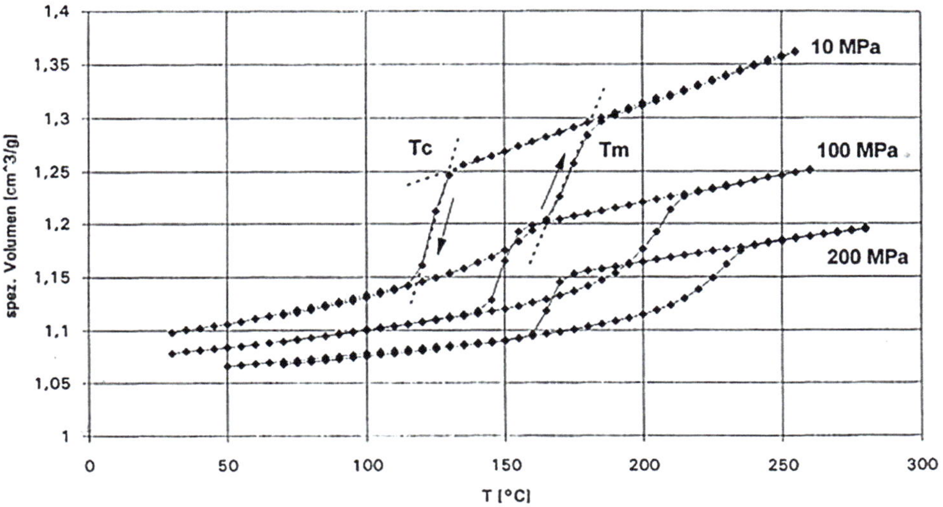

Bild 8.20 Temperaturabhängigkeit des spezifischen Volumens eines isotaktischen PP bei vorgegebenem Druck (isobare Versuchsführung); Heiz- und Kühlrate = 2,5 °C/min

Eine zuverlässige geschlossene Methode zur Beschreibung der Dichte in Abhängigkeit von Druck und Temperatur scheint es für teilkristalline Thermoplaste also nicht zu geben. Noch unklarer sind die Verhältnisse bei amorphen, solange eine Fließtemperatur nicht definiert ist, obwohl die Auswirkungen von Druck und Wärme klarer sind.

■ 8.3 Normen

Thermische Analyse

DIN 51005 (2005)

Thermische Analyse (TA) - Begriffe

ASTM-E 473b (2007)

Standard Terminology Relating to Thermal Analysis and Rheology

Dynamische Differenzkalorimetrie (DDK)

DIN EN ISO 11357-1 (2010)

Kunststoffe - Dynamische Differenz-Thermoanalyse (DSC) - Teil 1: Allgemeine Grundlagen

ISO 11357-2 (2014)

Kunststoffe - Dynamische Differenzkalorimetrie (DDK) - Teil 2: Bestimmung der Glasübergangstemperatur

ISO 11357-3 (2013)
Kunststoffe – Dynamische Differenzkalorimetrie (DDK) – Teil 3: Bestimmung der Schmelz- und Kristallisationstemperatur und der Schmelz- und Kristallisationsenthalpie

ISO 11357-4 (2014)
Kunststoffe – Dynamische Differenz-Thermoanalyse (DSC) – Teil 4: Bestimmung der spezifischen Wärmekapazität

ISO 11357-5 (2014)
Kunststoffe – Dynamische Differenz-Thermoanalyse (DSC) – Teil 5: Bestimmung von charakteristischen Reaktionstemperaturen und -zeiten, Reaktionsenthalpie und Umsatz

ISO 11357-6 (2013)
Kunststoffe – Dynamische Differenz-Thermoanalyse (DSC) – Teil 6: Oxidations-Induktionszeit (isothermische OIT) und -temperatur (dynamische OIT)

ISO 11357-7 (2014)
Kunststoffe – Dynamische Differenz-Thermoanalyse (DSC) – Teil 7: Bestimmung der Kristallisationskinetik

ISO/DIS 11357-8 (2001)
Kunststoffe – Dynamische Differenzkalorimetrie (DDK) – Teil 8: Bestimmung des Anteils der Wasseraufnahme

DIN 65467 (1999)
Luft- und Raumfahrt – Prüfung von Reaktionsharzsystemen mit und ohne Verstärkung – DSC-Verfahren

ASTM-D 3418 (2003)
Standard Test Method for Transition Temperatures and Enthalpies of Fusion and Crystallization of Polymers by Differential Scanning Calorimetry

ASTM-D 3895 (2007)
Standard Test Method for Oxidative-Induction Time of Polyolefins by Differential Scanning Calorimetry

ASTM-D 7426 (2008)
Standard Test Method for Assignment of the DSC Procedure for Determining Tg of a Polymer or an Elastomeric Compound

ASTM-E 793 (2006)
Standard Test Method for Enthalpies of Fusion and Crystallization by Differential Scanning Calorimetry

ASTM-E 794 (2006)
Standard Test Method for Melting And Crystallization Temperatures By Thermal Analysis

ASTM-E 967 (2003)
Standard Practice for Temperature Calibration of Differential Scanning Calorimeters and Differential Thermal Analyzers

ASTM-E 1269 (2005)
Standard Test Method for Determining Specific Heat Capacity by Differential Scanning Calorimetry

ASTM-E 1858 (2003)
Standard Test Method for Determining Oxidation Induction Time of Hydrocarbons by Differential Scanning Calorimetry

ASTM-E 2041 (2003)
Standard Method for Estimating Kinetic Parameters by Differential Scanning Calorimeter Using the Borchardt and Daniels Method

ASTM-E 2070 (2008)
Standard Test Method for Kinetic Parameters by Differential Scanning Calorimetry Using Isothermal Methods

Thermogravimetrie

DIN EN ISO 11358-1 (2014)
Kunststoffe – Thermogravimetrie (TG) von Polymeren – Allgemeine Grundlagen

DIN 51006 (2005)
Thermische Analyse (TA) - Thermogravimetrie (TG) - Grundlagen

BS ISO 11358-2 (2014)
Plastics – Thermogravimetry (TG) of polymers – Part 2: Determination of activation energy

ISO 9924-1 (2000)
Kautschuk und Kautschukerzeugnisse – Bestimmung der Zusammensetzung von Vulkanisaten und unvulkanisierten Compounds durch Thermogravimetrie – Teil 1: Butadien-, Ethylen-Propylen-Copolymer- und Terpolymer-, Isobuten-Isopren-, Isopren- und Styrol-Butadien-Kautschuk

ISO 9924-2 (2000)
Kautschuk und Kautschukerzeugnisse – Bestimmung der Zusammensetzung von Vulkanisaten und unvulkanisierten Compounds durch Thermogravimetrie – Teil 2: Acrylnitril-Butadien- und Halogenbutyl-Kautschuk

ISO 9924-3 (2009)
Kautschuk und Kautschukerzeugnisse - Bestimmung der Zusammensetzung von Vulkanisaten und unvulkanisierten Compounds durch Thermogravimetrie - Teil 3 Kohlenwasserstoffelastomere, halogenierte Elastomere und Siliconkautschuk nach Extraktion

ISO 21870 (2005)
Einsatzstoffe für Kautschuk – Ruß – Bestimmung des Gewichtsverlustes durch Erhitzen mittels Thermogravimetrie

ASTM-D 3850 (1994)
Prüfung der Verminderung der Isolierwirkung von Elektroisolierstoffen unter Wärmeeinwirkung mittels Thermogravimetrie

ASTM-D 6370 (1999)
Standard Test Method for Rubber-Compositional Analysis by Thermogravimetry (TGA)

ASTM-E 1131 (2008)
Standard Test Method for Compositional Analysis by Thermogravimetry

ASTM-E 1868 (2004)
Standard Test Method for Loss-On-Drying by Thermogravimetry

Thermomechanische Analyse

DIN EN ISO 11359-1 (1999)
Kunststoffe – Thermomechanische Analyse (TMA) – Teil 1: Allgemeine Grundlagen

DIN EN ISO 11359-2 (1999)
Kunststoffe – Thermomechanische Analyse (TMA) – Teil 2: Bestimmung des linearen thermischen Ausdehnungskoeffizienten und der Glasübergangstemperatur

DIN EN ISO 11359-3 (2002)
Kunststoffe – Thermomechanische Analyse (TMA) – Teil 3: Bestimmung der Penetrationstemperatur

DIN 51045-1 (2005)
Bestimmung der thermischen Längenänderung fester Körper – Teil 1: Grundlagen

DIN 51045-2 (2009)
Bestimmung der Längenänderung fester Körper unter Wärmeeinwirkung nach dem Dilatometerverfahren

DIN 51909 (2009)
Prüfung von Kohlenstoffmaterialien - Bestimmung des linearen thermischen Ausdehnungskoeffizienten – Feststoffe

ASTM-D 5418 (2007)
Standard Test Method for Plastics: Dynamic Mechanical Properties: In Flexure (Dual Cantilever Beam)

ASTM-E 831 (2006)
Standard Test Method for Linear Thermal Expansion of Solid Materials by Thermomechanical Analysis

ASTM-E 1824 (2008)
Standard Test Method for Assignment of a Glass Transition Temperature Using Thermomechanical Analysis

Dynamisch Mechanische Analyse (DMA)

DIN EN ISO 6721-1 (2011)
Kunststoffe – Bestimmung dynamisch-mechanischer Eigenschaften – Teil 1: Allgemeine Grundlagen

DIN EN ISO 6721-2 (2008)
Kunststoffe – Bestimmung dynamisch-mechanischer Eigenschaften – Teil 2: Torsionspendel-Verfahren

DIN EN ISO 6721-3 (1996)
Kunststoffe – Bestimmung dynamisch-mechanischer Eigenschaften – Teil 3: Biegeschwingung – Resonanzkurven-Verfahren

ISO 6721-4 (2008)
Kunststoffe – Bestimmung dynamisch-mechanischer Eigenschaften – Teil 4: Zugschwingung – Nicht-resonantes-Verfahren

ISO 6721-5 (2005)
Kunststoffe – Bestimmung dynamisch-mechanischer Eigenschaften – Teil 5: Biegeschwingung – Nicht-resonantes-Verfahren

ISO 6721-6 (2005)
Kunststoffe – Bestimmung dynamisch-mechanischer Eigenschaften – Teil 6: Scherschwingung – Nicht-resonantes-Verfahren

ISO 6721-7 (2005)
Kunststoffe – Bestimmung dynamisch-mechanischer Eigenschaften –Teil 7: Torsionsschwingung – Nicht-resonantes-Verfahren

DIN 65583 (1999)
Luft- und Raumfahrt – Faserverstärkte Kunststoffe – Bestimmung des Glasübergangs von Faserverbundwerkstoffen unter dynamischer Belastung

DIN 29971 (1991)
Luft- und Raumfahrt – Unidirektionalgelege-Prepreg aus Kohlenstoffasern und Epoxidharz

ASTM –D 4065 (2006)
Standard Practice for Plastics – Dynamic Mechanical Properties – Determination and Report of Procedures

Verwendete Literatur

- Ehrenstein, G. W.; Riedel, G.; Trawiel, P.; Praxis der thermischen Analyse von Kunststoffen, Carl Hanser Verlag, München, 2003
- Riedel, G.; Trawiel, P.; Methodenübersicht; Hochschulseminar Praxis der Thermischen Analyse von Kunststoffen; Lehrstuhl Kunststofftechnik, Erlangen, 2015
- Rieger, J.; The glass transition temperature Tg of polymeres - Comparison of the values from differential thermal analysis (DTA,DSC) and dynamic mechanical measurements (torsion pendulum) Polymer Testing 20 (2001) S. 199 – 204
- Kämpf, G.; Industrielle Methoden der Kunststoff-Charakterisierung; Carl Hanser Verlag, 1996

9 Messunsicherheit bei der Thermischen Analyse

Prof. Dr. Samuel Affolter, Dr. Bruno Wampfler

9.1 Einleitung

In der Praxis wird ein Labor regelmäßig mit Fragen konfrontiert:

- stimmt die Spezifikation mit dem Messergebnis überein?
- ist der Unterschied zwischen zwei Messergebnissen signifikant? oder
- stimmt das Messergebnis mit dem Referenzwert überein?

Antworten lassen sich nur mit Kenntnis der Messunsicherheit geben. Aus dem Blickwinkel der Messunsicherheit ist die Kunststoffanalytik ein Sonderfall. Im Gegensatz zu anderen Gebieten der chemischen Analytik sind viele Verfahren normiert und zunehmend mit Präzisionsdaten hinterlegt, die durch Ringversuche gewonnen werden. Dies ist sehr nützlich, denn mit Hilfe dieser Daten lässt sich die Messunsicherheit nach der Methode von ISO 21748 (1) zuverlässig ermitteln. Der andere Hauptzugang zur Messunsicherheit, die analytisch-rechnerische Methode nach ISO/IEC Guide 98-3 (GUM) [2], funktioniert nämlich nur, wenn die vorhandenen systematischen Einflüsse in einem Analyseverfahren erkannt und vernünftig quantifiziert werden können. Und das ist in der Kunststoffanalytik meist nicht gegeben. Metrologische Institute wenden ISO 21748 selbst teilweise für die Berechnung der Unsicherheit von Referenzmaterialien an. Ein Beispiel ist das Referenzmaterial 1474b [1] des National Institute of Standards and Technology der USA (NIST): die Unsicherheit der Schmelze-Massefließrate (MFR) wird nicht analytisch-rechnerisch, sondern auf Basis der linearen Interpolation zweier Werte aus Ringversuchen ermittelt.

Das vorliegende Kapitel geht nicht auf die Aspekte der Validierung und Qualitätssicherung ein. Es versucht nur, den Zugang zu Unsicherheitsdaten zu erleichtern und setzt voraus, dass die Analysemethode bis auf die Kenntnis der Messunsicherheit gebrauchstauglich ist.

Weitergehende Grundlagen zur Ermittlung der Messunsicherheit auf Basis von Ringversuchswerten und die Anwendung von Unsicherheitsdaten in der Praxis enthält Band 10 der hier vorliegenden Buch-Reihe. Die im Folgenden präsentierten

Inhalte sind dem Fachbuch „Messunsicherheit in der Kunststoffanalytik", [2] entnommen.

9.2 Begriffe der Messunsicherheit

Die im Folgenden angeführten Begriffserklärungen sind als Erläuterungen zu verstehen. Wissenschaftliche Definitionen finden sich in VIM (3) und dessen Auslegung für die Analytische Chemie (4). Im vorliegenden Kapitel werden die Symbole von DIN ISO 21748 (1) verwendet.

Ausreißer

Wert unter einer Serie von Werten, der mit den anderen Werten dieser Serie nicht verträglich ist. Ein Ausreißer ist entweder signifikant zu groß oder signifikant zu klein.

Erweiterte Unsicherheit U

Mit einem Faktor k multiplizierte kombinierte Standardunsicherheit $u(y)$. Wenn der Erweiterungsfaktor den Wert zwei hat und die Anzahl der Freiheitsgrade der dominanten Beiträge zur Unsicherheit genügend hoch ist, entspricht die erweiterte Unsicherheit einem Vertrauensbereich von ungefähr 95 %.

Erweiterungsfaktor k

Zahl, mit der die kombinierte Standardunsicherheit $u(y)$ multipliziert wird, um die erweiterte Unsicherheit U zu erhalten. k beträgt üblicherweise zwei.

Kombinierte Standardunsicherheit $u(y)$

Standardunsicherheit eines Messergebnisses. Sie wird aus den einzelnen Standardunsicherheiten $u_i(y)$ durch die Gesetze der Unsicherheitsfortpflanzung berechnet. ISO/IEC Guide 98-3 (2) verwendet für die kombinierte Standardunsicherheit das Symbol $u_c(y)$. In diesem Kapitel wird das Symbol u(y) nach DIN ISO 21748 (1) verwendet.

Kritische Differenz KD

Mit k = 2 erweiterte Unsicherheit der Differenz zweier Werte. Ist die Differenz der beiden Werte größer als die kritische Differenz, sind die beiden Werte signifikant verschieden.

Kritischer Quotient KQ

KQ dient wie KD der Beurteilung, ob zwei Werte $y_1 > y_2 > 0$ signifikant verschieden sind. Wenn $y_1/y_2 >$ KQ, ist der Unterschied der beiden Werte signifikant. KQ wird auf Ergebnisse mit konstanter relativer Standardunsicherheit angewendet. Normen und Richtlinien kennen den Begriff „kritischer Quotient“ nicht.

MAD

Median der absoluten Abweichungen vom Median. MAD wird berechnet, indem zunächst die Abweichungen aller einzelnen Zahlen vom Median bestimmt und in absolute (positive) Zahlen umgewandelt werden. Der Median aus diesen absoluten Abweichungen entspricht dem MAD. Sind die Werte annähernd normalverteilt, erhält man durch Multiplikation des MAD mit dem Faktor 1,4825 eine robuste Schätzung der Standardabweichung.

Messergebnis *y*

Messergebnis, von dem angenommen wird, dass es nach einer geeigneten Funktion berechnet wird.

Messunsicherheit

Quantitative Angabe der Qualität eines Messergebnisses.

Median

Der Median wird bestimmt, indem zunächst alle Werte aufsteigend geordnet werden. Wenn die Anzahl der Werte ungerade ist, entspricht der Wert in der Mitte dem Median. Wenn die Anzahl der Werte gerade ist, entspricht der Mittelwert aus den beiden Werten in der Mitte dem Median.

Standardabweichung *s*

Experimentell ermitteltes Maß für die zufällige Streuung von Werten um ihren Erwartungswert.

Standardunsicherheit $u(x_i)$

Als Standardabweichung ausgedrückte Unsicherheit eines Messergebnisses.

Vergleichbedingungen

Bedingungen, bei denen voneinander unabhängige Ergebnisse erhalten werden, die mit demselben Verfahren an identischen Materialien in verschiedenen Labors von verschiedenen Personen mit verschiedener Geräteausrüstung gewonnen werden.

Vergleichgrenze R

Mit dem Faktor 2,8 multiplizierte Vergleichstandardabweichung. Ist die Differenz zweier Einzelwerte aus zwei Labors größer als die Vergleichgrenze, sind die Werte signifikant verschieden. Vertrauensniveau: 95 %.

Vergleichstandardabweichung s_R

Experimentelle Standardabweichung von Ergebnissen, die in einem Ringversuch unter Vergleichbedingungen ermittelt werden.

Vergleichstandardabweichung, Median $\tilde{s}_R$

Median von mehreren experimentellen Vergleichstandardabweichungen.

Wiederholbedingungen

Bedingungen, bei denen voneinander unabhängige Ergebnisse nach demselben Verfahren an identischen Materialien in demselben Labor von derselben Person mit derselben Geräteausrüstung innerhalb einer kurzen Zeitspanne ermittelt werden.

Wiederholgrenze r

Mit dem Faktor 2,8 multiplizierte Wiederholstandardabweichung. Ist die Differenz von zwei unter Wiederholbedingungen gemessenen Einzelwerten größer als die Vergleichsgrenze, sind die beiden Werte signifikant verschieden. Vertrauensniveau: 95 %.

Wiederholstandardabweichung s_r

Experimentelle Standardabweichung von Ergebnissen, die unter Wiederholbedingungen ermittelt werden.

Wiederholstandardabweichung, Median $\tilde{s}_r$

Median von mehreren experimentellen Wiederholstandardabweichungen.

Zwischenbedingungen

Bedingungen, die zwischen den Wiederhol- und Vergleichbedingungen liegen.

9.3 Erläuterungen zu den präsentierten Ringversuchsdaten

Die Präzisionsdaten stammen zu einem großen Teil aus Ringversuchen, die von der Eidgenössischen Materialprüfungs- und Forschungsanstalt Empa und der Interstaatlichen Hochschule für Technik Buchs (NTB) in Anlehnung an ISO Guide 43 (5) organisiert und ausgewertet wurden. Es nahmen jeweils Labors aus der Privatwirtschaft und staatlichen Institutionen teil. Weitere Ringversuchsdaten wurden aus Normen oder anderen Veröffentlichungen herangezogen. Dabei wurden nur Ringversuche ausgewählt, die dem Proficiency-Testing oder der Methodenvalidierung dienten und genügend dokumentiert waren. An den berücksichtigten Ringversuchen nahmen mit wenigen Ausnahmen mehr als zehn Labors teil.

Die Ringversuchsdaten sind nach Charakterisierungsmethoden geordnet und tabellarisch hinterlegt. Die Tabellen enthalten jedoch nicht die Einzelwerte, sondern deren Median mit MAD (Median der absoluten Abweichungen vom Median). Median und MAD zeigen in erster Linie die Lage der Ringversuchsparameter (Standardabweichungen) über einen bestimmten Bereich der Messgröße auf, und zwar ohne statistische Einschränkungen wie z. B. Homogenität der Varianzen. Sie ermöglichen so der Fachperson, einen geeigneten Satz an Ringversuchswerten direkt auszulesen und für die Ermittlung der Messunsicherheit zu verwenden. Die Fachperson ist gehalten, kritisch zu hinterfragen, ob der Ringversuchswert, den sie auswählt, für ihre Fragestellung zumindest einigermaßen repräsentativ ist.

Median und MAD wurden gewählt, weil sie gegenüber Ausreißern sehr robust sind. Liegen annähernd normalverteilte Werte vor, erhält man durch Multiplikation des MAD mit 1,4825 eine robuste Schätzung der Standardabweichung [3]. Standardabweichungen werden üblicherweise quadratisch gemittelt. Bei Verwendung des Medians führt die hier angewendete, lineare Mittelung mit wenigen Ausnahmen zum gleichen Ergebnis (vgl. Band 10).

Mit Hilfe der Wiederholstandardabweichung s_r und der Standardabweichung zwischen den Labors s_L lässt sich die kombinierte Standardunsicherheit berechnen, Formel 9.1 (1).

$$u(y) = \sqrt{s_L^2 + \frac{s_r^2}{n_w} + \sum u_i^2(y)} \tag{9.1}$$

Y	Messergebnis
$u(y)$	kombinierte Standardunsicherheit von y
s_L	experimentelle Standardabweichung zwischen den Labors (aus Ringversuch)
s_r	experimentelle Wiederholstandardabweichung (aus Ringversuch)
n_w	Anzahl der wiederholten Messungen zur Bestimmung von y
$u_i(y)$	i-ter zusätzlicher Unsicherheitsbeitrag

Formel 9.1 ist für Punktmessungen am Material oder für homogenes Probenmaterial anwendbar. Soll die Heterogenität einer Probe in die kombinierte Standardunsicherheit mit einfließen, muss s_r durch die laboreigene Standardabweichung s_w ersetzt werden. Andere zusätzliche Unsicherheitsbeiträge, die in der Formel 9.1 mit $u_i(y)$ bezeichnet sind, ergeben sich zum Beispiel durch die Umrechnung der Schmelzenthalpie in die Kristallinität einer Probe oder durch die Korrektur von systematischen Einflüssen mit Hilfe eines Referenzmaterials. Hier leisten der Umrechnungsfaktor bzw. der Korrekturfaktor einen Beitrag zur Unsicherheit.

In der Schadensanalytik ist oft die Differenz bestimmter Messgrößen zwischen einer einwandfreien und einer beanstandeten Probe gefragt. Solche Vergleiche sollten unter Wiederholbedingungen durchgeführt werden, denn die kritische Differenz der Resultate der beiden Proben wird dadurch erheblich kleiner und kann durch eine geeignete Wahl von n_w zusätzlich erniedrigt werden. Auf diese Weise können auch kleinere Unterschiede zwischen Proben sichtbar gemacht werden. Bei Angabe des Resultats ist zu beachten, dass die Messunsicherheit mit zunehmender Wertedifferenz größer wird (siehe Band 10).

Materialvergleiche sollten unter Wiederholbedingungen durchgeführt werden.

Wie schon in der Einleitung des vorliegenden Kapitels erwähnt, kann der analytisch-rechnerische Ansatz nach ISO/IEC Guide 98-3 (GUM) (2) für die meisten Methoden der Kunststoffcharakterisierung nicht empfohlen werden. In diesem Fachgebiet führt eine grobe Schätzung der Messunsicherheit mit Hilfe von Ringversuchsdaten meistens zu sinnvolleren Ergebnissen.

Schätzen erlaubt!

Sind für die gewünschte Kombination Werkstoff/Normverfahren keine Ringversuchsdaten zugänglich, lässt sich die Messunsicherheit anhand anderer Ringversuchsdaten unter Verwendung von Formel 9.1 grob schätzen. s_L gewinnt man im Idealfall als Median von Ringversuchsdaten, die aus demselben Normverfahren, aber von anderen, möglichst ähnlichen Werkstoffen stammen. s_r wird durch s_w aus laborinternen Messungen ersetzt (siehe Beispiel 6.4.2 in [2]).

Als Quelle für eine Schätzung der Messunsicherheit von quantitativen Analyseresultaten wird hin und wieder die Horwitz-Funktion herangezogen [4]. Diese beschreibt den Zusammenhang zwischen dem Massenanteil w eines Analyten in seiner Matrix und der relativen Vergleichstandardabweichung s_R/w. Die Funktion wurde aufgrund von Hunderten von Ringversuchsdaten aus der Lebensmittelanalytik aufgestellt. Ihre Anwendung ergibt für Analysen an Kunststoffen aber deutlich zu geringe Vergleichstandardabweichungen. Sie kann deshalb als Basis für eine Schätzung der Messunsicherheit nicht empfohlen werden [5].

9.4 Dynamische Differenzkalorimetrie DDK/DSC

Thermoanalytische Verfahren sind heute in der Kunststoffprüfung allgegenwärtig. Es steht eine Reihe von Methoden zur Verfügung, die relevante Informationen über das thermische Verhalten von Polymerwerkstoffen geben [6]. Im vorliegenden Abschnitt werden Ringversuchsdaten zur DDK präsentiert. Daraus kann die kombinierte Standardunsicherheit der Resultate gemäß Formel 9.1 abgeleitet werden.

Aus einer DDK-Messung resultiert eine Wärmstromkurve, die hinsichtlich Enthalpiedifferenz zwischen zwei Zuständen des Polymers oder hinsichtlich verschiedener Temperaturen ausgewertet wird.

9.4.1 Ringversuche zur Enthalpie

9.4.1.1 Erläuterung der Ringversuche

Schmelzenthalpie ΔH_m

Teilkristalline thermoplastische Materialien weisen mikroskopisch kleine kristalline und amorphe Zonen auf. Da Größe und Menge der kristallinen Bereiche erheblichen Einfluss auf die mechanischen Eigenschaften eines polymeren Werkstoffs ausüben, ist die Kenntnis des kristallinen Anteils von erheblicher Bedeutung. In der dynamischen Differenzkalorimetrie wird die Schmelzenthalpie ΔH_m gemessen. Vorausgesetzt, die Schmelzenthalpie der entsprechenden, zu 100 % kristallisierten Probe ist als extrapolierter Wert publiziert, lässt sich daraus der prozentuale Anteil der kristallinen Zonen berechnen. Die im vorliegenden Abschnitt spezifizierten Ringversuchswerte beziehen sich auf die gemessene Schmelzenthalpie ΔH_m und nicht auf den prozentualen Anteil der kristallinen Zonen. Wenn die Unsicherheit der publizierten Schmelzenthalpie für 100 % Kristallinität relevant ist, muss sie in die kombinierte Standardunsicherheit der prozentualen Kristallinität der Probe mit eingerechnet werden.

Die in Tabelle 9.1 deklarierten Ringversuchswerte für die Schmelzenthalpie wurden in acht Ringversuchen an fünf verschiedenen teilkristallinen Thermoplasten (PE-HD, PET, PHB, PP, PPS) ermittelt. Als Analyseverfahren dienten DIN 53765 (6) (bis 1999) und ISO 11357-3 (7) (ab 2000).

Reaktionsenthalpie ΔH_R am Beispiel der Aushärtungsreaktion von Epoxidharzen

Klebstoffe auf Basis von Epoxidharz-Systemen härten durch Additionspolymerisation aus. Geschwindigkeit der Aushärtung und Wärmetönung der Reaktion müssen bekannt sein, um Spezifikationen zur Anwendung wie Topfzeit oder Verarbeitungstemperatur verbindlich festlegen zu können. Der Energieumsatz der Aushärtungsreaktion kann mit der dynamischen Differenzkalorimetrie ermittelt werden [6] (8).

Der Energieumsatz bzw. die Reaktionsenthalpie ΔH_R wurde in vier Ringversuchen an vier handelsüblichen, kommerziell erhältlichen Epoxidharzen untersucht. Bei zwei Proben handelte es sich um Zweikomponenten-Klebstoffe. Jedes teilnehmende Labor vermischte die beiden Komponenten erst unmittelbar vor dem Versuch stöchiometrisch mit einem speziellen Mischaggregat. Die beiden anderen Proben waren Einkomponentenkleber. Die Reaktionsenthalpie ΔH_R wurde in Anlehnung an ISO 11357-5 (8) ausgewertet.

9.4.1.2 Ringversuchswerte

Ringversuchswerte von Enthalpieänderungen werden mit zunehmenden Messwerten größer. Die Auswertung von 12 Ringversuchen zur Schmelzenthalpie von Thermoplasten und zur Reaktionsenthalpie von Klebstoffen zeigt dementsprechend konstante Schätzwerte für die relativen Standardabweichungen $s_r(y)/y = s_{r,rel}$, $s_L(y)/y = s_{L,rel}$ und $s_R(y)/y = s_{R,rel}$, Tabelle 9.1. $s_{L,rel}$ und $s_{R,rel}$ der Schmelzenthalpie liegen je nach Material zwischen 7 und 12,5 %. Die etwas höhere Streuung bei PET und PHB dürfte auf ihren hygroskopischen Charakter zurückzuführen sein.

Die Standardunsicherheit von Schmelzenthalpien aus DDK-Messungen liegt typischerweise zwischen 7 und 13 % des Messwertes.

Tabelle 9.1 Kennwerte von Ringversuchen (RV) zur Ermittlung der Enthalpieänderung mittels dynamischer Wärmestrom-Differenzkalorimetrie, spezifiziert als Mediane mit MAD (siehe auch Anwendungsbeispiel 5.5.1 in [2])

Parameter	Anzahl RV	Bereich [J/g]	$\tilde{S}_r$,rel ± MAD [%]	$\tilde{S}_L$,rel ± MAD [%]	$\tilde{S}_R$,rel ± MAD [%]	Referenzen
Schmelzenthalpie ΔH_m						
PE-HD, PP	4	75 - 180	2,8 ± 0,7	7,1 ± 1,2	7,7 ± 0,8	[2] [7] [8]
PPS	1	37	2,4	9,1	9,5	[9]
PET	2	28 - 56	2,9 - 5,4	10 - 17	11 - 18	
PHB	1	89	5,1	11,4	12,5	
Reaktionsenthalpie (Epoxidaushärtung) ΔH_R						
Einkomponenten-Klebstoffe	2	40 - 120	2,8 ± 0,8	3,5 ± 0,8	4,5 ± 1,2	[7] [8] [9]

Die Ringversuchswerte der Aushärtungsreaktion zeigen das gleiche Verhalten wie die der Schmelzenthalpie; sie steigen mit zunehmender Reaktionsenthalpie linear. Bei den Einkomponenten-Klebstoffen wurden recht geringe relative Standardabweichungen ($s_{L,rel}$) und ($s_{R,rel}$) gemessen; ihre Mediane betragen rund 3,5 beziehungsweise 4,5 %, Tabelle 9.1. Zweikomponenten-Klebstoffe sind aufgrund der Probenpräparation erwartungsgemäß schwieriger zu analysieren und generieren ungefähr die doppelten Ringversuchswerte.

9.4.2 Ringversuche zur Temperatur

9.4.2.1 Erläuterung der Ringversuche

Beispiele für Temperaturen, die durch DDK ermittelt werden und für die Charakterisierung von Kunststoffen hohe Aussagekraft haben, sind Peaktemperatur T_m einer Schmelzkurve, Peaktemperatur T_R einer Reaktion (z. B. Aushärtung von Epoxiden) und Glasübergangstemperatur T_g. Diese drei Temperaturen werden im Folgenden hinsichtlich Messunsicherheit diskutiert.

Schmelzpeaktemperatur T_m

Die in Tabelle 9.2 aufgelisteten Ringversuchswerte für die Schmelzpeaktemperatur T_m stammen aus insgesamt sieben Ringversuchen an vier verschiedenen Kunststoffen (PE-HD, PE-LD, PET, PPS). Als Analyseverfahren dienten DIN 53765 (6) (bis 1999) und ISO 11357-3 (7) (ab 2000).

Reaktionspeaktemperatur T_R am Beispiel der Aushärtung von Epoxidharzen

Die Reaktionspeaktemperatur T_R wurde in vier Ringversuchen an vier handelsüblichen, kommerziell erhältlichen Epoxidharzen untersucht. Bei zwei Proben handelte es sich um Zweikomponenten-Klebstoffe. Jedes teilnehmende Labor vermischte die beiden Komponenten erst unmittelbar vor dem Versuch mit einem speziellen Mischaggregat stöchiometrisch. Die beiden anderen Proben waren Einkomponentenkleber. Die Reaktionspeaktemperatur T_R wurde in Anlehnung an ISO 11357-5 (8) ausgewertet.

Glasübergangstemperatur T_g

Werden Polymere abgekühlt, erstarren die in Schmelze beweglichen Moleküle oft ohne Ausbildung von kristallinen Strukturen. Das Erstarren der Moleküle in den amorphen Anteilen des Polymers wird als Glasübergang bezeichnet. Die Glasübergangstemperatur T_g sagt etwas aus über die thermische Vorgeschichte sowie wenig über die mögliche Nutzung des Polymers. Sie kennzeichnet die größte Eigenschaftänderung. Ober- und unterhalb verringert sich der E-Modul und damit die mechanische Festigkeit des Kunststoffs [6]. T_g ist deshalb oft Gegenstand von Qualitätskontrollen. Die Messwerte werden durch verschiedene Parameter wie Präparation der Probe, Heizrate, Kühlrate, Gerätetyp oder Auswerteverfahren beeinflusst und können größeren Schwankungen unterliegen [6] [10].

Der Umfang dieser Schwankungen wurde in zwölf Ringversuchen an sieben kommerziell erhältlichen, amorphen Thermoplasten (PA 6I/6T, PC, PMMA, PPA, PPS, PS, PSU) untersucht. Die Analysen wurden in Anlehnung an DIN 53765 (6) (bis 1999) und ISO 11357-2 (9) (ab 2000) durchgeführt. In Abweichung zu den beiden Normen wurde die Aufheizrate im zweiten Heizlauf auf 10 °C/min gesetzt (Normen: 20 °C/min). Wie Untersuchungen an PS und PMMA zeigen [2], können dadurch die Wiederhol- und Vergleichstandardabweichung und damit die Messunsicherheit verringert werden.

9.4.2.2 Ringversuchswerte

Die Ergebnisse sind in Tabelle 9.2 dargestellt. Sie zeigen, dass die experimentellen Standardabweichungen s_r, s_L und s_R über die untersuchten Materialien und Temperaturbereiche im Rahmen der Streuung konstant bleiben. Die Mediane liegen für s_L zwischen 1,1 und 1,6 °C und für s_R zwischen 1,4 und 1,7 °C. Aufgrund der kleinen Messunsicherheit sind Temperaturmessungen mit der DDK unter Vergleichsbedingungen aussagekräftig.

Tabelle 9.2 Kennwerte aus Ringversuchen (RV) zur Temperaturbestimmung mittels dynamischer Wärmestrom-Differenzkalorimetrie, spezifiziert als Mediane mit MAD (siehe auch Anwendungsbeispiel 5.5.1 in [2])

Temperatur	Anzahl RV	Bereich [°C]	$\tilde{S}_r$ ± MAD [°C]	$\tilde{S}_L$ ± MAD [°C]	$\tilde{S}_R$ ± MAD [°C]	Referenzen
Schmelzpeak T_m	7	130 - 280	0,52 ± 0,14	1,13 ± 0,06	1,41 ± 0,29	[2] [7] [8] [9]
Reaktionspeak T_R (Epoxidaushärtung)	4	100 - 200	0,93 ± 0,08	1,32 ± 0,42	1,64 ± 0,46	[2]
Glasübergang T_g	12	90 - 190	0,49 ± 0,13	1,60 ± 0,26	1,68 ± 0,29	[2] [9] [11]

Die Ringversuchswerte der Peaktemperatur T_R der Aushärtungsreaktion und der Glasübergangstemperatur T_g sind sehr ähnlich und nur wenig größer als die der Schmelzpeaktemperatur T_m. Der Wert von s_R = 1,7 °C kann deshalb als Richtwert für die Standardunsicherheit von Peaktemperaturen dienen, die mit der dynamischen Differenzkalorimetrie gemessen werden.

Die Standardunsicherheit der Glasübergangstemperatur T_g aus DDK-Messungen beträgt rund 1,7 °C.

9.4.3 Ringversuche zur spezifischen Wärmekapazität Δc_p

Die spezifische Wärmekapazität c_p eines Stoffes und deren Änderung Δc_p mit der Temperatur wird üblicherweise mit einem speziell dafür geschaffenen Kalorimeter gemessen. Δc_p lässt sich aber auch aus dem Versatz der Wärmestromkurve beim Glasübergang einer Probe im dynamischen Differenzkalorimeter ermitteln. So wurde in den oben beschriebenen Ringversuchen zusätzlich zur Glasübergangstemperatur T_g auch Δc_p ausgewertet.

Die Ringversuchswerte s_r, s_L und s_R zeigen im untersuchten Bereich von 0,1 bis 0,4 J/(°C·g) keine Abhängigkeit von Δc_p,Tabelle 9.3. Aus diesen Daten ergibt sich eine Vergleichsgrenze zwischen 0,093 und 0,1 J/(°C·g) (siehe Band 10). Messungen unter Vergleichsbedingungen sind also zumindest bei tieferen Δc_p-Werten nicht aussagekräftig. Unter Wiederholbedingungen, z. B. für einen Materialvergleich im Schadensfall, müssen je 18 Messungen durchgeführt werden, um eine brauchbare Wiederholgrenze von 0,01 J/(°C·g) zu erreichen.

Soll die Änderung der Wärmekapazität Δc_p beim Glasübergang zur Differenzierung zwischen Kunststoffen dienen, sind Wiederholbedingungen anzustreben.

Tabelle 9.3 Kennwerte aus insgesamt 12 Ringversuchen zur Änderung der spezifischen Wärmekapazität Δc_p beim Glasübergang mittels dynamischer Wärmestrom-Differenzkalorimetrie an unterschiedlichen Thermoplasten, spezifiziert als Mediane mit MAD

Parameter	Messbereich [J/(°C·g)]	$\tilde{S}_r$ ± MAD [°C]	$\tilde{S}_L$ ± MAD [°C]	$\tilde{S}_R$ ± MAD [°C]	Referenzen
Δc_p	0,1 - 0,4	0,015 ± 0,003	0,033 ± 0,009	0,036 ± 0,009	[2] [9] [11]

9.5 Oxidative Induktionszeit und -temperatur

Die oxidative Induktionszeit OIT und die oxidative Induktionstemperatur OIT* werden zur Überprüfung von Stabilisierungssystemen herangezogen und kommen hauptsächlich in der Qualitätskontrolle von Polyolefin-basierten Werkstoffen zum Einsatz. Wie im Kapitel DSC beschrieben, wird ein OIT-Wert unter sauerstoffhaltiger Atmosphäre entweder bei konstanter Temperatur oder bei linear steigender Temperatur ermittelt. Im ersten Fall erhält man die oxidative Induktionszeit in

Minuten, auch isotherme oder statische OIT genannt. Im zweiten Fall wird die oxidative Induktionstemperatur in °C gemessen. Diese wird auch dynamische OIT genannt und folgend als OIT* bezeichnet. Man unterscheidet zwei Auswertemethoden: Tangenten-Methode und Offset-Methode (vgl. Kapitel DSC).

Die Ringversuchswerte zur oxidativen Induktionszeit OIT wurden an kommerziell erhältlichen, unterschiedlich stabilisierten Polyethylenen durch dynamische Differenzkalorimetrie (DDK) unter reinem Sauerstoff bei 200 beziehungsweise 210 °C ermittelt. Als Verfahren wurden die Normen ISO 11357-6 (10) und ASTM D3895 (11) herangezogen.

Wird nach der Tangentenmethode ausgewertet, bleiben die Kennwerte bis OIT = 2 min konstant, Tabelle 9.4. Oberhalb 2 min nehmen sie mit steigendem OIT-Wert linear zu. In diesem Bereich bleiben die relativen Kennwerte konstant; sie betragen rund 7 % ($s_{r,rel}$), 15 % ($s_{L,re}$l) und 16 % ($s_{R,rel}$). Die Offset-Methode führt zu leicht höherer Streuung zwischen den Labors, was aber mit nur vier Ringversuchen belegt ist.

Die Standardunsicherheit der oxidativen Induktionszeit beträgt rund 16 % des OIT-Wertes, mindestens aber zwei Minuten.

Tabelle 9.4 Kennwerte aus Ringversuchen zur oxidativen Induktionszeit (OIT) von Polyethylenen, spezifiziert als Mediane mit MAD; Analysemethode: Dynamische Wärmestrom-Differenzkalorimetrie (DDK) (siehe auch Anwendungsbeispiel 5.5.2 in [2]
a mindestens (1,1 ± 0,2) min
b mindestens (1,9 ± 0,3) min
c mindestens (2,1 ± 0,2) min

Auswerte-Methode	Anzahl RV	OIT [min]	$\tilde{s}_{r,rel}$ ± MAD [%]	$\tilde{s}_{L,rel}$ ± MAD [%]	$\tilde{s}_{R,rel}$ ± MAD [%]	Referenzen
Tangenten	16	3 - 170	6,5a ± 1,4	15b ± 3	16c ± 3	(10) (11) [2] [7] [8] [9] [12] [13] [14]
Offset	4	8 - 60	6,3 ± 1,5	17 ± 3	18 ± 3	[2]

Zur oxidativen Induktionstemperatur OIT* liegen Werte aus acht Ringversuchen vor. s_r und s_R sind zwar stark, aber nicht linear von OIT* abhängig [12] [13] [14]. s_r nimmt Werte zwischen 0,5 und 2,4 °C an, s_R variiert zwischen 1,5 und 4 °C. Eine Übersicht zu den Werten befindet sich in [2]. Die Autoren zeigen auf, dass sich zur Differenzierung von gering stabilisierten Proben die oxidative Induktionstemperatur OIT* eignet. Für gut stabilisierte Proben sollte hingegen die oxidative Induktionstemperatur OIT gewählt werden.

9.6 Dynamisch-Mechanische Analyse DMA

Bei der dynamisch-mechanischen Analyse (DMA) wird ein Werkstoff meist sinusförmig durch Spannung oder Deformation in Funktion der Temperatur, Zeit und/oder Frequenz mechanisch belastet. Die entsprechende Antwort des Materials äußert sich wiederum durch Spannung oder Deformation. Das Antwortsignal wird gemessen und hinsichtlich Amplitude und Phasenverschiebung ausgewertet. Die so ermittelten Daten geben Auskunft über relevante Werkstoffeigenschaften wie Steifigkeit, Dämpfungsverhalten oder Gebrauchstemperatur (siehe Band 5 „Strukturverhalten“).

In zwei Ringversuchen wurden je eine PMMA- und eine PC-Probe mit DMA in Anlehnung an ISO 6721-1 (12) und ISO 6721-5 (13) untersucht [15]. Zehn der zwölf beteiligten Labors belasteten die Proben im Single-Cantilever-Modus. Die eingespannte Probe wurde einer erzwungenen Schwingung mit einer Amplitude von 25 µm und einer Frequenz von einem Hertz unterworfen. Die Temperatur im Ofen wurde zunächst fünf Minuten bei 30 °C gehalten und anschließend mit 3 °C/min auf 140 °C (PMMA) beziehungsweise 180 °C (PC) erhöht. Der Speichermodul E‘ und der Verlustmodul E“ wurden bei 40 und 80 °C und für PC zusätzlich bei 120 °C gemessen.

Bei beiden Proben streut der Verlustmodul E“ zwischen den Labors erheblich; die Standardabweichung s_L bewegt sich um 26 % (PMMA) sowie um 52 % (PC) des Messwertes, Tabelle 9.5. Derart hohe prozentuale Werte lassen aussagekräftige Interlabor- oder Grenzwertvergleiche nicht zu. Die relativen Wiederholstandardabweichungen $s_{r,rel}$ befinden sich hingegen in einem akzeptablen Bereich; ihre Mediane liegen unterhalb 2 % und sind insbesondere bei einer höheren Zahl von Wiederholmessungen für Materialvergleiche im Schadensfall geeignet. Die großen Unterschiede zwischen s_r und s_L weisen auf systematische Effekte zwischen den Labors hin. Der Speichermodul hat eine deutlich kleinere Streuung. Aufgrund der asymmetrischen Ringversuchsplots ist er aber ebenfalls durch systematische Effekte beeinflusst [2].

Aus den Einzeldaten lässt sich erkennen, dass die Streuung der Moduln E‘ und E“ zwischen vier bestimmten Labors durch sämtliche Messungen hinweg auffällig klein ist [2]. Diese vier Labors verwendeten Geräte des gleichen Fabrikats und arbeiteten mit der gleichen Belastungsart. Es ist also nicht auszuschließen, dass mit Zwischenbedingungen (Vergleichsbedingungen, aber gleiches Gerätefabrikat und identische Geräteparameter) generell eine recht gute Übereinstimmung der Resultate von verschiedenen Labors erreicht würde.

Sollen Werte zum Speichermodul E' oder Verlustmodul E" aus DMA-Messungen verglichen werden, sind Wiederholbedingungen oder möglichst eng gefasste Zwischenbedingungen anzustreben.

Tabelle 9.5 Kennwerte aus zwei Ringversuchen zum Speichermodul E‘ und Verlustmodul E“, spezifiziert als Mediane mit MAD [15]. Die Mediane von PMMA entstammen zwei Ringversuchsergebnissen, die auf Messungen am gleichen Material bei 40 und 80 °C beruhen. Die Mediane von PC entstammen drei Ringversuchsergebnissen, die auf Messungen am gleichen Material bei 40, 80 und 120 °C beruhen.

Werkstoff	Wertebereich [N/mm²]	$\tilde{S}_{r,rel}$ ± MAD [%]	$\tilde{S}_{L,rel}$ ± MAD [%]	$\tilde{S}_{R,rel}$ ± MAD [%]
		Speichermodul E’		
PMMA	1800 - 2900	1,2 ± 0,1	19 ± 8	19 ± 8
PC	1600 - 2100	1,0 ± 0,1	15 ± 1	15 ± 1
		Verlustmodul E”		
PMMA	150 -190	1,4 ± 0,1	26 ± 1	26 ± 1
PC	25 - 50	1,6 ± 0,3	52 ± 9	52 ± 9

9.7 Zusammenfassung

Bild 9.1 zeigt Ringversuchsdaten, die vom Wert der Messgröße linear abhängig sind, deren relative Werte über den untersuchten Bereich der Messgröße aber konstant bleiben. Daraus ist ersichtlich, dass alle vier Methoden für Materialvergleiche im Rahmen der Schadensanalytik herbeigezogen werden können, liegen die kritischen Quotienten KQ unter Wiederholbedingungen doch durchwegs unterhalb 1,25. $s_{R,rel}$ von Enthalpieänderungen hingegen ist vom untersuchten Werkstoff abhängig, lässt aber für die meisten Werkstoffe eine aussagekräftige Interpretation von Resultaten und Vergleichbedingungen zu. Hier zeigen lediglich die Polykondensate hohe Werte (vgl. Tabelle 9.1). $s_{R,rel}$ des Speichermoduls, und der OIT liegt zwischen 15 und 19 %, was kritische Quotienten von 1,55 bis 1,8 nach sich zieht. Vergleiche von Resultaten mit anderen Labors oder mit Grenzwerten sind also nur bedingt aussagekräftig. Die hohen Vergleichstandardabweichungen beim Verlustmodul sind auf systematische Effekte zwischen den käuflichen Gerätetypen zurückzuführen. Hier sollten zumindest Zwischenbedingungen (gleiches Gerätefabrikat, identische Geräteparameter) angestrebt werden. Ansonsten sind Interlaborvergleiche nahezu wertlos.

Zu beachten ist auch der kritische Quotient KQ in Bild 9.1. KQ ist nützlich, wenn beurteilt werden soll, ob zwei Messwerte signifikant verschieden sind (siehe Unterschrift zu Bild 9.1 und Band 10). Anhand des kritischen Quotienten kann zudem beurteilt werden, wie aussagekräftig bzw. wie brauchbar die mit verschiedenen Methoden erzeugten Resultate sind.

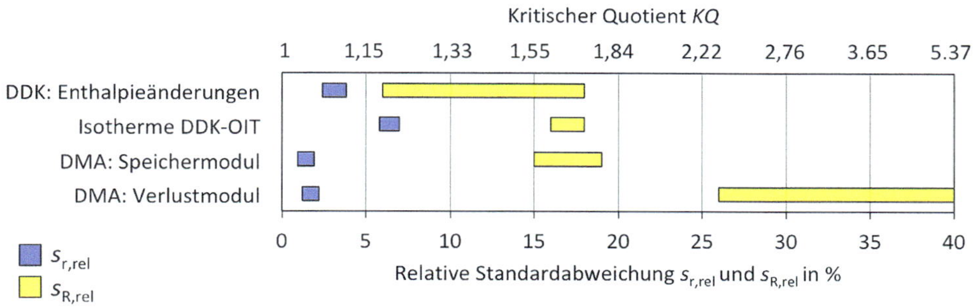

Bild 9.1 Relative Wiederholstandardabweichung $s_{r,rel}$, relative Vergleichstandardabweichung $s_{R,rel}$ und kritischer Quotient KQ in Abhängigkeit von Verfahren der DDK und DMA (beachte: KQ ist nicht linear skaliert). Die angegebenen Bereiche beziehen sich auf Mediane, die in **Abschnitt 9.4** bis **Abschnitt 9.6** tabelliert sind. Annahmen für die Berechnung von KQ: y_1 und y_2 sind Ergebnisse aus zwei verschiedenen Labors, $y_1 > y_2$, $u(y_1)/y_1 = u(y_2)/y_2 = s_{R,rel}$, $n_w = 1$. Wenn $(y_1/y_2) > KQ$, ist der Unterschied zwischen y_1 und y_2 signifikant.

Die Ringversuchswerte der Peaktemperaturen und der spezifischen Wärmekapazität sind vom Messwert unabhängig. Mit DDK gemessene Peaktemperaturen haben eine geringe Messunsicherheit und daher eine hohe analytische Aussagekraft. Sie eignen sich sowohl für Intralaborvergleiche (z.B. Schadensanalytik) als auch für Interlaborvergleiche. Die Messunsicherheit von Δc_p beim Glasübergang hingegen überschreitet im tieferen Messbereich 20% des Messwertes. Eine einigermaßen genügende Aussagekraft unter Vergleichsbedingungen besteht also nur oberhalb von 0,3 J/(°C·g). Für die Analyse von Schadenfällen unter Wiederholbedingungen kann die Methode hingegen eingesetzt werden, vorausgesetzt man wählt eine genügend hohe Anzahl an Messwiederholungen. Für die Problemlösung unter Vergleichsbedingungen sollte ein geeignetes Präzisionskalorimeter verwendet werden.

9.8 Normen

(1) DIN ISO 21748
Leitfaden zur Verwendung der Schätzwerte der Wiederholpräzision, der Vergleichpräzision und der Richtigkeit beim Schätzen der Messunsicherheit. 2014

(2) ISO/IEC Guide 98-3
Uncertainty of Measurement - Part 3: Guide to the Expression of Uncertainty in Measurement (GUM: 1995). 2008

(3) VIM
International Vocabulary of Metrology – Basic and General Concepts and Associated Terms (VIM). 3rd Edition, Joint Committee for Guides in Metrology (JCGM) 2012. www.bipm.org

(4) Eurachem Guide
Terminologie bei Analytischen Messungen – Eine Einführung in den VIM 3. 2011. www.eurachem.org

(5) ISO/IEC Guide 43
Proficiency Testing by Interlaboratory Comparisons. 1997. (abgelöst durch ISO/IEC 17043:2010)

(6) DIN 53765
Prüfung von Kunststoffen und Elastomeren; Thermische Analyse; Dynamische Differenzkalorimetrie (DDK). 1994. (zurückgezogen)

(7) ISO 11357-3
Plastics - Differential Scanning Calorimetry (DSC) – Part 3: Determination of Temperature and Enthalpy of Melting and Crystallization. 1999. (in Ringversuchen verwendet, neueste Ausgabe 2011)

(8) ISO 11357-5
Plastics - Differential Scanning Calorimetry (DSC) - Part 5: Determination of Characteristic Reaction-Curve Temperatures and Times, Enthalpy of Reaction and Degree of Conversion. 1999. (in Ringversuchen verwendet, neueste Ausgabe 2013)

(9) ISO 11357-2
Plastics - Differential Scanning Calorimetry (DSC), Part 2: Determination of Glass Transition Temperature and Glass Transition Step Height. 1999. (in Ringversuchen verwendet, neueste Ausgabe 2013)

(10) ISO 11357-6
Plastics – Differential Scanning Calorimetry (DSC) – Part 6: Determination of Oxidation Induction Time. 2002 (in Ringversuchen verwendet, neueste Ausgabe 2014)

(11) ASTM D3895
Standard Test Method for Oxidative-Induction Time of Polyolefins by Differential Scanning Calorimetry. 2004 (in Ringversuchen verwendet, neueste Ausgabe 2014)

(12) ISO 6721-1
Plastics – Determination of Dynamic Mechanical Properties – Part 1: General Principles. 2001. (in Ringversuchen verwendet, neueste Ausgabe 2011)

(13) ISO 6721-5
Plastics – Determination of Dynamic Mechanical Properties – Part 5: Flexural Vibration – Non-resonance Method. 1996. (in Ringversuchen verwendet, neueste Ausgabe mit Amendment 2007)

Verwendete Literatur

[1] NIST; Certificate of Analysis. Standard Reference Material 1474b: Polyethylene Resin. s. l. : National Institute of Standards NIST, 2016.

[2] Wampfler, B.; Affolter, S.; Ritter, A., Schmid, M.; Messunsicherheit in der Kunststoffanalytik – Ermittlung mit Ringversuchsdaten. München: Carl Hanser Verlag, 2017

[3] Thompson, M.; Lowthian, P. J.; Notes on Statistics and Data Quality for Analytical Chemists. London: Imperial College Press, 2011. p. 136.

[4] Horwitz, W.; Kamps, L. R.; Boyer, K. W.; Quality Assurance in the Analysis of Foods for Trace Constituents. J. Assoc. Off. Anal. Chem. 1980, Vol. 63, pp. 1344 – 1354.

[5] Ritter, A.; Meyer, V. R.; The Horwitz Curve is Too Optimistic for Analyses in Plastics. Polymer Testing. 2005, Vol. 24, pp. 988 – 993.

[6] Ehrenstein, G. W.; Riedel, G.; Trawiel, P.; Praxis der Thermischen Analyse von Kunststoffen, 2. Aufl., Carl Hanser Verlag, München, 2003

[7] Affolter, S.; Schmid, M.; Wampfler, B.; Ringversuche an polymeren Werkstoffen: Thermoanalytische Verfahren. *KGK Kautschuk Gummi Kunststoffe*. 1999, Vol. 52, 7 – 8, pp. 519 – 528.

[8] Affolter, S.; Schmid, M.; Interlaboratory Tests on Polymers: Thermal Analysis. *Int. J. Polym. Anal. Charact.* 2000, Vol. 6, pp. 35 – 57.

[9] Affolter, S.; Schmid, M.; Interlaboratory Studies in Thermal Analysis. – [book auth.] M. Schubnell. *Validation in Thermal Analysis.* s. l.: METTLER TOLEDO Collected Applications, 2008, pp. 120 – 133

[10] Rieger, J.; Bestimmung der Glastemperatur mittels DSC - Ergebnisse eines Rundversuchs an Polystyrol nach DIN 53 765. *Kunststoffe*. 1995, Vol. 85, 4, pp. 528 – 530.

[11] Affolter, S.; Ritter, A.; Schmid, M.; Interlaboratory Tests on Polymers by Differential Scanning Calorimetry (DSC): Determination of Glass Transition Temperature (Tg). *Macromol. Mater. Eng.* 2001, Vol. 286, 10, pp. 605 – 610.

[12] Schmid, M.; Affolter, S.; Interlaboratory Tests on Polymers by Differential Scanning Calorimetry (DSC): Determination and Comparison of Oxidation Induction Time (OIT) and Oxidation Induction Temperature (OIT*). *Polymer Testing*. 2003, Vol. 22, pp. 419 – 428

[13] Schmid, M.; Ritter, A.; Affolter, S.; Interlaboratory Test on Polymers: Determination of Oxidation Induction Time and Oxidation Induction Temperature by Differential Scanning Calorimetry. *Polymery*. 2004, Vol. 49, 5, pp. 333 – 338

[14] Schmid, M.; Ritter, A.; Affolter, S.; Determination of Oxidation Induction Time and Temperature by DSC. J. Therm. Anal. Cal. 2006, Vol. 83, pp. 367 – 371

[15] Affolter, S.; Ritter, A.; Schmid, M.; Dynamisch-mechanische Analyse DMA – Erfahrungen aus Ringversuchen, W. Kunze. *Anwendungen der Thermischen Analyse und Rheologie zur Charakterisierung von Folien, Fasern und Klebstoffen.* Eschborn: TA-Instruments, 2007, pp. 63 – 78

10 Grundlagen der Mikro-Thermischen Analyse – µTA™

10.1 Einleitung

Die Mikro-Thermische Analyse ist eine Analysentechnik, welche die Möglichkeiten der Thermischen Analyse und der örtlich hochauflösenden Rasterkraftmikroskopie verknüpft. Zur technischen Realisierung wird ein Rasterkraftmikroskop (AFM Atomic-Force-Microscope) mit einer Messsonde ausgerüstet, die sowohl als Temperatursensor als auch als Wärmequelle dienen kann. Daraus ergibt sich die Möglichkeit, neben der Oberflächentopographie (herkömmliche AFM-Technik) der Probe auch die thermischen Eigenschaften oberflächennaher Bereiche zu bestimmen.

µTA™ – Kombination von Rasterkraftmikroskopie (AFM) und Thermischer Analyse (TA)

10.2 Messprinzip

In einem Rasterkraftmikroskop wird eine feine Spitze, die sich an einem Schwingarm befindet, in einem Raster über die zu untersuchende Probenoberfläche bewegt. Änderungen in der Oberflächentopographie führen zu einer Auslenkung von Spitze und Schwingarm. Ein auf der Messspitze angebrachter Spiegel reflektiert einen Laserstrahl auf eine segmentierte Photodiode. Über einen Regelkreis wird die Position der Halterung des Schwingarms senkrecht zur Oberfläche zu immer konstanter Auslenkung geregelt. Bildet man die jeweilige Höhenänderung als Funktion der Position der Messspitze im Scanfeld ab, erhält man unmittelbar die in allen drei Dimensionen quantifizierte Topographie der Probenoberfläche.

In der µTA wird die herkömmliche AFM-Spitze gegen ein miniaturisiertes Filament ausgetauscht, welches gleichzeitig als Temperatursensor dient. Zur Herstellung der Spitzen wird ein sogenannter Wollaston-Draht verwendet, der aus einem nur 5 µm dicken Platindraht, umgeben von einem 400 µm dicken Silbermantel, besteht. Über eine kurze Distanz wird der Silbermantel entfernt, aus dem frei liegenden Platinkern wird die Spitze geformt, Bild 10.1.

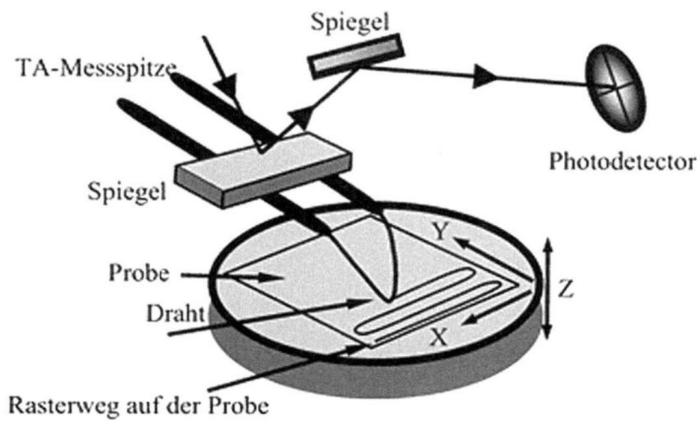

Bild 10.1 Schematische Darstellung des Messprinzips der µTA™ [1]

Die noch ummantelten Drahtenden dienen nun als Schwingarm. Versehen mit einem Spiegel zur Reflektion des Laserstrahles kann die Topographie einer Oberfläche abgebildet werden. Fließt ein elektrischer Strom durch den Platindraht, wird dieser an der Stelle seines höchsten ohmschen Widerstandes, d. h. an der Spitze, aufgeheizt. Befindet sich die Spitze wie während des Scanvorganges in unmittelbarem Kontakt mit der Probe, führt dieses zu einem Temperaturverlust an der Spitze. Es wird nun die elektrische Leistung gemessen, die benötigt wird, um die Spitze auf einer vorgewählten Temperatur zu halten. Daraus ergibt sich eine Abbildung der lokalen Änderung der Wärmeleitfähigkeit nahe der Probenoberfläche.

Bild 10.2 zeigt anhand eines glasfaserverstärkten PA 66 typische Abbildungen der Topographie und der Wärmeleitfähigkeitsdifferenzen. Die Wärmeleitfähigkeitsunterschiede zwischen Matrix und Glasfasern sind deutlich erkennbar. Die Topographie wird durch leichtes Schattieren (rechts) besser erkennbar.

Im Anschluss an die Abbildungen lassen sich örtlich sehr hoch aufgelöste Punkte zur weitergehenden µDTA- und µTMA-Analyse auswählen. Zu diesem Zweck wird die Spitze in einem Temperaturprogramm aufgeheizt.

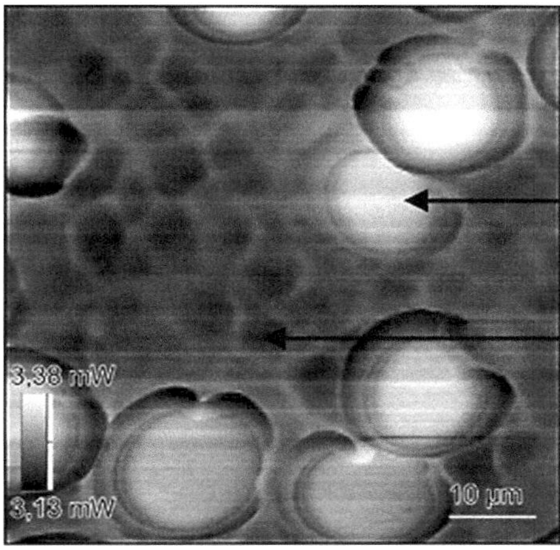

Abbild Wärmeleitfähigkeit

Glasfasern
(höhere Wärmeleitfähigkeit)

Sphärolithe
(helle Ränder entstehen durch kleine Täler am Spärolithrand und damit Luftspalt zwischen Sensor und Probe)

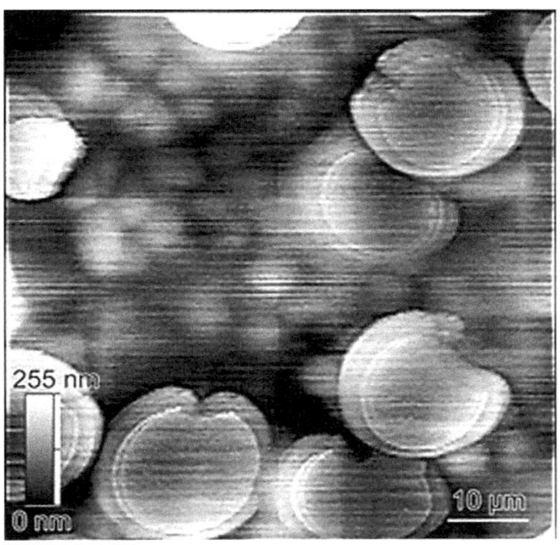

Abbild Topographie

Durch Polieren der Probe werden die weiche Polymermatrix und besonders die amorphen Bestandteile tiefer auspoliert. Die Konturen von Glasfasern und Sphärolithen werden sichtbar. Zu große Topographieunterschiede führen zu Effekten bei der Wärmeleitfähigkeitsabbildung durch schlechte Auflage.

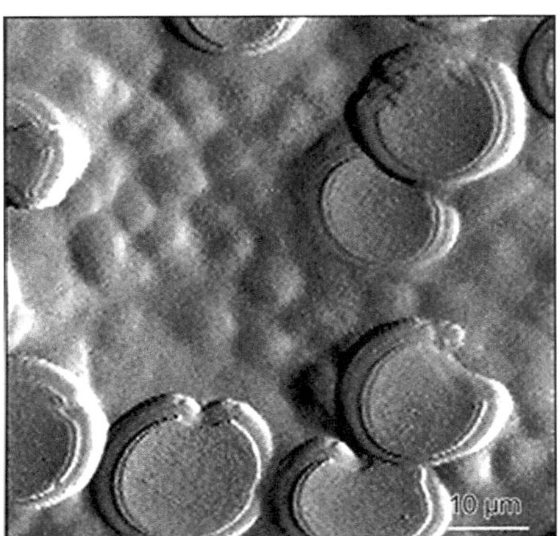

Topographie schattiert-3D

Zur besseren Darstellung und scharfen Abbildung der Konturen kann die Abbildung als 3D-Bild dargestellt werden.

Bild 10.2 Scanabbildungen einer glasfaserverstärkten PA 66-Probe (polierte Oberfläche)
oben: Wärmeleitfähigkeitsdifferenzen,
mitte: Topographie,
unten: Topographie schattiert-3D

Gemessen wird zum einen in µDTA-Experimenten die elektrische Leistung an der Spitze, die benötigt wird, um eine vorgegebene Aufheizgeschwindigkeit zu erzielen. Dieses geschieht im Vergleich zu einer Referenzspitze, die sich in der Nähe der Messstelle befindet.

Simultan dazu aufgenommene µTMA-Kurven (Penetration) zeigen die Veränderung der vertikalen Position der Spitze als Funktion der Temperatur [2].

Anmerkung: Bei den Messungen kann die betroffene Masse nicht erfasst werden. Es handelt sich daher um µDTA- und nicht um µDSC-Messungen (Wärmemenge pro Zeit und Masse).

10.2.1 Messablauf und Einflussfaktoren

Die Vorgehensweise bei einer µTA-Messung ist:

- Probenpräparation;
- Justage, Ausglühen und Kalibrierung des Sensors;
- Positionierung der planparallelen Probe unter den Sensor;
- Aufsetzen des Sensors auf den interessierenden Probenbereich;
- gegebenenfalls Erstellen einer Wärmeleitfähigkeits- und/oder Topographieabbildung;
- Auswählen der TA-Messstellen;
- Einstellen eines geeigneten Messprogrammes (Temperaturprogramm, Frequenz, Belastung).

Die Einflussfaktoren und Fehlermöglichkeiten bei der Versuchsdurchführung werden anhand von Messkurven praktischer Beispiele in Kapitel 10.2.2 ausführlich behandelt.

10.2.2 Auswertung

μTA-Untersuchungen ermöglichen ähnlich wie DSC-Untersuchungen die Messung von endo- und exothermen Effekten, die auf Enthalpieerhöhung bzw. -erniedrigung des Stoffes basieren. Im Gegensatz zur DSC kann die zugrundeliegende Probenmasse nicht ermittelt werden, somit ist keine quantitative Auswertung von Enthalpien möglich. Ausgewertet wird der Verlauf der Sensorspannung in Abhängigkeit von der Temperatur und/oder der Zeit. Weiterhin kann ähnlich zu TMA-Messungen die Bewegung des Sensors in 11 m (Sensorauslenkung) aufgenommen werden, d. h. eine Veränderung der Probe durch Ausdehnung oder ein Eindringen des Sensors in die Probe (z. B. beim Schmelzen oder im Glasübergangsbereich).

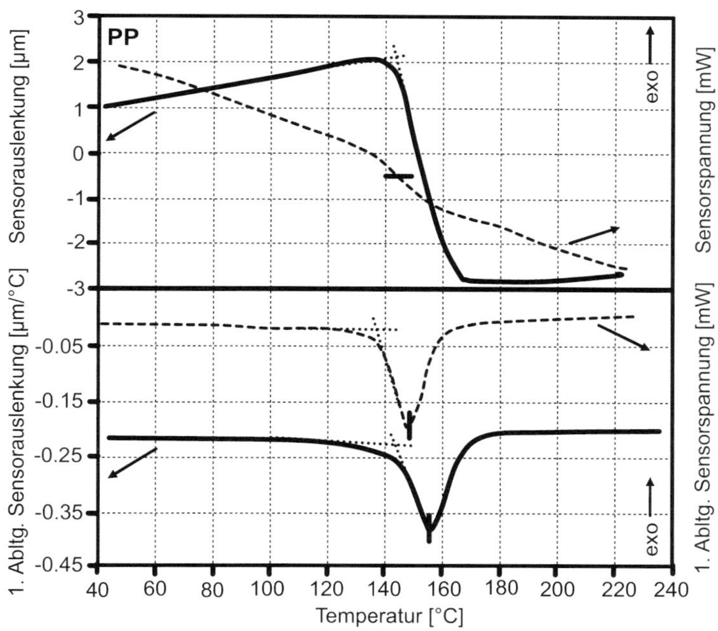

Bild 10.3 Typischer Kurvenverlauf einer µTA-Messung an einer PP-Probe,
oben: Sensorauslenkung und Sensorspannung,
unten: 1. Ableitung der beiden Signale
Heizrate 10 °C/s, Belastung 30 nA

In Bild 10.3 sind die beiden typischen Kurven am Beispiel eines PP gezeigt. Die Auswertung der Temperaturen erfolgt durch Tangentenschnittpunke. Häufig wird auch die 1. Ableitung des Signals über der Temperatur aufgrund der besseren Auswertbarkeit herangezogen. Der grau hinterlegte Bereich kennzeichnet den Schmelzbereich des Polypropylen. Die Schmelztemperatur kann nun als Tangentenschnittpunkt (Onset-Temperatur) aus dem Signal der Sensorauslenkung, als halbe Stufenhöhe der Sensorspannung oder als Onset-Temperatur (Tangentenschnittpunkt) der erste Ableitung der Sensorspannung ermittelt werden. Bei vielen Kunststoffen ist das Signal der Sensorauslenkung deutlicher ausgeprägt und wird zur Auswertung häufiger herangezogen als das Signal der Sensorspannung.

10.2.3 Kalibrierung

Im Gegensatz zu klassischen DSC- oder TMA-Versuchen muss bei der µTA vor der Messung jeder neuen Probe eine Temperaturkalibrierung durchgeführt werden. Bei allen Änderungen oder Bewegungen der AFM-Einheit ist eine erneute Kalibrierung erforderlich. Die Kalibrierung erfolgt mit bekannten Substanzen im interessierenden Temperaturbereich und bei Raumtemperatur, Bild 10.4.

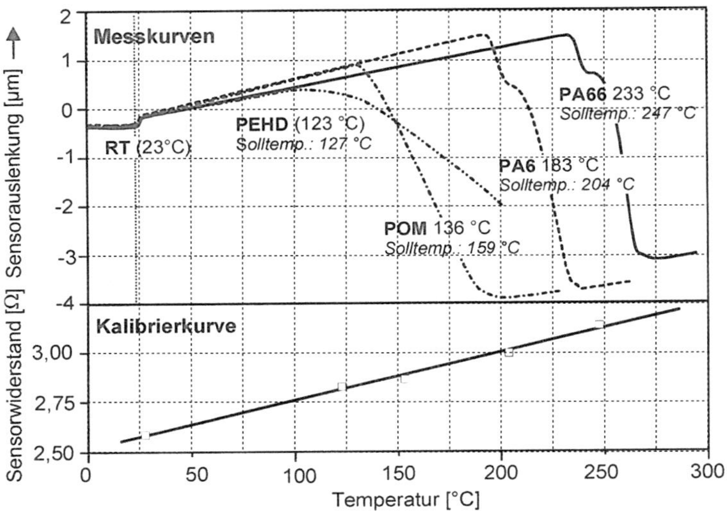

Bild 10.4 µTA-Messungen thermoplastischer Kunststoffe für die Kalibrierung
Heizrate 10 °C/s, Belastung 30 nA,
Solltemperaturen sind in der DSC ermittelte extrapolierte Onsettemperaturen

Die Praxis hat gezeigt, dass die Verwendung von mindestens drei Kalibriersubstanzen aufgrund häufig auftretender Schwankungen sinnvoll ist.

Neben der Temperaturkalibrierung ist es notwendig, einen sog. 1/0-T-Offset zu kalibrieren. Hierbei werden Hystereseeffekte der Temperaturkontrollelektronik korrigiert. Diese Effekte sind umso geringer, je länger die Kontrollelektronik läuft; deshalb werden diese Geräte nach Möglichkeit nicht ausgeschaltet.

Die Erfahrungen in der Praxis haben gezeigt, dass das Messgerät und die Messelektronik sehr empfindlich auf Änderungen der Umgebung reagieren und es deshalb notwendig ist, die Messungen in einer gleichbleibend klimatisierten Umgebung durchzuführen. Weiterhin ist es erforderlich, die Kalibrierung mehrmals täglich zu kontrollieren.

Konstant klimatisierte und erschütterungsfreie Umgebung notwendig, Kalibrierung mehrmals täglich

10.2.4 Übersicht praktischer Anwendungen

Tabelle 10.1 Beispiele für praktische Anwendungen von J.ITA-Messungen bei Kunststoffen

Anwendung	Kennwert	Beispiel
Mehrschichtsysteme	T_g, T_m	Identifizierung der einzelnen Schichten von Multilayer-Rohren oder -Folien
Klebe- und Fügetechnik	T_g, T_m	Charakterisierung von Beschichtungen hinsichtlich Dicke und Aushärtung
Mehrkomponentenspritzguss	T_g, T_m	Betrachtung von Grenzschichten, Mischphasen
Alterungserscheinungen	T_m	Charakterisierung von Randschichten

10.3 Praktische Vorgehensweise

10.3.1 Das Wichtigste in Kürze

Probenvorbereitung	Die Stelle der Probenentnahme wird problemspezifisch gewählt. Die Probenoberfläche muss glatt (10 mm), möglichst poliert und planparallel sein.
Probenpositionierung	Der größtmögliche Scanbereich beträgt 100 x 100 mm. Dieser Bereich kann maximal während eines Scans abgebildet werden. Die Punkte für die lokale thermische Analyse werden nach dem Oberflächenscan gewählt.
planparallele und glatte (max. 10 mm) Proben	
Sensorvorbereitung	Der Sensor muss vor der Messung gereinigt sein. Anhaftende Probenreste verfälschen das Ergebnis. Der Sensor wird mit einer geeigneten Belastung (Andruckkraft) auf die Probenoberfläche aufgebracht. Die dadurch verursachte Ablenkung des Lasers muss überprüft werden. Die Qualität einer Messung hängt auch von der Form und dem Winkel der jeweiligen Messspitze ab.

Belastung (Andruckkraft)	Die Belastung auf den Sensor wird in nA gewählt und liegt bei der Messung von Kunststoffen zwischen 10 und 50 nA Auslenkung auf dem Photodetektor.
Scanparameter	Der Sensor hat während des Scanvorgangs eine bestimmte konstante Temperatur; diese liegt meist um 50 °C. Zur gezielten Hervorhebung bestimmter Effekte kann diese erhöht werden. Die Aufnahme des Scans liefert Informationen über die Topographie der Probe und über qualitative Wärmeleitfähigkeitsunterschiede. Anhand dieser Bilder werden bestimmte Punkte für die nachfolgende lokale thermische Analyse
Messprogramm	Das Messprogramm muss material- und probenspezifisch mit geeigneten Parametern für Start-/Endtemperatur und Heizrate gewählt werden.
Heizrate	Die Heizraten liegen im Vergleich zu den anderen Methoden der Thermischen Analyse sehr hoch. Aufgrund der geringen Probenmenge (Oberflächenbereich) und des kleinen Sensordurchmessers (5 mm) können Heizraten bis zu 100 °C/s erzielt werden. Für die Untersuchung von Kunststoffen sind Heizraten von 5 bis 10 °C/s günstig.
Heizraten von 5 bis 10 °C/s	
Starttemperatur	Die Starttemperatur sollte mind. 50 °C unterhalb des ersten erwarteten Effektes liegen. Meist beginnt die Messung bei Raumtemperatur. Es sind aber auch tiefe Starttemperaturen möglich; diese erfordern einen Zusatz, mit Hilfe dessen die komplette Probe gekühlt wird.
Endtemperatur	Um eine sichere Auswertung zu ermöglichen, sollte die Endtemperatur ca. 30 °C oberhalb des zu messenden Effektes liegen. Eine beginnende Zersetzung ist bei dieser Methode nicht so kritisch zu sehen, da in der Regel bei µTA Messungen kein definiertes Abkühlen und anschließendes zweites Aufheizen folgt.
Auswertung/ Interpretation	Nach Durchführung des Scans werden zunächst die Topographie und das Wärmeleitfähigkeitsbild beurteilt. Die Messung der lokalen thermischen Analyse an verschiedenen Stellen wird meist hinsichtlich der Temperaturen ausgewertet.

10.3.2 Einflussfaktoren und Fehler bei der Messung

10.3.2.1 Probenvorbereitung

Um eine tTA-Messung durchführen zu können, muss die Probe zunächst einigen Anforderungen genügen. Die Rauigkeit der Probe darf 10 µm nicht übersteigen, d.h. in der Regel müssen die Proben sorgfältig vorbereitet werden (Mikrotom, Polierscheibe usw.).

Beim Polieren der Probe wird wie bei der Probenpräparation für mikroskopische Untersuchungen vorgegangen. Bei der Wahl der Schleifpapiere und deren Körnungen bzw. der Polierpasten ist darauf zu achten, dass Bestandteile der Probe während des Schleifens und Polierens nicht aus der Oberfläche gerissen werden dürfen. Ist die Beurteilung der thermischen Vorgeschichte nicht Ziel der Untersuchung, ist es unter Umständen sinnvoll, einen Schmelzefilm zu präparieren.

Weiterhin muss die Probe planparallel in die Messapparatur eingesetzt werden. Erfüllt die Probe nicht von sich aus diese Anforderung, kann die Verwendung einer Schliffpresse und Knetmasse zum Ausgleichen hilfreich sein. Sind alle Voraussetzungen der Probe für eine Messung erfüllt, wird die Probe auf einen magnetischen Probenträger geklebt und auf dem Probentisch fixiert.

Glatte und planparallele Probe erforderlich

10.3.2.2 Erstellen der Oberflächenabbildung

Zur Vorbereitung der Messung muss der Laserstrahl zentral auf die Detektoren justiert werden. Nun kann die Messspitze vorsichtig über die zu messende Probenoberfläche gebracht werden. Nach Auswahl des gewünschten Abtastbereiches wird die Messspitze automatisch auf die Probe gesetzt. Es erfolgt ein Abscannen der Oberfläche in einem maximalen Bereich von 100 x 100 µm. Es können folgende Abbildungen aufgenommen werden.

Topography:	Ein Topographie-Bild des gescannten Bereiches.
Sensor:	Eine laufende Darstellung des internen Sensors, um topographische Merkmale hervorzuheben.
Conductivity:	Ein Wärmeleitfähigkeitsbild, das aus der Leistung gebildet wird, die erforderlich ist, um die Messspitze auf der gewünschten Temperatur zu halten.
Mod Temp (Amp)*:	Eine Darstellung basierend auf dem Antwortsignal bei Vorgabe einer temperaturmodulierten Amplitude.
Mod Temp (Phase)*:	Eine Darstellung basierend auf der Phasenverschiebung zwischen vorgegebener und erreichter Temperaturmodulation.
Z Piezo:	Es wird die Spannung [V] der Z-Piezo-Position dargestellt, um topographische Merkmale hervorzuheben. Diese Funktion kann bei der Darstellung von sehr flachen Oberflächen hilfreich sein, bei denen die Größe eines Merkmals unterhalb des Grundrauschens des Scanners liegt.

**Diese Darstellungen sind nur für Modulationsversuche relevant.*

In der Regel werden die Abbildungen der Wärmeleitfähigkeitsdifferenz und der Topographie der Probe für die Vorbereitung einer µTA-Messung verwendet. Mit Hilfe dieser Abbildungen können die gewünschten Messpunkte für die lokale Thermische Analyse ausgewählt werden.

Für die Abbildung der Wärmeleitfähigkeit wird der Sensor auf einer konstanten Temperatur gehalten und die Veränderung des Sensorwiderstandes gemessen. Diese Temperatur sollte mind. 30 °C oberhalb der Probentemperatur liegen (also bei RT ca. 60 °C).

10.3.2.3 Wahl der Messpunkte

Die Auswahl der Messpunkte erfolgt nach der jeweiligen Fragestellung. Bei einem Mehrschichtaufbau werden die Messpunkte beispielsweise in jede Schicht platziert, bei einer Grenzfläche in die jeweiligen Flächen und in den Grenzbereich. Da die Messspitze während der Messung meistens in die Probe eindringt und einen kleinen „Krater" hinterlässt, sollten die ausgewählten Messpunkte mindestens 15 µm voneinander entfernt liegen, Bild 10.5.

Zwischen den einzelnen Messpunkten wird jeweils eine Basislinie in Luft gemessen und von der späteren Messkurve subtrahiert. Bleiben Schmelzereste an der Messspitze haften, sind diese durch Ausglühen zu entfernen. In der Praxis hat sich bewährt, die Messpunkte in einem Bereich gleichen Materials durchzuführen und den Sensor auszuglühen, bevor Messungen in Bereichen mit evtl. anderem Material oder Eigenschaften aufgenommen werden. Dies soll verhindern, dass oftmals noch anhaftende Probenreste die folgenden Messungen verfälschen.

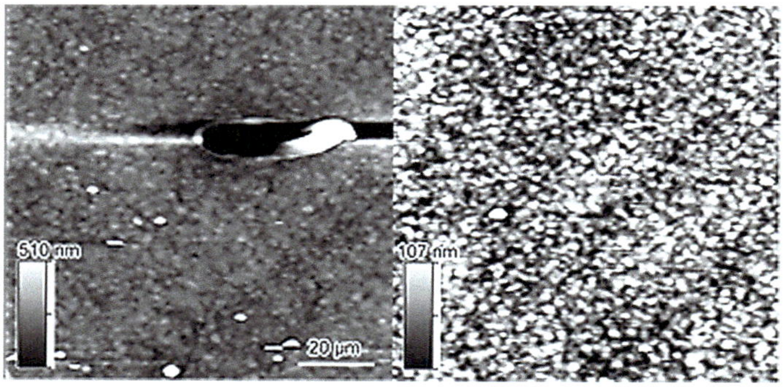

Bild 10.5 Z-Piezo-Abbildung einer polierten PA 6-Oberfläche vor (rechts) und nach (links) einer TA-Messung
Scangeschwindigkeit 25 fim/s, Scantemperatur 60 °C, Heizrate 20 °C/s, Endtemperatur 260 °C, Belastung 25 nA

Probenrückstände am Sensor können Messung verfälschen

10.3.2.4 Belastung

Wie in Bild 10.1 gezeigt, ist auf dem Sensor ein Spiegel angebracht, um den Laserstrahl je nach Auslenkung des Sensors auf einen Detektor abzulenken. Über Einstellschrauben können die Positionen der Ablenkspiegel und des Sensors so justiert werden, dass der Laser während der Messung im mittleren Bereich des Detektors auftrifft. So wird gewährleistet, dass auch bei größerer Auslenkung des Sensors, z. B. bei Proben mit einer höheren Rauigkeit, alle Bewegungen des Sensors, sowohl in positive als auch in negative z-Richtung detektiert werden.

Beim automatischen Aufsetzen des Sensors auf die Probenoberfläche kann die zu erzielende Auslenkung auf den Detektor vorgegeben werden. Über die Justage der Ablenkung des Lasers ohne Probenberührung und die vorgegebene Positionierung auf der Probe kann also indirekt die Belastung als eine Art „Andruckkraft", des Sensors auf die Probe beeinflusst werden, Bild 10.6.

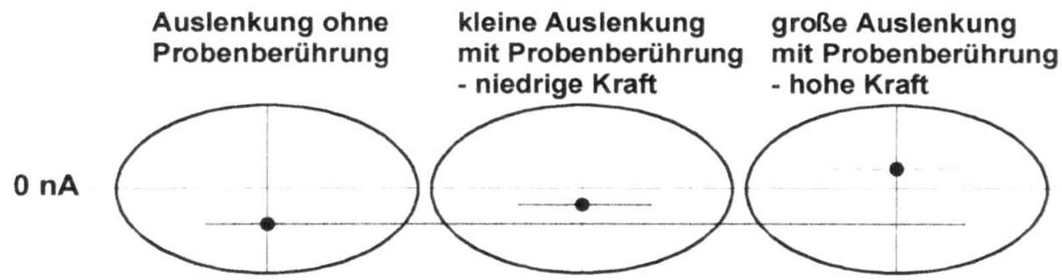

Bild 10.6 Einstellung der Laserablenkung auf den Photodetektor vor und nach Aufsetzen des Sensors auf die Probe

Durch die hohe Elastizität des Sensorarmes ist die Variationsmöglichkeit der „Andruckkraft" des Sensors auf die Probe nur sehr eingeschränkt. Vor allem muss ein Mittelweg zwischen einem gut erkennbaren Eindringen des Sensors in die Probe beim Erweichen und einem leichten Herausziehen gewährleistet sein. Dringt der Sensor zu stark in die Probe ein, birgt dies die Gefahr, dass eine größere Probenmenge beim Herausziehen am Sensor haften bleibt oder der Sensor gar verbogen wird.

10.3.2.5 Temperaturprogramm

Für Start- und Endtemperaturen gelten gleiche Vorgaben wie bei klassischen thermoanalytischen Messmethoden. Die Starttemperatur sollte tief genug gewählt sein, um den zu messenden Effekt sauber erfassen zu können, und die Endtemperatur sollte weit genug oberhalb des Messeffektes, aber unterhalb der Zersetzungstemperatur liegen.

Die Heizraten einer µTA-Messung sind aufgrund der sehr kleinen Probenfläche sehr viel höher als bei einer DSC- oder TMA-Messung. Es gibt jedoch auch hier unterschiedliche Messbedingungen, je nach Probenart und Fragestellung.

Für die Bestimmung von Schmelztemperaturen von Thermoplasten hat sich eine Heizrate von 5 bis 10 °C/s bewährt. Ein schnelleres Aufheizen kann unter Umständen ein Überfahren von kleinen Effekten bewirken, Bild 10.7. Sehr langsames Aufheizen führt zu einer Darstellung von Schmelzeffekten auch unterhalb der eigentlichen Messoberfläche, die aufgrund des langsamen Aufheizens verspätet erreicht werden.

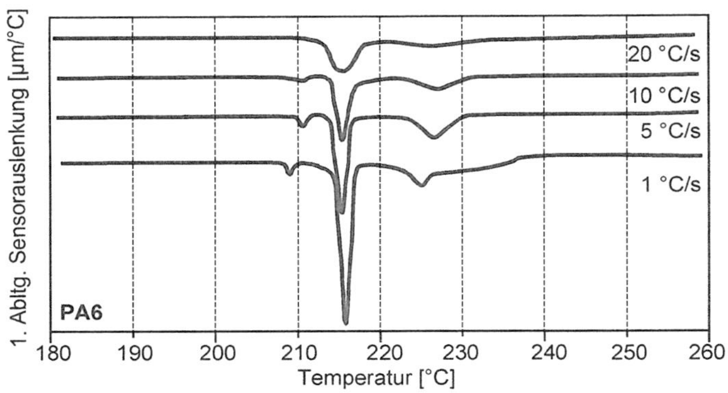

Bild 10.7 Einfluss unterschiedlicher Heizraten auf die Ausbildung von Schmelzeffekten bei einem PA 66
Belastung 20 nA, polierte Oberfläche

Die Verschiebung der ermittelten Schmelztemperaturen mit höheren Heizraten ist bei der Bestimmung von Schmelztemperaturen nicht sehr hoch, wie am PP in Bild 10.8 gezeigt.

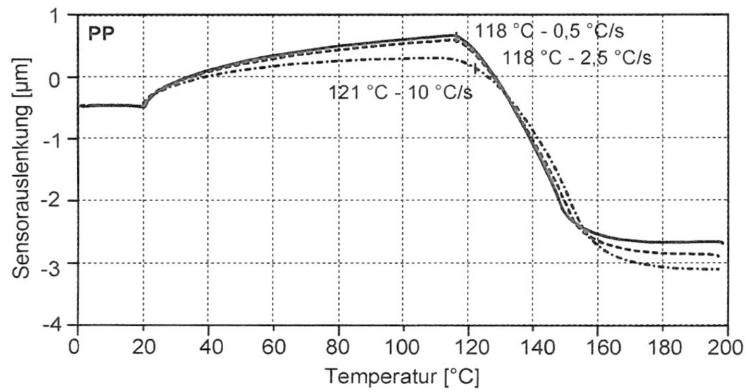

Bild 10.8 Sensorauslenkung eines PP unter verschiedenen Heizraten (0,5; 2,5; 10 °C/s)
Belastung 25 nA, polierte Oberfläche

Amorphe Kunststoffe zeigen bei µTA-Messungen oftmals breite Übergänge. Dies könnte mit der zu teilkristallinen Kunststoffen vergleichbar geringeren Wärmeleitfähigkeit und damit etwas verzögerten Temperaturübertragung in die Probe zusammenhängen. Eine weitere Ursache könnte in der meist höheren Schmelzviskosität von amorphen Kunstoffen unmittelbar oberhalb des Glasübergangsbereiches im Vergleich zur Schmelzviskosität unmittelbar oberhalb des Schmelzbereiches von teilkristallinen Kunststoffen liegen.

Des Weiteren ist bei amorphen Kunststoffen ein sehr viel stärkerer Einfluss der Heizrate auf den Glasübergangsbereich als bei teilkristallinen Kunststoffen auf den Schmelzbereich zu erkennen. Dies hängt mit der Frequenzabhängigkeit der Glasübergangstemperatur zusammen. Dadurch ist eine Identifikation von amorphen Materialien oftmals schwierig und kann schnell zu falschen Rückschlüssen führen.

In Bild 10.9 ist diese Problematik am Beispiel eines PC gezeigt. Die üblicherweise bestimmte Glasübergangstemperatur von PC liegt bei 150 °C. Die Glasübergangstemperatur mittels µTA liegt aber sogar bei vergleichsweise geringer Heizrate von 0,5 °C/s bei einem Wert von 185 °C. Bei höheren Heizraten steigt der Wert bis fast 200 °C an. Eine µTA-Messung allein sollte daher nicht ohne Weiteres zur Werkstoffidentifizierung herangezogen werden. Vielmehr dient sie als Hilfsmittel bei der Klärung von Effekten bereits identifizierter Materialien.

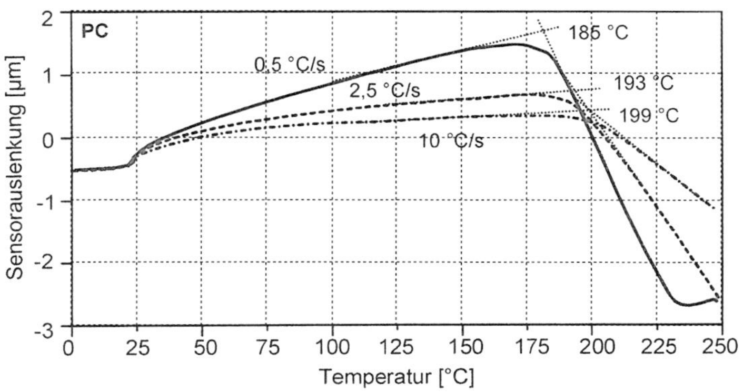

Bild 10.9 Sensorauslenkung bei der Messung von PC mit verschiedenen Heizraten Belastung 25 nA, polierte Oberfläche

10.3.2.6 Auswertung

Aufgrund der sehr geringen Auflagefläche des Sensors auf der Probe ist eine mehrfache (mind. 3-malige) Reproduzierung des Messergebnisses unbedingt notwendig. Es kann sonst nicht von einem signifikanten Effekt gesprochen werden.

Mindestens dreimalige Reproduzierung des Messergebnisses erforderlich

Zur Auswertung der verschiedenen Messkurven werden in der Regel die Onsettemperaturen des jeweiligen Effektes bestimmt. Ist wie bei der Bestimmung von Schmelztemperaturen eine anschließende weitere Ausdehnung des Materials zu erkennen, kann auch das Maximum der 1. Ableitung der Sensorauslenkung zur Auswertung herangezogen werden.

10.3.3 Beispiele aus der Praxis

10.3.3.1 Identifizierung von Kunststoffen

Eine Identifikation von unbekannten Kunststoffen mittels charakteristischer Schmelz und Glasübergangstemperaturen ist prinzipiell mit der *µTA* möglich. Aufgrund der sehr kleinen Probenmenge und der in 10.3.2.5 angesprochenen Abhängigkeit der Glasübergangstemperatur von der Heizrate und der Frequenz besteht jedoch die Gefahr von Fehlinterpretationen.

Die Auswertung von Übergangstemperaturen erfolgt in der Regel in Form von Tangentenschnittpunkten, was den Einfluss von Verarbeitungsbedingungen sehr stark betont und eine weitere mögliche Fehlerquelle darstellt. Die Identifizierung teilkristalliner Thermoplaste anhand der Schmelztemperatur kann als weniger kritisch angesehen werden. Bei unbekannten Materialien empfiehlt es sich jedoch immer, die Ergebnisse mit DSC-Ergebnissen zu vergleichen und die *µTA*-Untersuchung zur weiteren Selektion zu verwenden.

Die lichtmikroskopische Betrachtung eines Anschliffes zeigte bei einem Rohr aus glasfaserverstärktem PA 66 Inhomogenitäten. Mit Hilfe der lokalen thermischen Analyse konnte hier sehr schnell festgestellt werden, dass es sich bei der Inhomogenität nicht um einen Partikel eines anderen Werkstoffs handelte, sondern um den Grundwerkstoff PA 66, Bild 10.10.

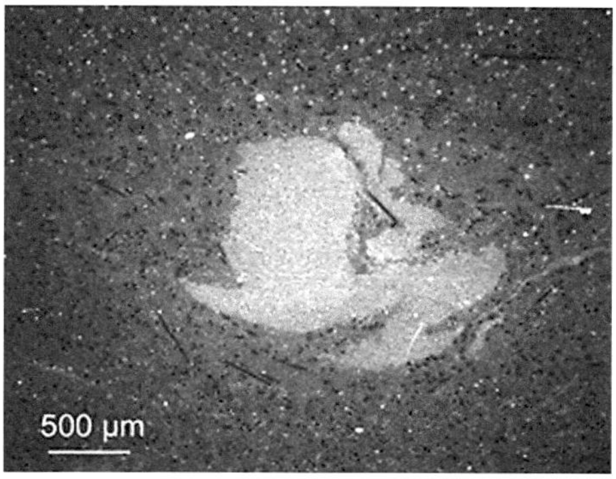

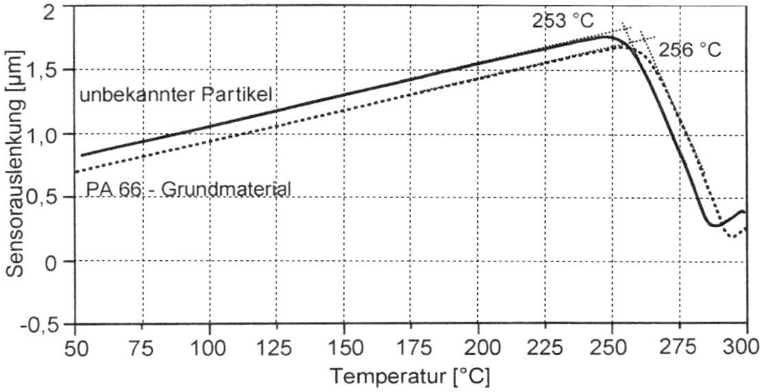

Bild 10.10 Anschliff eines Rohres aus PA 66-GF (oben) und lokale Thermische Analyse am Grundmaterial und unbekanntem Partikel (unten)
Belastung 25 nA, Heizrate 20 °C/s

10.3.3.2 Randschicht einer PP-Probe

Kunststoffformteile bilden unter praxisnahen Verarbeitungsparametern meist eine feinsphärolitische oder gar amorphe Randschicht aus. Zur Charakterisierung von solchen sehr dünnen Randschichten mit den klassischen Methoden der Thermischen Analyse ist eine aufwendige Probenpräparation notwendig. Die Schichten müssen vorsichtig voneinander getrennt werden, was das Arbeiten mit einem Mikrotom erforderlich macht. Selbst nach erfolgreicher Trennung ist häufig die notwendige Mindesteinwaage z.B. für eine DSC-Messung nicht gegeben. Das definierte Platzieren des Sensors der *µTA* ermöglicht es, Übergangstemperaturen ganz gezielt in Abhängigkeit von der Position vom Rand zu bestimmen.

Im folgenden Beispiel wurde eine PP-Probe über den Querschnitt geschliffen und poliert. Die im Foto markierten Stellen wurden definiert angefahren, und dort die Schmelztemperatur der jeweiligen Schicht bestimmt.

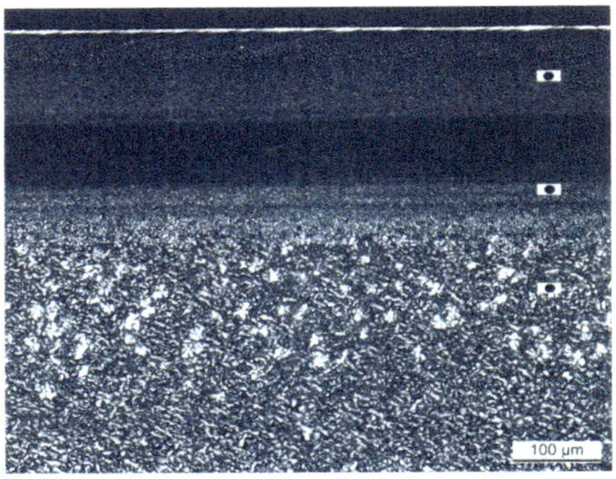

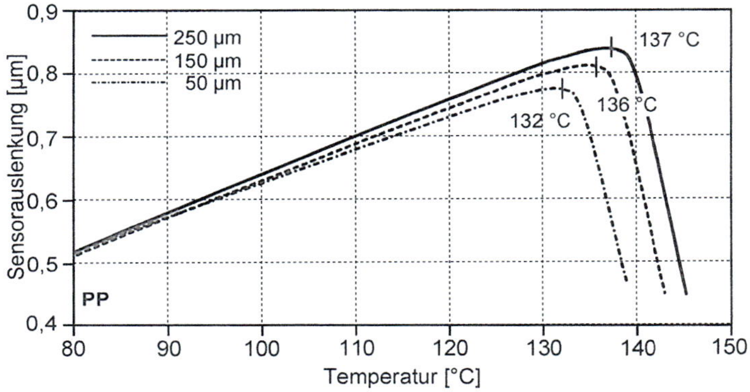

Bild 10.11 oben: Dünnschnitt des PP-Formteils zur Verdeutlichung der Lage der Messpunkte unten: Sensorauslenkung der *µTA*-Messung an den oben markierten Stellen, gemessen an einer polierten Probe
Belastung 25 nA, Heizrate 10 °C/s

Es ist zu erkennen, dass die Schmelztemperatur im Randbereich am tiefsten liegt. Die weiter innen liegenden Schichten zeigen eine höhere Schmelztemperatur.

10.3.3.3 Rohr mit Mehrschichtaufbau

Mit Hilfe der tTA kann zum einen der Schichtaufbau eines Multilayer-Rohres (5 Schichten) dargestellt und zum anderen können die einzelnen Materialien identifiziert werden. Dabei wurden die jeweils aufeinandertreffenden Grenzschichten einzeln gescannt und auf beiden Seiten jeweils zwei Messungen durchgeführt. Bis auf eine Vinylacetat-Schicht, die mittels IR-Spektroskopie (Mikroskopie) identifiziert wurde, konnten alle 4 Schichten relativ sicher anband der Schmelztemperaturen charakterisiert werden.

Bei der Betrachtung von Grenzschichten kann es durchaus hilfreich sein, die Probe nach Durchführung der Messungen nochmals im Mikroskop zu betrachten. Anhand der Krater, die bei tTA-Messungen entstehen, kann die Lage der Messpunkte überprüft werden, Bild 10.12.

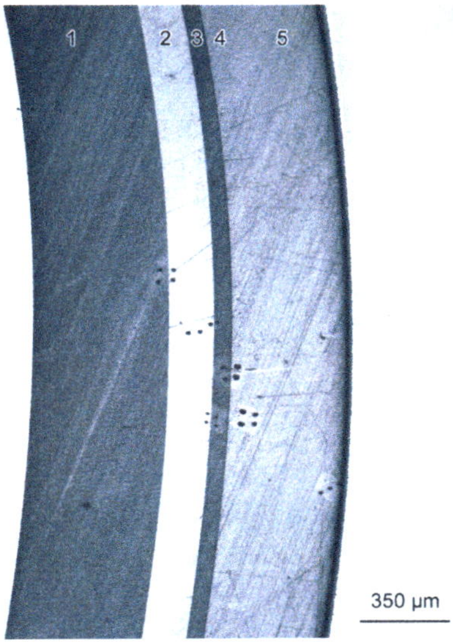

Pos.	Schmelzbeginn [°C]	Werkstoff
1	221-222	PA 6
2	evtl. Zersetzung	VA*
3	216-223	PA 6
4	146-152	PP
5	184-189	PA 12

*VA wurde durch IR identifiziert

- Die Messpunkte sind als Krater sichtbar.

Bild 10.12 Mehrschichtaufbau eines Kunststoffrohres
Scangeschwindigkeit 50 p,m/s, Sensortemperatur 60 °C, Belastung 25 nA, Heizrate 10 °C/s, (die Messstellen sind als kleine schwarze Punkte zu erkennen)

10.3.3.4 Anbindungsbereich einer 2-Komponenten-Probe

Im folgenden Beispiel wird der Kontaktbereich einer 2K-Probe (PA 6/PA 66 GF) auf unterschiedliche Art und Weise betrachtet. Zunächst wurde eine Aufnahme der Topographie durchgeführt, um dann gezielt an verschiedenen Stellen eine lokale *uTA*Messung durchzuführen. Ziel ist es, Aussagen hinsichtlich des Materialverhaltens, vor allem im Bereich der Anbindungskante, in Abhängigkeit von der Anspritztemperatur und den jeweiligen Kunststoffpartnern zu treffen. Die Messungen zeigen deutlich die Ausbildung einer Mischphase an der Grenzfläche.

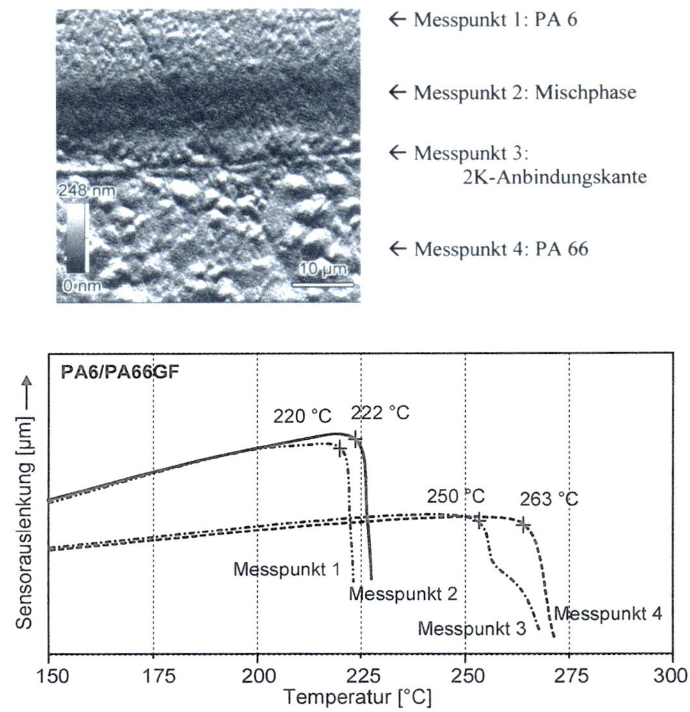

Bild 10.13 Topographiebild (oben) und *µTA*-Messung (unten) einer PA 6/PA 66GF-Probe im Bereich der Anbindungskante
Scangeschwindigkeit 50 µm/s, Sensortemperatur 60 °C, Belastung 25 nA, polierte Oberfläche, Heizrate 10 °C/s

In einem weiteren Experiment wurde die Sensortemperatur variiert. Bei einer erhöhten Sensortemperatur von 220 °C (entspricht der Schmelztemperatur von PA 6) kann der Kontaktbereich beider Materialien optisch noch deutlicher dargestellt werden.

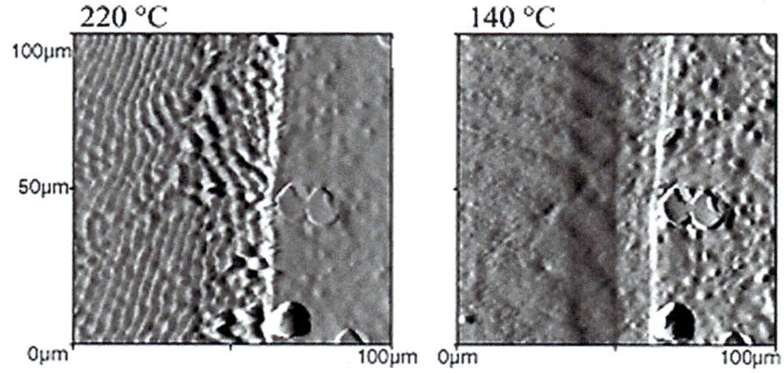

Bild 10.14 Einfluss der Sensortemperatur auf das Topographiebild einer PA 6/PA 66GFProbe

10.3.3.5 PA 6 im Metallverbund

Bild 10.15 zeigt die Wärmeleitfähigkeitsabbildung eines beschichteten Metallträgers im Verbund mit PA 6. Es sollten Aussagen hinsichtlich der Schichtdicke und Mischbarkeit der einzelnen Komponenten getroffen werden.

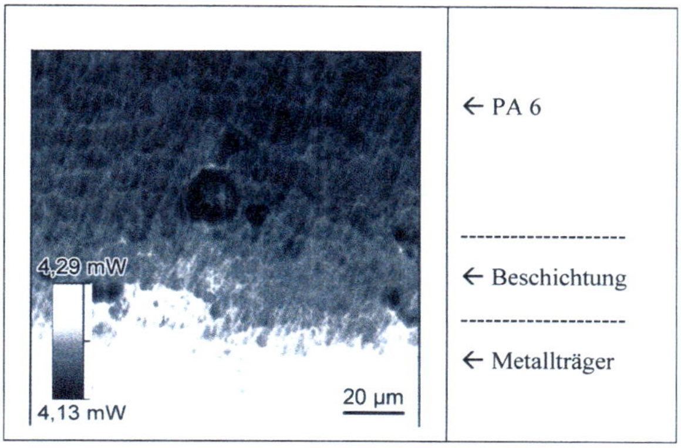

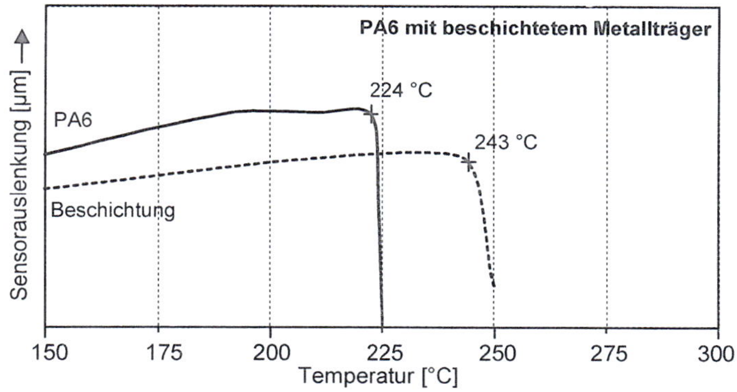

Bild 10.15 Wärmeleitfähigkeitsscan (oben) und *µTA*-Messung eines PA 6-Metall-Verbundes an der Anbindungskante
Scangeschwindigkeit 25 µm/s, Sensortemperatur 60 °C, Belastung 25 nA, polierte Oberfläche, Heizrate 10 °C/s

Der Wärmeleitfähigkeitsscan erlaubt bereits eine Abschätzung der Schichtdicke der duroplastischen Metallbeschichtung. Die lokale thermische Analyse wurde an mehreren Punkten im Bereich des Verbundpartners Polyamid und der duroplastischen Beschichtung durchgeführt.

Eine Mischphase beider Komponenten konnte nicht detektiert werden. Im Bereich der Beschichtung erlaubte ein Effekt bei ca. 243 °C den Rückschluss auf eine Nachhärtereaktion der duroplastischen Beschichtung.

10.3.3.6 Nachweis der Alterung an der Oberfläche

Die folgenden beiden Bilder als 3D-Topographiedarstellungen zeigen die Randschichten von spritzgegossenen PA 66-Platten, die unterschiedlich lange und bei verschiedenen Temperaturen gelagert wurden. Eine sphärolitharme Randschicht ist in beiden Fällen deutlich erkennbar. Die Lagerung bei hohen Temperaturen (120 °C) führt zu einer Erhöhung der Kristallinität und ist offensichtlich mit einer Vergrößerung der sphärolithischen Strukturen verbunden. Diese Effekte äußern sich in der lokalen thermischen Analyse durch eine Erhöhung der Schmelztemperatur der getemperten Probe um einige °C sowohl in der Randschicht als auch tiefer in der Probe.

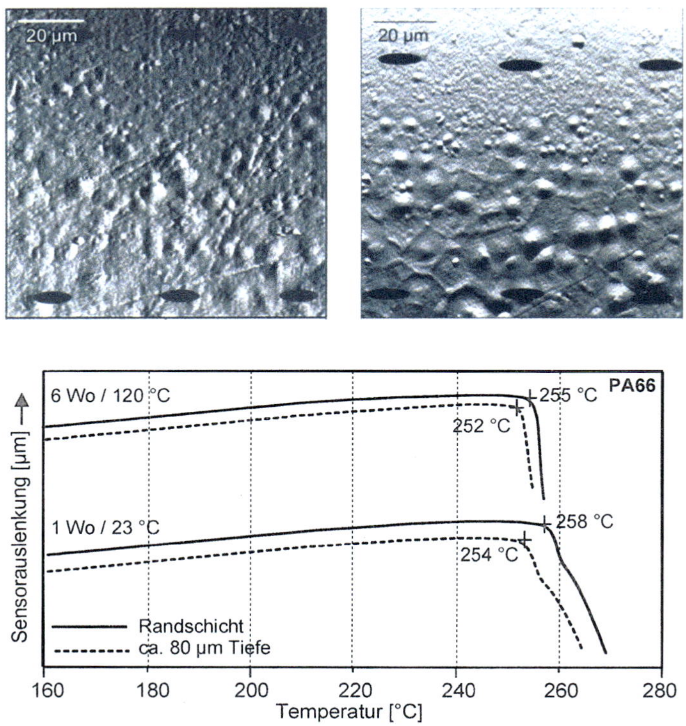

Bild 10.16 oben: 3D-Topographiebilder
unten: *µTA*-Messungen von spritzgegossenen PA 66-Platten nach unterschiedlicher Lagerung (oben links: 1 Wo/23 °C; oben rechts: 6 Wo/120 °C)
Scangeschwindigkeit 50 pm/s, Sensortemperatur 60 °C, Belastung 25 nA, polierte Oberfläche, Heizrate 10 °C

10.4 Normen

Literatur

[1] Zur Mühlen, E.; Einführung in die mikrothermische Analyse (tTA) und ihre Anwendung in der Studie von Elastomeren, Tagungsband Elastomeranalytik, Deutsches Institut für Kautschuktechnologie e. V., Hannover 1998

[2] N. N.; TA-Instruments, 11TA 2290 Micro Thermal Analyzer Operator's Guide, July 2000

[3] Häßler, R.; Zur Mühlen, E.; An Introduction to 11TATM and Application to the Study of Interfaces, Thermochimica Acta 361 (2000), S. 113 - 120

- Häßler, R.; Mikrothermische Analyse an Grenzschichten kleben & dichten Adhäsion 43 (1999) 6, S. 30 - 33
- Price, D. M.; *http://www.user.globalnet.co.ukldmprice/publications/index.htm*
- Moon, I.; Androsch, R.; Chen, W.; Wunderlich, B.; The Principles of Microthermal Analysis and its Application to the Study of Macromolecules, Journal of Thermal Analysis and Calorimetry Vol. 59 (2000) 1, S. 187 - 203
- Price, D. M.; Reading, M.; Hammiche, A.; Pollock, H. M.; New Adventures in Thermal Analysis - Journal of Thermal Analysis and Calorimetry Vol. 60 (2000) 3, S. 723 - 733
- Price, D. M.; Reading, M.; Lever, T. J.; Applications of Microthermal Analysis - Journal of Thermal Analysis and Calorimetry 56 (1999) 2, S. 673 - 679
- Ehrenstein, G. W.; Riedel, G.; Trawiel, P.; Praxis der Thermischen Analyse von Kunststoffen, Carl Hanser Verlag, München 2003, 2. Aufl.
- Wampfler, B.; Affolter, S.; Ritter, A.; Schmid, M.; Messunsicherheit in der Kunststoffanalytik: Ermittlung mit Ringversuchsdaten, Carl Hanser Verlag, München, 2017

Index

L

M

N

O

P

Q

R

S

T

U

V